Les Ailes de l'ange

JENNY WINGFIELD

Les Ailes de l'ange

Traduit de l'américain par Isabelle Chapman

ÉDITIONS
**FRANCE
LOISIRS**

Titre original : *Sweet by and by*
Publié par Random House, New York

Édition du Club France Loisirs,
avec l'autorisation des Éditions Belfond

Édition du Club France Loisirs,
123 boulevard de Grenelle, Paris
www.franceloisirs.com

© Jenny Wingfield 2010. Tous droits réservés.
© Belfond, un département de Place des éditeurs, 2010

ISBN :   version reliée :   978-2-298-03020-4
          version souple :   978-2-298-03245-1

À Charlie et Leon
Et à Shari, qui a déployé ses ailes

1

Comté de Columbia, Arkansas – 1956

John Moses n'aurait pu choisir plus mal son jour, ni sa façon de mourir, même s'il l'avait prévu longtemps à l'avance. Possible après tout. Avec une tête de mule comme John. Le week-end de la grande réunion de famille se déroulait à merveille – enfin, normalement – quand il s'était avisé de tout gâcher.

La réunion avait lieu le premier dimanche de juin. Forcément : c'était comme ça depuis toujours. Car, la tradition, John Moses était à cheval dessus. Chaque année, sa fille Willadee (elle vivait loin dans le Sud, en Louisiane) lui demandait de changer la date, soit pour le deuxième dimanche de juin, soit pour le premier dimanche de juillet, mais John tenait une réponse toute prête :

— Plutôt brûler en enfer.

Willadee rappelait alors à son père qu'il n'y croyait pas, et John de lui remémorer à son tour que c'était en *Dieu* qu'il ne croyait pas, et que, pour l'enfer, la question restait à débattre. À quoi il ajoutait que, le pire, si pareil lieu existait vraiment, ce serait que le mari de Willadee, Samuel Lake, y soit envoyé en même temps que lui, étant donné qu'il était prédicateur... et tout le monde savait que les prédicateurs (surtout les méthodistes, comme Samuel) étaient les plus viles crapules que la terre ait jamais portées.

Willadee ne discutait jamais avec son père, même si elle savait que son mari n'avait rien d'une crapule. Le problème, c'était que la conférence annuelle commençait le premier dimanche de juin. À cette occasion tous les pasteurs méthodistes des quatre coins de l'État apprenaient de la bouche de leur responsable de district quel degré de satisfaction ou de non-satisfaction ils avaient obtenu au cours de l'année écoulée, et s'ils allaient pouvoir rester où ils étaient, ou être obligés de déménager.

Samuel avait l'habitude de s'entendre dire qu'il fallait déménager. Il était de ceux qui prennent leurs semblables à rebrousse-poil. Pas volontairement, s'entend. Il se contentait de faire ce qu'il pensait être juste – se précipiter, par exemple, le dimanche matin au fin fond de nulle part avec sa vieille guimbarde afin de ramasser une flopée de miséreux (de préférence en guenilles et pieds nus) qu'il ramenait en ville pour assister au culte. Encore s'il y avait eu des cultes différents, un pour les pauvres péquenauds et un autre pour les honnêtes citoyens auxquels la coupe et la qualité de leur garde-robe garantissaient sans l'ombre d'un doute l'entrée au paradis. Mais pas du tout. Samuel entretenait cette idée saugrenue que Dieu aimait tout le monde de la même manière. En plus, il prêchait avec une ferveur que certains estimaient excessive, donnant du poing sur son pupitre, souvent pour appuyer des paroles du genre : « Que ceux qui croient répètent après moi AMEN ! » alors que les méthodistes, et il était bien placé pour le savoir, s'efforçaient au contraire de se débarrasser de ces vieilles lunes, non sans mal d'ailleurs, comme vous pouvez le constater.

Toujours est-il que John Moses s'en fichait. Il n'était pas disposé à badiner avec la tradition pour la seule raison que Willadee avait été assez niaise pour épouser un prédicateur. \stupid

Bien sûr, à l'époque de leur mariage, Samuel ne prêchait pas encore. C'était un solide gars de la campagne, fort comme un bœuf, et d'une beauté dangereuse. Le cheveu noir et l'œil bleu – d'ascendance galloise et irlandaise. Tout ça pour dire que, lorsque Samuel avait épousé la discrète et fade Willadee Moses, certaines demoiselles du comté de Columbia n'avaient pas quitté la chambre pendant une semaine.

Samuel Lake était magique; un être tout à la fois merveilleux et terrible, capable des colères les plus noires et de la plus effrayante tendresse, car, lorsque Samuel Lake aimait, il aimait de tout son cœur. Et ce lutin malicieux avait reçu en supplément le don de la musique. Il chantait d'une belle voix de ténor et jouait de la guitare aussi bien que du violon, de la mandoline et de tous les instruments qui pourraient vous venir à l'esprit. Le pays tout entier était sous le charme de Samuel et de ses mélodies.

«Sam Lake a la voix aussi douce que le vent dans les trèfles.»

«Il fait causer les cordes.»

«Il peut les faire parler en langues.»

Chaque été, le lendemain du dernier jour de classe avant les grandes vacances, Samuel et Willadee entassaient les mômes, Noble, Swan et Bienville, dans la voiture et mettaient le cap vers le sud de l'Arkansas.

11

Le comté de Columbia ressemblait à s'y méprendre au nord de la Louisiane. On aurait dit que Dieu avait créé la région en un seul bloc, et qu'Il avait pris son pied. Il y avait des collines à perte de vue, des arbres gigantesques, des ruisseaux d'eau vive aux fonds sablonneux, des fleurs sauvages, des ciels bleus et de grands nuages floconneux et joufflus suspendus si bas qu'il vous aurait suffi – c'était l'impression qu'on avait – de lever le bras pour en attraper une poignée. Ça, c'était le côté positif. Le moins réjouissant se conjuguait en ronces et graterons et bien d'autres enquiquinements auxquels personne ne prenait garde, le positif pesant en fin de compte plus lourd dans la balance, mille fois plus.

À cause du calendrier méthodiste, Samuel ne parvenait jamais à rester pour la réunion de famille. Il prenait tout juste le temps de déposer Willadee et les enfants, et de tailler une bavette avec ses beaux-parents. Du moins avec Calla, la mère de Willadee. Car dès que son gendre mettait le pied dans la maison, John en sortait en feignant un haut-le-cœur. Calla, elle, trouvait Samuel merveilleux. Une heure plus tard, Samuel embrassait Willadee, en lui tapotant les fesses, au vu et au su de Dieu et de tous les autres. (John, ça ne manquait jamais, prenait la porte, outré.) Puis il serrait ses enfants dans ses bras et leur recommandait de bien s'occuper de leur maman, après quoi il filait à sa conférence. Ah, il disait aussi au revoir à John, mais le vieux ne lui rendait jamais son salut. Il ne pardonnait pas à Samuel d'avoir emmené Willadee en Louisiane, ni à Willadee son départ. Dans son esprit, elle avait eu le tort de ne pas épouser Calvin Furlough, aujourd'hui propriétaire d'une entreprise de carrosserie florissante et d'une meute de chiens de chasse au raton laveur ! Si seulement Willadee avait été gentille, elle serait tombée amoureuse de Calvin, et tout aurait été pour le mieux dans le meilleur des mondes. La plus chérie et la plus douce des enfants de John et Calla aurait habité le voisinage, et servi de bâton de vieillesse à son vieux papa. Et puis, il n'aurait pas été affligé d'une petite-fille appelée Swan Lake[1].

Les Moses étaient disséminés aux quatre coins du comté de Columbia. Des Moses, il y en avait *partout*. John et Calla s'étaient aimés avec volupté et avaient eu sept enfants, quatre fils et trois filles. Tous les sept, sauf Willadee et leur cadet, Walter, mort l'année de ses vingt ans des suites d'un accident du travail à la scierie, vivaient non loin de Magnolia, dans un rayon d'une soixantaine de kilomètres de la vieille ferme.

La «vieille ferme Moses», c'étaient quarante hectares fournissant lait, œufs, viande, légumes, fruits, noisettes et miel. Non sans demander de l'abnégation. La terre ne donnait presque rien à l'œil. Des dépendances édifiées au fil du temps et des besoins par John et ses fils étaient disposées çà et là. Granges, remises, garages, cabanes... En 1956, elles tenaient encore debout, mais penchaient dangereusement. Comme si ces bâtiments, conscients de leur inutilité, avaient été gagnés par une profonde lassitude. Comme s'ils savaient qu'ils avaient perdu toute raison d'être.

La maison principale était une vaste bâtisse à un étage. De construction robuste, bien que ces

---

1. «Lac des cygnes.» (Toutes les notes sont de la traductrice.)

temps-ci un peu de guingois, elle aussi. Deux âmes pour la soutenir, ce n'était pas beaucoup, surtout après en avoir si longtemps abrité neuf. Cela faisait déjà plusieurs années que John et Calla avaient abandonné les travaux des champs. Calla avait conservé son potager, quelques poules, le reste avait été cédé à la friche. Ils avaient fermé la véranda devant la maison et ouvert une épicerie/station-service. Calla avait fait peindre à John une enseigne, mais comme elle avait hésité entre : *Épicerie et Station-service Moses* et *Pompe à essence et Épicerie Moses*, bouillant d'impatience, John l'avait clouée sans plus attendre. On y lisait tout simplement : *MOSES*.

Chaque matin, au saut du lit, Calla descendait au magasin mettre le café sur le feu. Des fermiers en chemin pour le marché aux bestiaux ou le marchand d'aliments pour bétail s'arrêtaient pour se chauffer les fesses au poêle et siroter le café de Calla. Elle savait s'y prendre avec la clientèle. Elle avait un physique ample, avenant, confortable : avec elle, on se sentait entre de bonnes mains, elle rassurait. Elle n'avait pas besoin de John, pas au magasin du moins. En vérité, John était en train de perdre pied.

John affectionnait la bouteille. Tous les matins pendant trente ans, avant de prendre le chemin de l'étable, il avait arrosé son café de whisky. En hiver pour ne pas prendre froid. En été pour se donner du cœur à l'ouvrage. Et maintenant qu'il ne se levait plus à l'aube pour traire les vaches, il continuait à boire son café arrosé. Il restait assis dans le magasin de Calla, à bavarder avec les habitués. Et une fois les habitués partis vaquer à leurs occupations, John était en général parti tout court. Cela ne plaisait pas tellement à Calla. Elle avait l'habitude d'un mari actif. Elle finit par lui déclarer qu'il avait besoin d'un *intérêt dans la vie*.

— Mais j'en ai un, et comment donc ! répliqua-t-il.

À cet instant, Calla fourgonnait dans le poêle à bois : penchée en avant, elle offrait une cible formidablement tentante. John se projeta dans sa direction, bascula sur elle et lui enlaça la taille des deux bras. Prise au dépourvu, elle se brûla la main au tisonnier. D'un vigoureux coup de reins, elle l'envoya bouler.

— Un intérêt qui éviterait que tu sois tout le temps dans mes pattes, rétorqua-t-elle sèchement en portant la brûlure à sa bouche.

— Tu disais jamais ça avant.

Il paraissait vexé. Elle l'avait blessé, regretta-t-elle, mais il se remettrait. Toutes les blessures finissaient par guérir. Presque toutes en tout cas.

— Avant, j'avais même pas le temps de remarquer. T'as rien de mieux à faire que de te rouler dans un lit avec moi ?

Non qu'il déplût à Calla de se rouler dans un lit avec son mari. Au contraire, ça lui plaisait encore plus aujourd'hui qu'hier. Mais pas question d'y passer toute la sainte journée, rien que parce que monsieur n'avait rien de mieux à faire. Alors que le magasin, lui, ne désemplissait pas.

John s'en retourna au comptoir, où il retrouva sa tasse de café. Il s'en versa une autre, et l'arrosa généreusement.

— En effet, il y a quelque chose d'autre qui m'intéresse, annonça-t-il d'un air pincé. Et je vais m'y atteler tout de suite.

15

Il embarqua sa tasse de café et sa bouteille, plus ses deux autres bouteilles cachées derrière le comptoir, plus un paquet de *biscuits*[1] et deux boîtes de tabac Prince Albert. Et il s'enferma dans la grange, dont il ne sortit pas pendant trois jours. Quand il jugea qu'il avait été assez soûl suffisamment longtemps, et qu'il n'y avait plus aucune raison de prolonger cet état, il revint à la maison, se plongea dans un bain chaud et se rasa de près. Ce jour-là, il mura la véranda de derrière et peignit une seconde enseigne.

— Qu'est-ce que tu fabriques ? lui demanda Calla, les mains sur les hanches, dans l'attitude de la femme-qui-attend-une-réponse.

— J'ai un nouvel intérêt dans la vie, l'informa John Moses. Dorénavant, tu auras tes affaires et moi j'aurai les miennes, et ni l'un ni l'autre n'aura le droit de fourrer son nez chez autrui. Tu ouvres à l'aube et fermes le soir, j'ouvrirai le soir et fermerai à l'aube. Tu ne seras plus obligée de te rouler dans notre lit avec moi, puisque nous n'aurons plus les mêmes horaires de lit.

— J'ai jamais dit que je voulais plus me rouler dans notre lit avec toi.

— Tu m'en diras tant !

Sans attendre que la peinture sèche, il ramassa son enseigne, grimpa sur son escabeau et décora le dessus de la porte de derrière. La peinture avait coulé, mais on distinguait quand même : *Never Closes*[2].

---

1. C'est ainsi que l'on appelle ces petits pains épais et non sucrés traditionnels de la cuisine du Sud. On les mange souvent nappés de sauce.
2. « Ne ferme jamais. » À prononcer Mow-zess Never Clow-zess. Se rappeler de la chanson « Moses Supposes » rendue célèbre par Gene Kelly dans le film *Singin' In the Rain*.

Le Never Closes proposait de la bière, du vin, de l'alcool fort, sept nuits par semaine, jusqu'à l'aube. Columbia étant un comté sec – la vente d'alcool était illégale –, John évitait juste d'employer le mot «vendre». Il offrait à boire à ses amis, un point c'est tout. Un don, en quelque sorte. Puis, à la fin de la nuit, ses «amis» s'alignaient et lui offraient à leur tour chacun un petit cadeau. Cinq dollars, dix dollars ou bien la somme figurant sur le vieux calepin tout délabré de John.

Le shérif du comté et quelques adjoints prirent l'habitude de faire un saut après le service. À eux, John ne vendait vraiment rien, se contentant de leur verser ce qu'ils voulaient – C'est la maison qui paie. Ces gars-là n'ayant jamais vu couler autant d'alcool à l'œil, il y avait forcément beaucoup d'autres choses qu'ils ne voyaient pas. Mais comme, en d'autres circonstances, leur vue était plutôt basse, cela n'étonnait personne.

John Moses ne tarda pas à récolter son propre lot d'habitués qui venaient jouer aux dominos ou au billard. Ils discutaient religion et politique et se racontaient des histoires cochonnes. Ils chiquaient et crachaient dans les boîtes à café que John disposait çà et là à cet usage, et fumaient jusqu'à rendre l'air si dense et épais qu'on aurait pu le couper en tranches.

John tirait de cette entreprise une fierté amère. Il aurait volontiers tout laissé tomber sur un coup de tête, abattu ses murs, brûlé son enseigne et envoyé au diable ses habitués, si seulement Calla s'était excusée, mais elle avait été piquée dans son orgueil. Un gouffre s'était ouvert entre eux, et se remplissait rapidement de silence.

Au bout d'un certain temps, Calla décida à son tour que son magasin resterait ouvert sept jours sur sept. Certains clients sortaient de chez elle, contournaient la maison, rentraient par la porte de derrière, et liquidaient la monnaie des commissions au comptoir du bar. Parfois, l'inverse se produisait : à l'aube, les clients sortaient en titubant de la porte de derrière et faisaient le tour de la maison (la fréquence des passages avait tracé un sentier) pour rentrer par la porte de devant. Ils dessoûlaient grâce au café de Calla, puis dépensaient en épicerie l'argent qu'ils n'avaient pas bu.

Vous pouviez y passer à n'importe quelle heure du jour ou de la nuit pour acheter ce dont vous aviez besoin, à condition d'avoir des besoins modestes. Et vous n'étiez jamais obligé de partir avant d'en avoir vraiment envie, puisque ni Calla ni John n'avaient le cœur de mettre quiconque à la porte, ce quiconque eût-il les poches vides. Nate Ramsey était ainsi resté presque une semaine, après que sa femme, Shirley, se fut mise à jeter leurs meubles par la fenêtre.

Ainsi allèrent les choses, jusqu'au jour où John Moses cassa sa pipe. Le Never Closes, les gens comptaient dessus. Le bar représentait une certitude dans un monde incertain. Personne ne souhaitait le voir fermer ses portes, car dès que l'on change un élément d'un tout, tous les autres éléments se mettent à bouger et, assez vite, on ne sait plus où l'on en est.

2

Cela s'est passé de la façon suivante.

Samuel déposa Willadee et les enfants le samedi, et Willadee passa le reste de la journée à aider sa mère à la cuisine et au ménage. Comme les mômes brillaient par leur inutilité, ils furent bannis de la maison et obligés en punition de se rouler dans le foin, d'attraper des écrevisses dans le ruisseau et de jouer aux Espions de guerre dans les champs.

À douze ans, comme beaucoup de garçons de son âge, Noble était tout en bras, en jambes et en taches de rousseur. Il avait les yeux de son père, mais on ne s'en apercevait guère, en raison de ses lunettes, si épaisses qu'elles lui glissaient tout le temps sur le nez. Plus que n'importe quoi, il voulait être *formidable*, de sorte qu'il marchait en roulant des mécaniques et parlait d'une voix grave grondante de menaces. L'ennui, c'était qu'il muait et que sa voix piquait vers les cimes au moment où il s'y attendait le moins. Pile quand il prononçait quelque chose de bien sinistre comme : « Pas un geste, ou je t'arrache le cœur », il déraillait sur le mot « cœur » et son registre de fausset gâchait l'effet escompté. Somme toute, il ne faisait pas un dur à cuire très crédible.

Swan avait onze ans. Une petite gamine solide aux yeux gris, on aurait pu la prendre pour un garçon, habillée dans les vêtements de son frère cadet, Bienville. S'il avait su que Willadee permettait des choses pareilles, Samuel aurait piqué une crise. La Bible était claire sur ce point : les femmes ne devaient pas se vêtir comme des hommes, et Samuel Lake s'efforçait toujours de respecter les Évangiles à la lettre. Mais voilà, pour l'heure, Samuel n'était pas dans les parages, et, dès qu'il avait le dos tourné, Willadee avait coutume de laisser les enfants faire tout ce qu'ils voulaient, du moment que ce qu'ils voulaient n'enfreignait pas la loi de la famille Moses : on ne devait ni mentir, ni voler, ni maltraiter les animaux et les petits enfants.

Swan tirait un plaisir délectable de pouvoir rester une semaine entière en garçon et oublier toutes ces pudeurs. Sans la maudite jupe qui l'empêchait de bouger, elle se glissait sous les fils barbelés, traversait les prés au galop. Elle était petite. Elle était rapide. Et elle était ce que Noble rêvait d'être : *formidable*. Avec elle, on n'avait jamais le dernier mot, un point c'est tout.

— Cette enfant est une terreur, disait grand-maman Calla à Willadee quand elle croyait que Swan n'écoutait pas. (Mais Swan écoutait toujours.)

— Elle est la fille de son père, répondait Willadee, en général avec un petit soupir, comme quoi on n'y pouvait rien : Swan-c'est-Swan.

En réalité, même si elles ne l'auraient jamais avoué, Willadee comme Calla admiraient Swan. Cela se voyait au léger haussement de sourcils et au petit sourire qui flottait sur leurs lèvres dès que son nom venait sur le tapis. Et il venait s'y déposer régulièrement. Swan faisait plus de bêtises que tous les autres enfants de la tribu Moses réunis.

Bienville avait neuf ans, et c'était encore un tout autre programme. Il possédait une nature paisible, une passion pour les livres et une profonde fascination pour tout ce qui touchait au cosmos. Pas question de compter sur lui pour des missions de surveillance ou d'assassinat. Pendant un palpitant jeu d'espions, alors que l'ennemi était assiégé et qu'il suffisait de mener un dernier assaut, voilà que Bienville se mettait à examiner les motifs que dessinaient les rochers au fond de la rivière, ou quelque autre absurdité. Bref, il ne faisait pas un allié *fiable*.

Par la force des choses, Noble et Swan avaient appris comment s'y prendre avec Bienville. Comme il ne semblait pas capable de s'engager vraiment dans le combat pour un camp ou un autre, ils en avaient fait un agent double. Bienville s'en fichait, même si, dans ce rôle, il était souvent le premier à être tué.

Bienville venait d'ailleurs d'être tué pour la quatrième fois au cours de ce samedi après-midi, quand il commença à se-passer-des-choses. Il était couché sur le dos dans le pré, raide comme un morceau de bois, les yeux au ciel.

— Swan, dit-il, tu ne t'es jamais demandé pourquoi on voit les étoiles la nuit mais pas le jour ? Les étoiles ne disparaissent pourtant pas quand le soleil se lève.

— Je te rappelle que tu es mort, répliqua sèchement Swan.

Elle venait de l'abattre avec une mitraillette invisible, et s'employait à creuser une tranchée invisible avec une pelle invisible. Bienville l'ignorait encore, mais il était sur le point d'être jeté dans la fosse, mort ou vif. Noble rôdant encore quelque part en territoire ennemi, Swan avait intérêt à rester sur le qui-vive.

—J'en ai marre d'être mort, déclara Bienville en s'asseyant.

Swan s'approcha pour le pousser du pied.

—T'es un cadavre. Tu peux pas être fatigué, tu peux pas t'asseoir, et tu peux pas PARLER !

Elle avait oublié de maintenir sa vigilance. Un bruit de pas derrière elle la rappela à l'ordre. Elle fit volte-face, brandissant sa pelle invisible. Noble fonçait vers elle, coudes au corps. Le terrain qu'il traversait avait été décrété «champ de mines», mais il ne regardait même pas où il mettait les pieds. Swan émit un féroce RUGISSEMENT et abattit sa «pelle» sur le crâne de Noble. Cela aurait largement dû suffire pour lui régler son compte, pourtant il ne s'écroula pas par terre ni ne se tordit dans d'atroces souffrances, comme il était censé le faire. Il se saisit de Swan, lui plaqua la main sur sa bouche et lui souffla de se taire. Swan, indignée, se débattit, en vain. Même si Noble n'était pas vraiment formidable, il n'en était pas moins costaud.

—Mais je viens de te tuer… avec une pelle ! vociféra Swan.

La main de Noble l'étouffa si bien que la suite se perdit dans des borborygmes. Tous les deux mots, Swan tentait de lui mordre les doigts.

—Pas… que… aies… survivre. C'était… un… fatal… et… tu le sais !

Bienville, avec une expression avisée de vieux sage à qui on ne la fait pas, en comprit assez pour abonder dans son sens.

— Ce fut un coup fatal, sans aucun doute.

En levant les yeux au ciel, Noble appuya plus fort contre la bouche de Swan. Elle se démenait comme un beau diable avec des grognements venus du fond de sa gorge.

— J'ai dit CHHHH !

Noble traîna Swan vers une haie de ronces qui marquait la frontière entre le pré et les bois. Bienville roula sur le ventre et traversa le champ de mines en rampant à leur poursuite. Une fois presque à la hauteur de la haie de ronces, Noble se rendit compte qu'il avait un problème. Il fallait maintenant qu'il relâche Swan, et autant lâcher un chat sauvage.

Il la prévint, avec le plus grand calme :

— Swan, je vais te lâcher.

— IRPULMBFMLMB, USTNKNBZZRD ! répondit-elle.

Et elle lui mordit la main si fort qu'il la leva vivement pour voir s'il saignait. Swan profita de ce fragment de seconde pour lui enfoncer son coude dans le ventre. Il se plia en deux, le souffle coupé.

— Merde, Swan, gémit-il.

Elle se rua sur lui. Noble se roula en boule afin de se protéger. Il connaissait certains trucs indiens, comme faire-l'arbre. On pouvait toujours rouer de coups de pied un arbre, on ne pouvait pas lui faire mal, puisqu'il était fixe. Un truc qu'il avait appris de Bienville, lequel l'avait lu dans un livre ou inventé. Noble se fichait bien de savoir si les histoires de son frère étaient vraies, du moment que ses méthodes marchaient.

Lorsque Noble faisait l'arbre, cela mettait Swan hors d'elle. Elle n'était jamais parvenue à maîtriser cet art (pas question de demeurer passive sous les coups), d'ailleurs ce n'était pas drôle de se battre contre un ennemi qui ne ripostait même pas. Cela lui donnait l'impression d'être nulle. Pour ne pas perdre la face, elle flanqua un dernier coup de poing à l'épaule en bois de Noble.

— J'ai gagné, annonça-t-elle en léchant ses jointures meurtries.

— Comme tu voudras, déclara Noble en détendant ses muscles. Tu as gagné. Maintenant, ferme-la et suis-moi.

John Moses était assis sous un arbre occupé à nettoyer son fusil et à parler à Dieu.

— Une autre chose, pendant que j'y pense, disait-il, je ne crois pas que la mer Rouge s'est ouverte en deux pour laisser passer des gens à pied sec.

Pour un homme qui ne croyait pas en Dieu, John Lui parlait beaucoup. Dieu écoutait-Il ? La question se posait à peine. Primo, John était en général soûl pendant ces monologues et ce qu'il Lui disait n'était, la plupart du temps, pas très élogieux. Cela faisait un bail que John Lui en voulait : depuis le jour où Walter était tombé sur cette lame, à la scierie Ferguson.

John tirait une ficelle du canon de son fusil. Il finit par extraire un morceau de coton huileux gris-noir. John colla son œil à la gueule du canon, les yeux plissés, l'air furieux.

— Tu t'attends à ce qu'on gobe les pires conneries, continua John du ton de la conversation la plus ordinaire, comme si Dieu était assis à quelques pas. Par exemple, que tu serais soi-disant un Dieu d'amour, reprit-il d'une voix soudain émue. Si t'étais d'amour, t'aurais pas permis que mon Walter se fasse couper en deux comme un cochon à la boucherie…

John se mit à frotter la crosse du fusil avec un deuxième chiffon qu'il avait sorti de la poche avant de sa salopette. Des larmes roulèrent sur son visage ridé. Il ne prit pas la peine de les essuyer.

— Si tu es d'amour, rugit-il soudain, alors l'amour, y a pas de quoi en faire un plat.

Les enfants se tenaient accroupis derrière une épaisse muraille de barbelés (des mûriers), et épiaient l'Ennemi par d'infimes ouvertures entre les tiges épineuses. Ils voyaient parfaitement leur grand-père, mais en revanche ce dernier ne pouvait pas les voir.

Swan avait la nette sensation qu'ils n'avaient rien à faire là. Qu'ils s'espionnent entre eux, entre frères et sœur, soit, puisqu'ils ne se disaient que des choses que les autres étaient justement censés entendre. Mais là, il s'agissait de papa John. Ils ne l'avaient jamais vu pleurer ; c'était d'ailleurs inconcevable. Pendant leurs visites, il passait la journée à dormir et la nuit dans son bar. Les seules fois où ils le voyaient, c'était quand il traversait une pièce sans un mot, ou s'asseyait à table pour le dîner, et jouait avec sa nourriture. D'après leur mère, il n'avait pas toujours été comme ça, il avait été un homme magnifique à l'époque où elle grandissait encore, mais voilà, il avait laissé la-vie-prendre-le-dessus. À le voir aujourd'hui, on n'en doutait pas.

Swan tira Noble par la manche, pour lui signifier qu'elle avait envie de s'en aller. Noble se passa le doigt à l'horizontale sur le gosier, lui signifiant qu'au premier son qui sortirait de sa bouche, il lui trancherait la gorge.

À l'instant même, papa John délaissa sa conversation avec Dieu et se mit à chanter.

— *Plus près de toi, mon Dieu*, chevrota-t-il complètement faux. *Pluuuuuus… prèèèèèès…*

Swan jeta un coup d'œil à Bienville, qui le lui rendit aussi sec. Cela devenait de minute en minute plus dur à avaler.

— *Tieeens-moooooi dans ta douououl*, piailla papa John, puis comme il ne se rappelait plus les paroles, il se contenta de fredonner l'air pendant une mesure ou deux avant de passer à une chanson de Hank Williams : *Entends le cri de l'engoulevent solitaire/Il est bien trop triste pour pleurer/La-la-la… perdu la volonté de vivre*[1]*…*

Il sortit une balle de sa poche et chargea son fusil.

— *Je suis seul à en…*

Sa voix se brisa en poursuivant :

— *Je suis seul à en…*

On dirait un disque rayé, songea Swan.

— *À en…*, reprit-il sans parvenir à prononcer le dernier mot.

Il secoua la tête en laissant échapper un long soupir de découragement. Puis il planta le canon de son fusil dans sa bouche.

Swan poussa un cri. Noble et Bienville sautèrent en l'air derrière leurs mûriers comme des cailles levées par des chasseurs.

---

1. «I'm So Lonesome I Could Cry», classique de la chanson country écrit et chanté par Hank Williams.

Papa John n'avait pas eu le temps de placer son doigt sur la détente, si bien qu'au lieu de se faire sauter la cervelle devant ses petits-enfants, il se redressa brusquement et se cogna l'arrière de la tête contre l'arbre. Le canon du fusil glissa de sa bouche, décrochant du même coup son faux palais. Le dentier valsa et disparut dans les mûriers, pile devant la cachette des trois enfants qui tremblaient comme des feuilles d'érable. Sous l'effet de la surprise et de l'humiliation, papa John bondit sur ses pieds. Il ouvrait et fermait la bouche, ouvrait et fermait la bouche. Sans dents, sa figure était toute ratatinée.

Les enfants baissèrent le nez et contemplèrent longuement le sol. Lorsqu'ils le relevèrent, papa John s'éloignait à grands pas à travers bois en direction de la maison. L'ombre tavelée de pastilles de soleil le camouflait si bien qu'on le distinguait mal de ce qui l'entourait. Il restait comme suspendu au loin, se confondant avec les arbres et le sous-bois, comme s'il ne faisait qu'un avec eux.

Papa John ne parut pas pour le dîner : il ouvrit directement le Never Closes. Calla, Willadee et les enfants entendirent le vacarme à travers la cloison qui séparait la cuisine du bar. Pendant l'année écoulée, John s'était payé un juke-box d'occasion, que ses clients s'employaient à roder. À table, Swan, Noble et Bienville échangeaient de discrets coups d'œil chargés d'inquiétude. Finalement, Calla décida que ce petit jeu avait assez duré.

— Très bien, déclara-t-elle. Je veux savoir ce qui se passe, et je veux le savoir tout de suite.

Bienville déglutit bruyamment. Noble repoussa ses lunettes sur son nez. Swan plongea la main dans la poche de son jean, et en retira le dentier.

— Papa John a perdu ça cet après-midi. On l'a retrouvé.

— Et c'est ce qui nous vaut ces airs coupables? interrogea Calla assez sèchement.

Swan était furieuse. Pourquoi fallait-il toujours que les grandes personnes interprètent la moindre expression qui se peint sur le visage d'un enfant comme le signe d'une secrète culpabilité?

— On n'est pas *coupables*, cria-t-elle. On est *inquiets*. Papa John a voulu se suicider. Si on n'avait pas été là, il l'aurait vraiment fait.

Willadee émit une sorte de couinement. Calla se contenta de hocher la tête.

— Il ne l'aurait pas vraiment fait. Il ne le fait jamais.

Willadee tourna vers sa mère un regard accusateur.

Calla nappa son biscuit d'une épaisse sauce à la viande et à la tomate.

— Désolée, Willadee. Je ne peux pas paniquer à chaque fois. Cela se reproduit trop souvent. Les enfants, mangez vos gombos.

Willadee s'abstint de tout commentaire, mais on voyait bien qu'elle réfléchissait. Le dîner terminé, elle proposa de faire la vaisselle et demanda à sa mère de bien vouloir mettre la bande de mioches au lit. Grand-maman Calla répondit: «C'est ça, laisse-moi le sale boulot», et les deux femmes rirent de concert. Les enfants se laissèrent conduire à l'étage avec des airs de dignité offensée. Pas assez bêtes pour se plaindre, ils avaient néanmoins les moyens de venger un affront. La prochaine fois qu'ils joueraient aux Espions de guerre, il y avait de fortes chances pour qu'ils capturent deux femmes, dont ils tireraient des renseignements par la manière forte.

Willadee lava la vaisselle, en la dressant à mesure sur l'égouttoir, puis se rendit au Never Closes par la porte intérieure de la maison. C'était le seul bar qu'elle avait fréquenté de toute sa vie, et aujourd'hui la première fois qu'elle y entrait à une heure où il y avait du monde. Une fois par été, elle obtenait de son père l'autorisation de nettoyer et d'aérer un peu, sidérée que des gens supportent cette odeur âcre et rance de tabac que rien ne parvenait à chasser. Quel ne fut pas son étonnement de constater que cela ne sentait pas du tout pareil le soir. La fumée était certes à couper au couteau, mais fraîche, et mêlée à des effluves d'after-shave et de parfums aux notes capiteuses émanant des quelques rares clientes. Dans un coin, un couple dansait, la femme caressant les cheveux de son partenaire, tandis que celui-ci lui passait les mains dans le dos. On jouait aux cartes à une table, aux dominos à deux autres et le billard dans le fond était caché par une forêt de bustes et de coudes. Et tous de rire et de blaguer, à croire qu'ils avaient laissé tous leurs soucis au vestiaire. Derrière le bar, John Moses décapsula deux bières. Il les tendit à une fausse blonde sur le retour et sourit, bouche fermée, embarrassé par l'absence du dentier qui remplaçait ses dents du haut. Il fit semblant de ne pas voir Willadee. Elle vint s'accouder au comptoir.

Et elle lui glissa son dentier. Discrètement. John prit un air narquois, mais, se saisissant de la chose, il se retourna quelques instants, le temps de l'enfoncer dans sa bouche. Puis il se tourna vers sa fille.

— Qu'est-ce que tu fiches ici ?

— Ça me démangeait de voir à quoi ressemblait la vie de l'autre côté, l'informa Willadee. Comment ça va, papa ? Je ne te vois plus beaucoup quand je suis à la maison.

John Moses toussa, dédaigneusement.

— Si tu n'habitais pas à perpète, tu me verrais beaucoup plus souvent.

Willadee enveloppa son père du regard le plus tendre qui soit, puis ajouta :

— Papa, ça va ?

— Qu'est-ce que ça peut te faire ?

— Ça me fait.

— Mon œil, oui.

— Tu es trop têtu. Allez, fais-moi un sourire.

Son père avait épuisé sa réserve de sourires. Elle reprit :

— C'est pas bon pour la santé, de s'inventer des emmerdements.

— Willadee, tu parles de ce que tu connais pas, grommela-t-il.

— Je te connais, toi, espèce de vieux schnock.

La repartie sonnait plus juste dans la bouche d'une Moses que dans celle d'une femme de pasteur. Il se révéla que le vieux John avait quand même quelques sourires en réserve, vu celui, magnifique, qu'il adressa à sa fille.

— Tu veux une petite bière, Willadee ? dit-il d'un ton plein d'espoir.

—Je ne bois pas, tu sais bien.

—Ah, ça me chatouillerait de te voir faire un truc qui filerait une attaque à ton Sam Lake s'il l'apprenait.

Willadee éclata de rire et donna un pinçon à son père.

—Bon, alors, d'accord. Je te savais pas si chatouilleux.

Il était deux heures du matin lorsque Willadee quitta le Never Closes pour rentrer en catimini. Sa mère sortit à cet instant de la salle de bains. Elles se cognèrent dans le couloir.

—Willadee, j'ai la berlue ou tu as l'haleine qui sent la bière ? s'exclama Calla.

—Tu n'as pas la berlue.

—Où va-t-on ? lui lança Calla en montant l'escalier.

Un peu plus tard, dans son ancienne chambre de jeune fille, Willadee se remémora sa soirée. Sa première bière avait eu un goût de tomate pourrie, mais la deuxième s'était révélée simplement rafraîchissante. Et le bruit et les rires, aussi enivrants que la bière. Laissant les clients se servir tout seuls, son père et elle s'étaient assis à une table. Ils avaient refait le monde, comme au bon vieux temps, avant le mariage de Willadee. À l'époque, on disait qu'elle était l'ombre de son père. Désormais, l'ombre, c'était lui. À croire qu'il était en voie de devenir invisible. Mais pas ce soir. Ce soir, il avait été à nouveau tout feu tout flamme.

Il n'avait plus envie de mourir. En tout cas, il n'en avait pas eu l'air. Depuis longtemps il avait l'impression de ne plus servir à rien. Elle avait réussi à lui montrer combien il comptait, rien qu'en s'asseyant avec lui, en plaisantant, en l'écoutant de tout son cœur épancher le sien.

— Tu as toujours été ma préférée, lui avait-il confié, au moment où elle avait quitté le Never Closes. J'aime tes frères et sœurs. Tous autant qu'ils sont. Je suis leur papa, je les aime. Mais toi. Toi et Walter…

Il avait secoué la tête. L'émotion lui avait noué la gorge. Puis il l'avait embrassée sur la joue, devant la porte du bar. John Moses renvoyant sa fille bien-aimée dans l'abri de cette maison qu'il avait construite de ses propres mains au temps où il était un homme plus jeune, plus robuste. John Moses se sentait soudain redevenu utile.

Willadee était groggy, mais ce n'était pas désagréable. Cette sensation de flotter. Rien ne la retenait plus sur terre. Elle pouvait s'élever de plus en plus haut et regarder en contrebas la vie dont les contours paraissaient indistincts. Elle se promit qu'un de ces jours, elle boirait encore deux bières. Un de ces jours. Après tout, elle était une Moses.

L'enfant préféré de son père.

3

La famille débarqua dès potron-minet. Entassée dans des voitures qui se garèrent devant la maison. Les coffres furent ouverts avec des gestes théâtraux. En sortirent, tels des lapins d'un chapeau de magicien, d'énormes jattes de salade de pommes de terre, des cocottes débordant de poulet frit ; des épis de maïs, des gratins de courge, des haricots verts à l'aneth, cinquante variétés de cornichons, des bidons de thé glacé et assez de tartes et de gâteaux pour nourrir une armée. Et ce n'était pas de trop.

Les fils de John et Calla, Toy, Sid et Alvis, arrivèrent les premiers, avec leurs femmes et leur descendance. Toy n'avait pas d'enfants, mais Sid en avait deux et Alvis, six, de sorte que si on ajoutait les trois petits de Willadee, personne ne s'inquiétait de voir s'éteindre la lignée Moses.

— Mais j'ai un nombre de petits-enfants incroyable ! claironna grand-maman Calla.

— Mais pas in-concevable ! entonna Willadee de sa voix chantante.

Ses frères hurlèrent de rire.

— J'ai élevé une horde de païens, ma parole, commenta Calla.

Son air désapprobateur ne trompa personne. Elle aimait que les siens prennent du bon temps, et tout le monde s'amusait énormément.

Les femmes n'avaient pas plus tôt disposé les victuailles sur la table que les enfants, désobéissants, se mirent à piocher dedans : vite ! il fallait que quelqu'un dise le bénédicité. Cela tomba sur Nicey (mariée à Sid, le frère aîné de Willadee) pour la simple raison qu'elle aurait été froissée autrement. Ardente adepte de son Église, enseignant depuis l'adolescence le catéchisme aux enfants de la congrégation, elle connaissait des prières fantaisistes, truffées de «imploré» et de «je me prosterne» et se terminant toujours par «Ah ! men !» que Sid et Alvis complétaient systématiquement d'un «Ah ! vos fourchettes !» qui avait le chic pour donner des vapeurs à Nicey, désemparée devant tant d'irrévérence.

— Tu t'es mariée dans une famille irrévérencieuse, lui déclara Eudora, la femme d'Alvis. Tu dois apprendre à accepter le mauvais avec le pire.

Ce matin-là, John ferma le bar juste avant le lever du soleil et monta immédiatement se coucher, pensant bénéficier de six à sept heures de sommeil, assez pour un homme en bonne santé, ce qu'il était, sans aucun doute. Le magasin de Calla fonctionnait en mode confiance, comme toujours les jours de réunion de famille. Les gens qui avaient besoin de quelque chose entraient, se servaient et laissaient l'argent ou un petit mot dans le pot sur le comptoir. Il n'y eut pas grand monde avant la messe, après quoi les clients entrèrent par vagues, pour réparer à la dernière minute quelque oubli avant la préparation du repas du dimanche, petits pains, crème Chantilly... Rien de plus naturel que certaines de ces personnes passent ensuite du magasin au jardin, où elles s'attardaient à tailler une bavette, tout en répétant qu'elles devaient rentrer chez elles, jusqu'au moment où on leur collait une assiette dans les mains ; alors elles étaient bien obligées de rester manger.

Swan, Noble et Bienville ne parvenaient pas toujours à distinguer qui était de leur famille, et qui n'en était pas. Les cousins les plus proches, ceux-là, revenaient d'année en année, mais il existait tout un flot de gens non apparentés, sans parler des cousins issus de germain, des cousins encore plus éloignés et des grand-tantes au deuxième degré. « Une vieille chouette à deux degrés de la tombe », chuchotaient entre eux les enfants, et ils riaient sous cape à en attraper le hoquet, ou un bon coup sur les fesses de la part de leur grand-mère.

John Moses, ayant bénéficié de ses sept heures de sommeil, descendit se joindre à la fête. Ses fils et Willadee convergèrent vers la véranda pour l'accueillir. Une véranda avait en effet été ajoutée à la maison peu après que John eut muré celle de derrière. À entendre John, une maison n'était pas une vraie maison si elle n'avait pas de véranda, tellement pratique pour un homme quand il a envie de pisser ! Les installations sanitaires avaient leur utilité, mais rien ne remplaçait le sentiment de liberté que procuraient les commodités d'une véranda. Ses filles se pendirent à son cou (Willadee caressant tendrement son menton qui piquait) et ses fils lui serrèrent la main. John souriait jusqu'aux oreilles.

— Paraît qu'il y a une fête ! proclama-t-il.

— Paraît pas seulement, rétorqua Toy Moses.

Toy ne ressemblait en rien à son nom[1]. Outre son mètre quatre-vingt-treize, il avait des pectoraux musclés qui se contractaient sous le coton de sa chemise et marchait le dos droit et raide, à croire qu'il sortait d'un bain d'amidon. Jamais Swan ni ses frères n'avaient vu quelqu'un se tenir aussi droit. Son front s'ornait d'une cicatrice et une danseuse du ventre était tatouée sur son bras. Bref, il possédait l'allure d'un homme à qui mieux valait ne pas se frotter. Pourtant, il parlait d'une voix douce, surtout en s'adressant à son père. Il lui dit :

— Viens donc par ici manger un morceau, avant que tout disparaisse.

— T'as pas besoin de me le dire deux fois, repartit John, gai comme un pinson, en se laissant conduire sur la pelouse par sa progéniture.

Une fois tout le monde repu, les grandes personnes s'affalèrent dans des chaises longues, ou carrément sur l'herbe, et se mirent à évoquer le bon vieux temps. Les plus petits furent couchés pour la sieste, tandis que les adolescents s'éclipsèrent vers les voitures pour écouter la radio et discuter de choses qu'ils étaient censés ignorer. Noble, qui tenta de se joindre à cette jet-set, se fit envoyer paître et descendit au bord de la rivière seul avec ses pensées. Quant à Swan et Bienville, avec deux cousins du même âge, ils rampèrent sous la maison (que des pilotis surélevaient de plus d'un mètre) afin de faire des huttes pour crapauds : on enfouit ses pieds nus sous une montagne de terre, que l'on tasse bien

---

1. *Toy* signifie « jouet ».

avant de retirer précautionneusement ses extrémités ; et voilà, on obtient des logis proprets convenant aux batraciens les plus pinailleurs.

Il était environ trois heures de l'après-midi quand John Moses sentit poindre le besoin impérieux d'un petit verre. Depuis son réveil il luttait contre la soif, et croyait avoir gagné la bataille, quand, brusquement, son humeur combative donna des signes de défaillance. Il décida qu'après tout, ça-ne-pouvait-pas-faire-de-mal, il-n'allait-pas-s'*ivremorer*, pas-quand-il-était-aussi-heureux-que-maintenant. Sur ce, il se leva et, cérémonieusement, annonça qu'il se rendait aux toilettes.

Ses enfants échangèrent des regards où se lisait un commun effroi. John Moses ne put que se rendre à l'évidence.

— Vous trouvez à redire à ça ? ajouta-t-il.

Après tout, il avait autant le droit qu'un autre d'aller au petit coin.

Personne ne pipa.

— Bon, s'il n'y a pas d'objection...

Et John se dirigea vers la maison.

Le silence se prolongea une bonne minute. Ils avaient l'air hagard de gens qui venaient de se réveiller d'un beau rêve. Puis Alvis s'exclama :

— Eh bien, merde alors ! Un moment, j'ai cru qu'on était bon.

Willadee se mordit la lèvre inférieure jusqu'au sang : devait-elle ou non suivre son père afin de l'empêcher de boire et de gâcher la fête ? Elle se rappela les bières de la veille, et l'agréable étourdissement, et songea : « Peut-être ne gâchera-t-il rien, peut-être va-t-il juste se reposer un peu, piquer un petit somme, un point c'est tout.» Elle demeura vissée à son transatlantique.

Calla se leva, et prit une assiette en carton propre.

— Je n'ai pas encore goûté au gâteau d'Eudora, déclara-t-elle. Pendant que j'y suis, je peux servir quelqu'un?

John traversa la maison, entra dans le bar et s'assit sur le premier tabouret venu. Ce n'était pas de gaieté de cœur qu'il cédait à son envie de boire. Au fond, il *voulait* qu'ils soient fiers de lui. Cet après-midi, ils avaient eu *l'air* fiers de lui. Bien que, plus il y réfléchissait, plus il lui paraissait évident qu'ils avaient fait semblant, et il eut soudain la nausée.

Il se versa deux doigts de Johnnie Walker, but cul sec et se rendit compte que ses enfants (sauf Willadee, sa fille sans reproche) l'avaient mené en bateau dans le seul but de le persuader de s'abstenir. Il se versa trois doigts. Le visage de Willadee flotta sur sa rétine. Il ferma très fort les yeux, pour chasser cette image.

— Willadee, sors d'ici tout de suite! ordonna-t-il.

Mais elle refusait de bouger.

— Me fais pas répéter, Willadee. Toi et moi, quand tout le monde sera parti, on prendra une petite bière et on causera de tout ça.

Lorsqu'il rouvrit les yeux, l'image de Willadee avait disparu.

— Où est Walter? demanda John Moses.

Il venait de traverser la maison depuis le bar et d'apparaître sur la véranda. Cette dernière était pleine à craquer, quoique moins que la pelouse, ce qui faisait beaucoup trop de monde pour John, lequel, dans cette foule, cherchait un seul visage, un visage qu'il ne voyait nulle part.

Le silence devint si profond que même le vent cessa de souffler.

— Vous m'avez entendu! Où est Walter? hurla John.

Toy était assis sur la balancelle de la véranda, un bras passé autour des épaules de sa femme, Bernice, qui était si jolie que cela faisait mal aux yeux de la regarder, même si elle avait déjà trente-cinq ans et aurait dû commencer à se faner. Toy s'éloigna de Bernice pour s'approcher du vieil homme.

— Walter n'est pas là aujourd'hui, papa.

— Qu'est-ce que tu racontes? articula John dont les mots s'engluaient les uns dans les autres. Walter ne manquerait pas une réunion de famille.

Puis John sembla se rappeler que Walter n'était en effet pas là.

— Tu n'aurais pas dû le laisser aller travailler, Toy. Il ne se sentait pas bien, et tu le savais parfaitement.

Toy eut soudain l'air malade.

— Tu as raison, papa. Je sais.

— Ouvert en deux, comme un co...

John n'eut pas le temps de terminer sa phrase. Calla avait gravi les marches et s'était plantée devant lui.

— Je te propose qu'on aille tous les deux à l'intérieur... nous reposer un peu, dit-elle.

À ces mots, le monde de John Moses bascula. Il ne pensait plus à Walter. Il se rappelait que cela faisait plus de dix ans qu'il dormait seul.

— Quoi ? s'écria-t-il d'une voix rauque. Tu veux qu'on aille rouler dans le vieux lit conjugal, c'est ça ?

Calla se contenta de rester campée là. Muette. Les lèvres plus livides de seconde en seconde. Dehors, la famille comme les non-apparentés se mirent doucement à ramasser enfants et restes de repas. Il y avait de l'orage dans l'air : ils préféraient être loin quand il éclaterait.

— Où vous allez tous ? vociféra John. Vous trouvez ça poli de lever le camp à peine vos assiettes nettoyées ?

Ils continuèrent cependant à se préparer, leur départ aussi inéluctable que le sel s'échappant d'une salière retournée. La pelouse se clairsemait.

Calla enjoignit :

— John, arrête de faire l'imbécile.

— Je fais de moi ce que je veux, l'informa John. Je suis un self-made man.

Il esquissa un pas de danse, qui faillit le précipiter au bas de la véranda.

— Tu veux dire un self-made *âne*, marmonna-t-elle entre ses dents.

C'est alors qu'il la gifla. La claque résonna d'un bout à l'autre de la pelouse. Tous ceux qui étaient encore là se transformèrent en statues de glace. Tous sauf Willadee, qui accourut. Bousculant quelques cousins au passage. Elle s'interposa entre sa mère et son père, et planta son regard dans celui de son père.

—Je... J'ai honte de toi, lui dit-elle d'une voix tremblante.

Sur John, ces mots eurent l'effet d'une douche froide. Il contempla Willadee pendant un temps qui parut infiniment long. Puis il tourna les talons et rentra dans la maison.

Dehors, on n'avait plus envie de faire la fête. On s'attarda encore un peu, on regretta. Willadee tapota affectueusement le bras de sa mère, mais son regard demeurait fixé sur la porte que John Moses venait de franchir. Soudain, elle sut ce qui allait se passer, aussi sûrement que si une voix le lui avait crié du haut du ciel. Elle bondit vers la porte.

—Papa ! cria-t-elle, d'une voix claire et sonnante, mais personne ne l'entendit, car la détonation claqua, pareille à un énorme coup de tonnerre.

4

La première heure fut la pire. Les frères de Willadee empêchèrent les femmes d'entrer dans la maison, mais Willadee visualisa la scène aussi clairement que si c'était elle qui avait découvert le corps. Elle devait passer le restant de ses jours à chasser cette image, à la combattre, à la détester. À tenter d'en réduire les dimensions. À essayer d'en faire pâlir les couleurs. En vain.

Elle se laissa conduire jusqu'à une chaise de jardin. Mais impossible de se tenir tranquille. Elle se leva d'un bond, enfonça ses doigts dans sa bouche pour s'empêcher de hurler. Puis quelqu'un la prit par le bras, et la fit marcher en rond, depuis la véranda jusqu'au puits, ensuite du puits à la pelouse et retour à la véranda. Des cercles. Et on lui parlait. Des mots doux qui se déversaient d'abord goutte à goutte, puis formaient un filet. Encore des cercles. Par la suite, Willadee serait incapable d'identifier la personne qui l'avait sauvée de l'hystérie.

— C'est ma faute, disait-elle à cette bonne âme.

— Chut, chut, c'est la faute à personne.

Mais Willadee n'était pas dupe.

Elle parvint à joindre Samuel au téléphone. Il lui dit ce qu'elle savait qu'il lui dirait : il sautait dans la voiture, il arrivait le plus vite possible… il aurait dû être là, avec elle, avec les enfants, avec Calla. Willadee ne voulut pas en entendre parler. Samuel avait le devoir de rester là où il était. Il y avait assez d'hommes à la ferme pour s'occuper des choses matérielles, et s'il venait, ce serait pour se tourner les pouces et repartir, et puis elle ne voulait pas le savoir sur la route, c'était trop dangereux ; elle ne supporterait pas qu'il lui arrive quelque chose, à lui aussi.

— Comment a-t-il pu te faire ça, Willadee ? demanda Samuel, en colère.

Elle fit la sourde oreille.

Après avoir raccroché, Willadee se sentit désorientée. Le corps allait être transporté à Magnolia par les pompes funèbres. Amis et voisins s'étaient associés pour nettoyer derrière John. Des gens tournicotaient sur la pelouse. Il n'y avait pas un endroit tranquille où s'asseoir pour réfléchir. Willadee songea à ses enfants : elle devrait les consoler – mais ils n'étaient nulle part en vue. Quelqu'un se sera occupé d'eux, les aura emmenés chez lui avec l'intention de les ramener plus tard, sans doute demain matin…

Alvis s'approcha, la prit dans ses bras et prononça avec amertume :

— Ce vieil homme.

Willadee frotta sa joue contre la sienne, puis se détourna. Cela la dérangeait que tout le monde soit si bouleversé par le geste de son père. Il s'était échappé, et après ? Elle se faufila à travers la foule. Où qu'elle se tournât, son regard rencontrait un visage débordant de sympathie. On lui conseillait de se lâcher, de laisser couler les larmes – alors qu'elle se sentait toute desséchée et émiettée en dedans. Quelqu'un s'enquit des « dispositions ». Quelle expression ! Qu'y avait-il

43

à disposer de toute façon? John Moses était mort. Il pourrirait. Il avait jadis été un homme magnifique, et, maintenant, il allait pourrir, mais pas avant que pas mal d'argent change de mains. Car les dispositions, ça coûtait cher, même en 1956.

Finalement, elle atteignit le bar et ferma la porte à clé derrière elle. Il faisait noir. Comme dans un four, ou plutôt une étuve. Mais elle n'avait pas envie d'allumer. Ni d'ouvrir les portes et les fenêtres pour laisser entrer l'air, car ce serait ouvrir les vannes au flot de gens dans le jardin, et elle finirait sans aucun doute noyée. Elle avança à tâtons le long du comptoir, pensant à son père la nuit précédente, et à la conversation qu'ils avaient eue, et à son propre bonheur au moment de se coucher alors qu'elle se disait que tout allait bien maintenant, que tout allait bien se passer. Cramponnée des deux mains au comptoir, elle ne s'était même pas aperçue qu'elle pleurait. Des sanglots déchiraient sa poitrine. Au bout d'un moment, elle se tut et posa la tête contre le bois griffé du bar. C'est alors qu'elle se rendit compte qu'elle n'était pas seule.

—Je n'avais jamais mis les pieds ici avant aujourd'hui.

La voix de Calla. Elle était assise dans un coin, à une table, toute seule.

—J'ai été tellement furieuse contre lui, pendant toutes ces années. Et maintenant, je n'arrive plus à me rappeler pourquoi.

Calla Moses passa la nuit aux pompes funèbres. L'entrepreneur, Ernest Simmons, l'informa que la dépouille du défunt ne serait exposée que le lendemain et qu'elle ferait aussi bien de rentrer chez elle prendre un peu de repos, mais elle lui rétorqua qu'elle n'était pas venue le voir, seulement rester proche de lui, et qu'elle ne bougerait pas.

Willadee et ses frères proposèrent à Calla de lui tenir compagnie, mais elle ne voulait aucune compagnie.

— Ce n'est pas le moment d'être toute seule, insista Willadee.

— À la maison, je me sentirais encore plus seule, riposta Calla. Et n'allez pas croire que vous pouvez me donner des ordres, maintenant que votre papa n'est plus là. Vous n'avez jamais essayé, et je ne vous laisserai pas commencer maintenant.

Tous battirent en retraite, sauf Toy, qui refusa de partir. Il était aussi têtu que sa mère.

— Bernice dormira chez toi, comme ça elle ne sera pas seule, lui dit-il. Tu t'apercevras à peine de ma présence.

En effet. Toy accompagna les autres à leurs voitures, puis passa la nuit dehors à fumer cigarette sur cigarette en contemplant le ciel. Calla s'installa dans un fauteuil de la salle de cérémonie dont elle avait pris soin de fermer la porte, et se plongea dans une méditation sur sa vie avec John Moses.

— Ç'a été une bonne vie, John, murmura-t-elle dans le silence. On a eu des passages difficiles, mais en gros, elle a été bonne, oui.

Puis elle ajouta, féroce :

— Qu'est-ce qui t'a pris de baisser les bras ?

Ils ne fermèrent pas le magasin le jour de l'enterrement. Après tant d'années, fit observer Calla, « Moses

45

Never Closes », c'était devenu une tradition, et tout le monde savait combien papa John était à cheval sur la tradition. Swan ne put s'empêcher de penser que papa John avait donné un bon coup de sabot dans la tradition en se tirant une balle dans la tête au beau milieu d'une réunion de famille, mais ce genre de chose ne se disait pas tout haut. En plus, ce jour-là, pas un sou ne fit sonner le tiroir-caisse : aucun client ne fut prié de payer. Alors ce n'était pas comme s'ils restaient ouverts par appât du gain. Et si par hasard quelqu'un avait besoin d'une bouteille de lait, commentaient-ils, ou d'une bouteille de whisky ? Et si jamais quelqu'un couvait la grippe, rien ne valait un grog au whisky, jus de citron et sucre pour faire passer ce mauvais moment. Non que ce fût la saison de la grippe, mais sait-on jamais ?

Toy garda l'épicerie. De toute façon, il n'aimait pas les enterrements. Ainsi que toutes les circonstances où, disait-il, chacun s'oblige à se conformer à ce que les autres attendent de soi. À la mort de son frère Walter, il était parti dans les bois avec son 22 long rifle et avait tiré sur les écureuils pendant que les autres accomplissaient ce qui était attendu d'eux. Il s'imaginait l'esprit de son frère se promenant sous les arbres – ruminant des choses qu'il avait pensées et n'avait pas eu le temps de lui dire. Toy tendait l'oreille. Enfants déjà, Walter et lui chassaient dans ces bois. Davantage que deux frères : des amis inséparables.

Toy connaissait toutes les souches et autres troncs couchés où Walter aimait s'asseoir pour fumer, ou simplement profiter de la paix de la nature. Aussi c'est ce que Toy fit. Profiter de la paix de la nature. Pendant une bonne heure. Quand la paix devenait pesante, et que sa poitrine menaçait d'éclater sous la pression des pleurs qu'il retenait, Toy Ephraïm Moses la faisait voler en éclats en tirant un coup de feu ou deux. S'il atteignait sa cible, tant mieux. Toy espérait que Bernice vivrait plus longtemps que lui. Si jamais elle venait à mourir avant, il serait obligé de se rendre à son enterrement, et alors il risquait de tirer sur la foule.

Swan comprit de bonne heure le matin des funérailles qu'oncle Toy ne les accompagnerait pas.

— Oncle Toy respecte pas les morts, déclara Lovey au petit déjeuner.

Lovey était la cadette d'oncle Sid et de tante Nicey. Dix ans, gâtée pourrie. Elle avait tenu absolument à passer la nuit chez eux, rien que pour seriner à Swan et à ses frères qu'elle avait beaucoup mieux connu papa John et leur prouver qu'ils ne pleuraient pas autant qu'elle pensait qu'ils devraient. Ils avaient bien versé quelques larmes, mais rien à côté des flots de Lovey. Ils ne se sentaient pas très tristes, pour la simple raison que papa John avait été pour eux un étranger de son vivant.

— Tais-toi, jeune fille, ordonna grand-maman Calla à Lovey. Ton oncle Toy a ses idées, voilà tout.

Swan entendait depuis toujours répéter qu'oncle Toy avait « ses idées ». Pour commencer, c'était un *bootlegger* – non que Swan sût vraiment ce que recouvrait ce terme. Elle savait toutefois que c'était illégal, voire périlleux. Si oncle Toy souhaitait enfreindre la loi, pourquoi ne travaillait-il pas au Never Closes avec papa John ? Au moins il n'aurait rien eu à craindre. Mais, comme disait grand-maman Calla, Toy avait ses idées.

Il avait fait la guerre, et même reçu une médaille pour acte de bravoure. Il aurait affronté les tirs ennemis pour sauver un de ses camarades. Un homme de couleur, pas moins. Et en plus, il avait été blessé. Sa jambe, emportée. C'est pourquoi il possédait une démarche aussi raide : sa prothèse n'avait pas d'articulation. Mais fabriquer de l'alcool de contrebande au lieu de travailler au bar et perdre une jambe pour sauver un Noir n'étaient pas les seuls exploits qui valaient à oncle Toy que l'on jase autant sur son compte. Il avait autrefois tué un homme, ici même, dans le comté de Columbia. Un voisin, un certain Yam Ferguson, dont la famille avait de l'«influence». Yam n'était pas parti se battre à la guerre. Il s'était débrouillé pour rester et travailler à la scierie Ferguson. Il en avait profité pour courir après toutes les femmes et petites amoureuses des garçons dont les parents manquaient d'«influence». Yam avait donc réchappé à la guerre, mais pas au retour d'oncle Toy de l'hôpital militaire. Les détails que Swan avait réussi à glaner étaient un peu flous.

Pendant que les autres s'habillaient pour les funérailles, Swan décida de ne pas y aller. Elle se prépara mais informa sa mère qu'elle irait en voiture avec tante Nicey, et tante Nicey qu'elle irait avec tante Bernice. Et pendant qu'ils s'entassaient dans les voitures garées à la file devant le magasin, elle monta en catimini dans la chambre de papa John. Swan évita de regarder le lit sur lequel il avait achevé ce qu'il avait commencé sous l'arbre du pré. Elle évita de regarder le mur que des voisines avaient lessivé. Elle évita surtout de regarder la Bible sur la table de chevet. Elle frémissait à la pensée que papa John avait les Évangiles à portée de main quand il avait pris sa propre vie, comme pour lancer une dernière insulte à la face de Dieu. Dans l'esprit de Swan, cela ne faisait pas un pli : papa John brûlait d'ores et déjà en enfer, à moins que la chance lui ait souri et que Dieu ait fait entrer sa folie en ligne de compte. Sauf que, se dit-elle, à quoi cela servait d'avoir un enfer, si les gens pouvaient bénéficier d'un non-lieu à cause d'un vice de procédure ?

Aussi ne regarda-t-elle *rien* dans la pièce. Elle aurait pu voir papa John, tel que ses fils l'avaient trouvé, et elle ne voulait pas prendre ce risque. Papa John était déjà assez effrayant comme ça de son vivant.

Swan se dirigea vers la fenêtre et contempla à travers le voilage le cortège qui s'éloignait. Lorsque le nuage de poussière rouge se déposa dans le sillage de la dernière voiture, Swan descendit sans faire de bruit. Elle avait sous les yeux la porte ouverte qui menait de la salle de séjour à l'épicerie.

Oncle Toy, appuyé au comptoir du magasin, était en train de tailler avec son canif l'écorce d'un bâton sans doute ramassé dans les bois pendant une de ses promenades. Une Camel pendouillait à ses lèvres : il fumait « sans les mains ». Swan, figée dans l'encadrement de la porte, l'observait. Même s'il gardait les paupières baissées et se taisait, elle savait qu'il savait qu'elle était là.

Swan se coula dans l'épicerie, grimpa sur la glacière et cogna ses chaussures l'une contre l'autre dans le sens de la longueur. Toy l'examina à travers le nuage bleu-blanc.

— Je suppose que tu n'aimes pas les enterrements, toi non plus.

— Je suis jamais allée à aucun.

Elle mentait, bien entendu. Un enfant de pasteur assistait à un plus grand nombre d'enterrements que n'importe quel autre enfant au monde. Toy devait le savoir.

— Bien…

Toy laissa le mot en suspens un petit moment, comme s'il avait tout dit. Il tailla une petite bosse sur son bâton. Et finalement déclara :

— Tu vas pas louper grand-chose.

Swan avait craint qu'il ne prononce une phrase de grande personne comme : «Ta maman sait que tu es ici?» Comme il n'en avait rien fait, elle sentit qu'il y avait peut-être là une amitié en train de naître. Swan rêvait d'être proche de quelqu'un. Soudée. D'âme à âme. Elle aspirait à cette relation où deux êtres se connaissent de fond en comble et se serrent les coudes quoi qu'il arrive. Jusqu'ici, elle n'avait même pas connu quelque chose qui s'en serait à peine rapproché, et elle était convaincue que c'était parce que son père était pasteur.

D'après ce qu'elle avait pu observer, les membres d'une congrégation s'entendaient à merveille pour empêcher leur pasteur et sa famille d'entrer dans leur intimité. S'ils les recevaient chez eux, ils cachaient le paquet de cartes à jouer. Les bouteilles d'alcool avaient l'art de disparaître derrière les bocaux de haricots verts et de haricots tout court. Et le mot *danser* n'était même jamais prononcé. C'est qu'ils ignoraient d'où venait Sam Lake – alors que Swan, elle, savait. Elle avait entendu dire que son père avait été un sacré noceur avant que Dieu ne s'empare de lui. Samuel

Lake avait dansé à s'user les semelles et il avait bu sa part de whisky.

«Sa part, et celle des autres», précisait Willadee avec un large sourire. Willadee n'était pas femme à embellir l'image de son mari. Elle était une Moses, et, dans la famille Moses, on ne croyait pas aux vertus du mensonge. Un Moses était disposé à commettre un certain nombre de méfaits, mais il n'était pas question de dire autre chose que la vérité. Pour les enfants, il en allait autrement. Swan mentait tous les jours. Elle aimait ça. Elle inventait les histoires les plus extraordinaires, les plus atroces, en les présentant comme véridiques. Ce qu'il y avait de bien, avec les mensonges, c'est qu'il n'y avait pas de limites. Vous vous créez un monde conforme à tous vos vœux, et, avec un peu d'autopersuasion, vous avez l'impression que c'est vrai.

L'ennui, c'est quand les membres de la congréga-tion essayaient d'impressionner leur pasteur par leurs vertus – quand ils lui disaient qu'il représentait pour eux une bénédiction, et qu'ils évoquaient l'amour fraternel comme s'ils l'avaient inventé, mais ne lui montraient jamais leur vrai visage et disaient parfois du mal de lui dans son dos. À plusieurs reprises, Swan avait entendu ce qui lui semblait la plus méchante phrase depuis «Qu'on lui coupe la tête !» : «Les enfants de pasteur, c'est que de la mauvaise graine.»

Une graine de quoi, on ne savait pas, mais il était sous-entendu que tous les enfants de pasteur avaient des aventures illégales, et Swan ne pouvait se sentir proche de quelqu'un qui la méprisait pour des bêtises qu'elle n'avait pas *encore* eu la possibilité de commettre.

Elle n'avait pas la moindre idée de la façon dont il faudrait s'y prendre pour être proche d'oncle Toy. Toutefois, il était logique de penser que pour se mettre dans les petits papiers d'un Moses, le plus judicieux – l'honnêteté étant leur credo – était de jouer cartes sur table.

— D'après Lovey, tu respectes pas les morts.

Swan espérait s'être montrée assez honnête pour retenir son attention. Et que, les propos de Lovey vexant Toy, à deux, ils pourraient haïr encore plus fort cette peste. Oncle Toy se contenta d'esquisser un sourire bon enfant.

— Lovey a dit ça?

— Je te le jure, bordel.

Swan se disait que, devant un type qui refusait de se rendre aux funérailles de son frère et de son père, on n'avait pas besoin de surveiller son langage. En quoi elle n'avait pas tort, car Toy ne tiqua même pas.

— Bien, commenta pour la deuxième fois Toy.

Sur ce «bien» qui sonnait dans sa bouche comme une phrase entière, il rasa une petite bosse sur son bâton, puis poursuivit:

— Je respecte une personne morte au même degré que je la respectais quand elle était en vie.

— Et ton papa, tu l'aimais vraiment?

— Oui.

Un oui catégorique qui réglait son compte à la question des funérailles.

— Et t'es vraiment un bootlegger?

— Qui dit que j'en suis un?

— «Presque» tout le monde.

Toy tourna le bâton entre ses mains comme s'il en cherchait les défauts. Il n'avait pas une forme terrible, mais au moins il avait réussi à le rendre tout lisse.

Swan prit une voix grave et menaçante pour prononcer :

— Attention, je pourrais être un agent du gouvernement. T'as pas intérêt à ce que je sache où qu'elle est, ta distillerie, sinon je risque de te dénoncer.

— Tu confonds avec *moonshiner*. C'est ceux-là qui ont des distilleries et se battent contre les agents du gouvernement. Un bootlegger, c'est rien qu'un intermédiaire. Il donne rendez-vous à ses clients au fond des bois, ou derrière des granges, et leur refile ce qu'il vaut mieux pour eux qu'ils achètent pas devant tout le monde. Mais en quel honneur, toutes ces questions ?

— Je suis curieuse, c'est tout.

— C'est la curiosité qui a tué le chat[1]…

— Je suis pas un chat.

Il se pencha légèrement vers elle.

— Tu es bien sûre ? Je crois que j'aperçois de petites moustaches.

Elle éclata de rire. Génial ! Ils étaient amis. Ils apprendraient à mieux se connaître. Elle saurait bientôt tout sur lui, et lui confierait ses secrets les plus intimes, et alors un jour ou l'autre il la porterait sur ses épaules et il n'y aurait pas de fin à leurs aventures.

— T'as vraiment tué un homme ? demanda-t-elle tout à trac.

---

1. Dicton anglais équivalent à notre : « La curiosité est un vilain défaut. »

Cette fois Toy tiqua. Swan était prête à le jurer.

— J'ai tué beaucoup d'hommes, répondit Toy d'une voix sans timbre. J'ai fait la guerre.

— Je veux pas dire à la guerre. Je disais que t'as zigouillé Yam Ferguson, parce qu'il avait fricoté avec tante Bernice.

Toy, qui s'était remis à tailler son bâton, leva les yeux. Swan songea qu'elle n'en avait jamais vu d'un vert aussi profond. Les poils roux de ses sourcils se haussèrent de quelques millimètres. Elle avait visé juste, et le regrettait. Mais elle avait sa réponse à sa question.

— Attention à ce que tu racontes sur tante Bernice, répliqua Toy d'une voix étranglée comme s'il avait le gosier sec. Bon, maintenant, tu vas me faire le plaisir de décamper.

— Je racontais rien, protesta-t-elle.

Toy resta muet. Il pêcha un vieux chiffon derrière la caisse et se mit à frotter le comptoir, lequel était parfaitement propre.

— C'était juste histoire de faire la conversation.

Toy, les yeux baissés, frottait comme s'il cherchait à enlever une tache – imaginaire. Swan n'existait plus. Autant pour elle et ses rêves d'amitié.

Swan se tourna vers la fenêtre. Elle n'était pas disposée à quitter les lieux rien que parce que oncle Toy l'en chassait. Partir la queue entre les jambes, c'était pas son style. À l'instant même, un pick-up, un Chevrolet Apache rouge vif s'arrêta devant la pompe à essence. Le conducteur – un homme aux traits durs et aux cheveux aile de corbeau – appuyait à fond sur le Klaxon. Une femme était assise devant à côté de lui. Une blonde bien en chair, avec un bébé dans les bras. Un autre bébé, plus grand, se tenait debout sur le siège entre la femme et son mari. Et à l'arrière, il y avait deux petits garçons, d'environ quatre et huit ans. L'homme aux traits durs fit sonner de nouveau son avertisseur. Plus fort.

Swan glissa un regard inquiet à oncle Toy, qui rangea son chiffon derrière la caisse. Sans se presser.

— Alors quoi, bordel de merde? hurla le client en sautant de son pick-up.

Il était minuscule. Un mètre cinquante-huit tout au plus. Mais costaud, à cause de ses gros muscles noueux. Il se dirigea vers le magasin. Il marchait vite, penché en avant, comme s'il s'apprêtait à tirer quelqu'un de l'intérieur pour lui flanquer une bonne raclée. Comme il atteignit le seuil à la seconde où Toy sortait, ils se percutèrent, le petit homme heurtant de la tête le plexus solaire de Toy. Cela l'arrêta dans son élan, sans l'ébranler plus que ça. Il recula d'un pas, leva le menton et regarda Toy d'un air furibond.

Swan, qui s'était laissée glisser de la glacière, se tenait campée près de la porte. L'espace d'un instant, elle crut que le petit client allait cracher à la figure d'oncle Toy: il ne devait pas savoir pour Yam Ferguson.

— Je peux faire quelque chose pour vous, monsieur Ballenger? demanda Toy, décontracté.

— Vous pouvez me faire le plein, si cela ne vous dérange pas trop, riposta M. Ballenger d'un ton glacial.

Pas plus aimables, ses yeux – si sombres que la frontière entre la pupille et l'iris était invisible – filtraient un venin noir.

— Pas de problème, répondit Toy, sans se départir de son amabilité.

Il passa devant Ballenger pour sortir sous le soleil. Swan lui emboîta le pas, en prenant garde de rester hors du champ de vision de son oncle. Pendant que Toy remplissait le réservoir, les deux petits garçons installés sur la plate-forme du pick-up l'observèrent en silence. Ils avaient de bonnes joues rondes d'enfant, mais ils étaient indéniablement les fils de leur père.

— Comment ça va, les gars? leur lança Toy.

Assis raides comme des soldats, ils ne répondirent pas. La femme qui tenait le bébé se tourna légèrement vers Toy et lui adressa un sourire, oh, à peine un tout petit petit sourire. Toy ne l'avait peut-être même pas remarqué, ce qui était d'ailleurs préférable, vu que le mari, lui, si. Swan fut frappé par la façon dont les yeux noirs allaient et venaient du visage de sa femme à celui de Toy. La femme se détourna. Toy vida les dernières gouttes et raccrocha la poignée de la pompe.

— Je vous dois? demanda Ballenger.

Il bombait le torse et tirait des deux mains sur sa ceinture dont il caressait la boucle du bout de ses doigts. Le tout avec un sourire en coin, comme s'il voyait venir quelque chose que personne d'autre n'avait repéré.

— Aujourd'hui, c'est gratuit, répliqua Toy.

Ballenger défia Toy du regard, puis jeta un coup d'œil du côté du pick-up, à sa femme. Elle était en train d'essuyer le nez du bébé avec l'ourlet de sa robe. L'essuyer à lui mettre la chair à vif, tant elle y mettait du zèle. À présent, Swan se rendait compte que la «femme» en question était à peine sortie de l'enfance elle-même. Elle avait dû commencer à mettre des enfants au monde à l'époque où elle avait compris comment ils étaient conçus.

— Que me vaut cet honneur, monsieur Moses?

Toy serra les mâchoires.

— C'est aujourd'hui qu'on enterre mon père, monsieur Ballenger. Maman tient à ce que le magasin reste ouvert, au cas où quelqu'un aurait besoin de quelque chose, mais elle fait pas payer.

La mine de Ballenger s'allongea de façon appropriée.

— Vous transmettrez mes condoléances à Mme Calla, dit-il avant de se hisser lestement à bord de la cabine du pick-up. Derrière, l'aîné des garçons, qui semblait s'apprivoiser, se rapprochait peu à peu du bord de la plate-forme. Et de Toy. Ballenger repéra son manège dans le rétroviseur. Il tendit le bras derrière lui, et, sans regarder, lui donna une torgnole. Distraitement. Il aurait aussi bien pu taper sur une mouche. Sa paume atterrit sur le visage du gamin, fort.

— Combien de fois il faut que je répète de pas vous tenir debout là-derrière? vociféra Ballenger par-dessus son épaule.

Et au bénéfice de Toy, il ajouta:

— Faut parfois leur rafraîchir la mémoire.

Toy se raidit et dévisagea Ballenger avec ce regard que l'on réserve en général aux bestioles qu'on a envie d'écraser sous son talon. Le gamin avait les lèvres qui tremblaient et les yeux hagards, mais il retenait ses larmes. Si petit, et pourtant il savait déjà que ceux qui ne pleurent pas ne sont jamais vaincus.

En laissant échapper un cri étouffé qu'elle regrettait déjà, Swan porta vivement sa main devant sa bouche.

Elle avait attiré l'attention de Ballenger : autant provoquer un de ces serpents appelés mocassins d'eau en lui agitant votre pied nu sous sa tête vipérine. Non seulement sa morsure est mortelle, mais en plus cette espèce est agressive : elle vous attaque par-derrière.

Ballenger braqua sur elle le feu de ses prunelles. Ses yeux noirs lui parurent énormes. Il se fendit d'un sourire carnassier. Swan aurait bien voulu s'enrouler sur elle-même et disparaître, mais c'était trop tard.

— D'où tu sors, toi, jolie môme ? demanda-t-il.

Toy la houspilla :

— Je croyais t'avoir dit de déguerpir !

Elle ne se fit pas prier deux fois. Pivotant sur elle-même, elle retourna en toute hâte dans le magasin. Une deuxième voiture arrivait, mais elle ne se donna pas la peine de regarder qui c'était. De toute façon, elle ne les connaîtrait pas. Adossée à la glacière, elle regarda dehors par le carreau étoilé de chiures de mouches. Le nouveau client était une cliente : une femme entre deux âges, dans une robe de coton à fleurs. Une femme de fermier. Elle bavardait avec Toy tandis qu'ils se rapprochaient du magasin. Toy lui répondait. Sa voix était grave et vibrante. Mais Swan ne leur prêtait aucune attention.

Elle observait le pick-up rouge qui remontait sur la route sur les chapeaux de roues. Les deux petits garçons de nouveau assis raides comme des soldats. Droits comme des i. *Deux* petits garçons. Mais Swan n'en voyait qu'un. Celui sur lequel la vipère avait tapé. Et celui-là seulement. Sa tête penchée de côté – comme s'il s'en fichait, comme si ce n'était rien. Son visage eut juste le temps de s'imprimer au fer rouge dans la mémoire de Swan.

Elle ne le lâcha pas des yeux jusqu'à ce que le camion amorce le virage et passe derrière les feuillages des liquidambars et des chênes des marais. Jusqu'à ce que le couinement des pneus et le bruit du moteur ne laissent plus qu'un murmure en suspens dans l'air, un murmure qui refusait de s'interrompre.

5

Parfois, quand Géraldine Ballenger n'essayait pas de réfléchir, mais laissait ses pensées aller à la dérive, il arrivait qu'une idée ou une perception fulgurante se détache des autres et jaillisse à la surface, rutilante. Elle ne parvenait jamais à s'en saisir. C'était une étoile filante. Vite évanouie.

Elle laissait à présent ses pensées vagabonder au gré d'un courant voluptueux. Tout à l'heure, devant le magasin, une étincelle de lumière avait émergé des ondes mouvantes de sa conscience, où elle flottait encore. Elle la contemplait mentalement, comme hypnotisée. Elle n'était pas assez naïve pour se croire autorisée à l'examiner à loisir afin d'y déceler brillances et défauts. En cherchant à s'en emparer, elle s'évanouirait, ou s'engloutirait, ou encore se projetterait loin hors de portée. Et puis, de toute manière, elle ne demandait rien de plus que de pouvoir la regarder.

Son mari souriait tout en conduisant. Cela, elle le vit du coin de l'œil, et son estomac chavira. En général, quand les gens souriaient, c'était bon signe. Chez Ras, on ne savait jamais. Cela dit, elle ne permettrait pas à ce sourire de l'arracher à la contemplation de la merveilleuse et scintillante Idée. Elle souhaitait la garder sous les yeux le plus longtemps possible.

— Tu l'as reluqué combien de temps, ce gros tas de muscles ? demanda Ras.

Il se félicitait de son astuce, ainsi que de son adresse à provoquer la débâcle de ses pensées. Une chose à laquelle il excellait, un point c'est tout.

Elle se contenta de le regarder, sans prononcer un mot. Lorsque Ras prenait le mors aux dents, il valait mieux ne pas prononcer un mot, parce qu'il était capable de vous chercher noise pour n'importe quelle parole prononcée. D'un autre côté, il valait mieux ne pas se taire, le silence revenant à un aveu de culpabilité. En somme, d'une façon ou d'une autre, vous n'aviez aucune chance de dissimuler le vilain secret qu'il était sur le point de découvrir.

— Je t'ai vue, tout à l'heure, tu étais baba, accusa-t-il. Je ne suis pas aveugle.

Géraldine était agacée. L'Idée était en train de perdre de son éclat. Si seulement Ras pouvait se taire et la laisser se concentrer. Elle dit à voix haute :

— Oh, toi, tu crois toujours avoir vu tellement de choses.

Elle avait déjà oublié qu'il valait mieux se taire.

Il rit. Un bruit obscène de reniflement.

— Et toi, tu ferais mieux de me croire.

Géraldine transféra le bébé de ses genoux à son épaule et lui tapota doucement le dos, en cadence. Elle était écœurée. Le fragment de lumière s'était évanoui. Ne lui restait plus qu'à se chamailler avec Ras. Car, si on ne lui tenait pas tête, ça bardait encore plus. Rien n'aggravait plus son cas que de garder profil bas.

—Comme s'il y avait quelque chose à voir ! rétorqua-t-elle.

Ras cracha par la fenêtre un jet de jus de tabac rougeâtre, et s'essuya la bouche sur sa manche de chemise.

—Je sais ce que je vois quand je vois une allumeuse.

—T'as pas intérêt à m'accuser, Ras Ballenger, riposta-t-elle poussant sa voix dans la stridence, pour marquer son dédain. Tu racontes n'importe quoi. Je connais même pas ce type.

—Pas aussi bien que tu aimerais, hein ?

C'était vrai. Géraldine ne connaissait pas Toy Moses, elle n'avait jamais posé les yeux sur lui qu'à des moments comme celui-ci, quand c'était lui qui tenait le magasin au moment où elle s'y arrêtait avec son mari et les enfants. Toujours avec son mari et les enfants. Elle n'avait le droit d'aller nulle part toute seule. Elle avait entendu certaines choses, cependant. Comment Toy avait perdu sa jambe pour sauver une vie, et avait pris une vie pour sauver l'honneur de sa femme. Des choses qu'elle avait retenues. Toy Moses, le défenseur des opprimés. (C'était cette pensée justement qui quelques minutes auparavant dansait dans son esprit tel un feu follet.)

Elle avait rencontré et épousé Ras à l'âge de quatorze ans. Quatorze ! Une petite nana délurée et un soldat de retour de la guerre (la guerre était terminée depuis un bail, mais Ras n'avait pas l'air de s'en apercevoir) plutôt bel homme, malgré son petit format.

Il s'était coulé dans sa vie et lui avait tourné la tête avec ses gestes vifs et ses manières élégantes.

Après tout, peu de filles de son âge étaient courtisées par un homme ayant fait le tour du monde et vu tout ce qu'il y avait à voir et envoyé plus d'ennemis qu'on ne saurait compter rejoindre leur Créateur ! À l'époque, tous ces gens qu'il avait tués, cela ne l'avait pas dérangée. N'était-ce pas le rôle des soldats ? Aujourd'hui, la seule chose qui la dérangeait, c'était de savoir qu'il y avait pris plaisir. Pour Ras Ballenger, la guerre équivalait à une aubaine.

Oh, elle avait beaucoup appris sur lui.

Il l'avait courtisée le temps de s'assurer de sa virginité. Une opération menée tambour battant. La preuve en main, il avait essuyé ses larmes en lui disant qu'il n'y avait pas de quoi pleurer. C'était sa faute, n'est-ce pas, si elle le rendait dingue, et, en plus, il fallait qu'il *soit sûr*. Il ne pourrait jamais aimer une femme qui avait servi.

Le verbe « servir » aurait dû faire tilt. Aurait dû. Mais après il avait prononcé le mot « mariage », et elle n'avait plus pensé à autre chose. Elle ignorait alors dans quoi elle s'engageait. Depuis, elle le comprenait mieux tous les jours.

C'était plus pénible à certains moments qu'à d'autres. La première fois que cela l'avait sérieusement secouée – la première fois que Ras avait levé la main sur elle –, elle avait supplié ses parents de lui permettre de retourner chez eux, mais ils lui avaient répondu qu'elle avait fait son lit, et qu'elle n'avait plus qu'à se rouler dedans. Après ça, partir n'avait plus été envisageable.

Bizarrement (car Géraldine ne voyait pas elle-même pourquoi), elle n'avait pas toujours envie de partir. Bien sûr, Ras la maltraitait, mais il se rachetait, ensuite. Au bout d'un moment, ce fut comme si les mauvais traitements rendaient tout le reste plus intense. Une partie d'elle-même en vint à croire que rien ne pouvait rivaliser avec cette intensité. Même quand il lui prenait l'envie de s'échapper, elle avait du mal à imaginer sa vie sans… ça.

Ras passa le bras devant le grand bébé, un garçon lui aussi, qui, le regard dans le vide, explorait son nez et sa bouche avec ses doigts. Puis il passa sa main sous la jupe de sa femme, remontant le long de sa cuisse pour la pincer vicieusement là où sa chair était la plus tendre. Géraldine, qui était encore en train de tapoter le dos du bébé (sa seule fille), suspendit son geste, l'espace d'une seconde, en serrant les dents.

— Vous autres femelles, vous êtes bien toutes les mêmes, lança Ras. Toujours à reluquer ce que vous pouvez pas avoir. On arrive dans quelques minutes, tu vas voir, j'ai quelque chose pour toi que t'as encore jamais goûté.

Et puis, ce même rire. En plus strident, comme sur le point de dérailler. Son rire avait le chic pour ricocher, changer simultanément de timbre et de direction, et alors il venait vous frapper comme une balle droit dans le cœur. Ou dans la tête.

Géraldine fit comme s'il n'était pas là. On n'avait parfois pas le choix, avec Ras. Il fallait avoir l'esprit ailleurs, c'était le seul moyen. Elle se replongea dans le cours de ses pensées, au débit à présent lent et obscur. Elle se tendit de toute son âme vers le merveilleux éclat de lumière, cette Idée chatoyante qui avait été Toy Moses, le défenseur des opprimés. Mais l'Idée consommée, elle avait perdu son feu interne. Même si elle la retrouvait maintenant, elle ne serait plus rien.

L'étoile filante éteinte, il ne servait à rien de faire des vœux.

— Avec quoi oncle Toy a tué Yam Ferguson ?
— Quoi ?
— Avec quoi il l'a tué ? Un fusil ? Un couteau ? Quoi exactement ?

Swan, assise dans la baignoire, avait de la mousse jusqu'aux épaules. À sa première question, sa mère, qui, penchée sur le lavabo, se lavait la tête, s'était redressée si brusquement qu'elle s'était mis du shampooing dans l'œil.

— Qui t'a dit que ton oncle avait tué quelqu'un ? marmonna-t-elle en se frottant les yeux.

— Lovey.

— Lovey a la langue trop bien pendue.

— Elle est pas la seule à l'avoir dit. Je vous ai entendues, grand-maman Calla et toi, un jour, il y a longtemps.

Willadee se courba de nouveau au-dessus du lavabo, en se tordant le cou de manière à mettre sa nuque sous le robinet. Elle ruisselait d'eau et de mousse.

— Qu'est-ce que tu nous as entendues dire, grand-maman et moi ?

— Je me rappelle plus très bien.

— Tu vois.

— J'estime que si un membre de ma famille a commis un *meurtre*, j'ai le droit de connaître les détails, récrimina Swan.

— Tu as le droit à une bonne fessée, oui.

Willadee pressa une mèche entre pouce et index, afin de voir si elle crissait. Elle crissait. D'un mouvement de la tête, elle rabattit sa chevelure en arrière, puis l'enroula dans une serviette et sortit de la salle de bains.

— Alors, *il l'a tué, oui ou non*? hurla Swan.

— Oui! cria sa mère.

On finissait toujours par faire cracher sa vérité à Willadee, car elle était incapable de mentir. Elle était une Moses cent pour cent.

— Alors, de quoi il s'est *servi*?

— De ses *mains*!

De ses mains. Oncle Toy avait tué un homme à mains nues. Swan, dans son bain, resta songeuse, tandis que, de seconde en seconde, son oncle devenait dans son esprit un personnage plus imposant, plus grand, plus puissant. Captivant, voilà ce qu'il était. Une force irrésistible. Il pourrait facilement devenir une obsession. Pourtant, tante Bernice n'avait pas l'air d'être obsédée par lui. Bien sûr, les couples mariés ne sont en général pas obsédés l'un par l'autre, même Swan savait cela. Ses parents avaient beau être encore très amoureux l'un de l'autre, quelque chose à propos du mariage semblait calmer le jeu. Cela dit, tante Bernice et oncle Toy étaient parfaits. Lui si fort et si sûr de lui, et elle belle comme le jour, avec une peau comme de la soie. Si tante Bernice avait été un tant soit peu fascinée par lui, cela aurait été l'histoire d'amour du siècle, le genre qui ne s'éteint pas avec la mort des gens – mais, voilà, tante Bernice se comportait comme si son mari n'était pas là, même quand elle se trouvait assise à côté de lui. Et lui, il l'adorait! Cette femme devrait consulter un psychiatre.

Swan se mit debout dans le bain. Des bulles scintillaient partout. Elle se pencha, ramassa une double poignée de mousse et se la colla sur la poitrine, en tirant des pointes au niveau des seins, comme ceux de tante Bernice. Willadee, qui avait choisi ce moment pour revenir chercher un peigne, la prit en flagrant délit.

— Tu veux bien arrêter.

Pas une question. Swan se laissa glisser de nouveau dans le bain. Ses superbes seins perdirent leur forme d'obus.

— Il l'a battu à mort ? Ou il l'a étranglé ?

Willadee, ayant trouvé son peigne, était sur le point de repartir.

— Il lui a tordu le cou, dit-elle.

6

Oncle Toy n'avait pas adressé la parole à Swan depuis le jour de l'enterrement. Pourtant ce n'était pas faute de ne pas être dans les parages. Ses frères étaient retournés travailler, de sorte qu'il était le seul à prendre la relève au Never Closes. Ses propres clients seraient obligés d'acheter leur alcool dans un magasin, en public, ou de s'en passer temporairement.

Chaque après-midi, une heure et quelques avant que grand-maman Calla ferme boutique, Toy arrivait au volant de son Oldsmobile bleue à-échapper-aux-flics ou bien de son camion Ford noir d'homme des bois. Bernice l'accompagnait toujours, sous prétexte qu'elle avait peur de rester seule à la maison. Pendant que Willadee préparait le dîner, Toy vaquait à diverses tâches, trouvant toujours quelque chose en mal de réparation – une porte de guingois (elles l'étaient toutes, de guingois), un trou dans la clôture du poulailler, un arbre mort qu'il fallait abattre avant qu'une tempête ne le projette sur la maison.

Le premier jour, Swan avait suivi Toy comme un toutou, dans l'espoir qu'il la remarquerait, et lui pardonnerait, et qu'ils pourraient alors devenir proches, comme elle avait cru qu'ils le deviendraient. Mais Toy ne regardait jamais de son côté. Il travaillait jusqu'à l'heure du dîner, mangeait avec un appétit d'ogre, puis disparaissait dans le bar. Après son départ, le premier soir, Swan resta à table pendant que sa mère et tante Bernice papotaient en faisant la vaisselle.

— Je peux pas avaler que ton père ait fait un truc pareil, disait Bernice.

Tout en prononçant ces mots, elle frissonnait, pour bien montrer qu'elle y pensait vraiment. En couleurs. Apparemment, elle était la seule de la famille à vouloir mettre ce sujet sur le tapis. Les autres préféraient ne pas en parler. Mais il restait dans l'air, néanmoins. Omniprésent.

— Laisse papa en paix, répliqua Willadee.

Bernice lui lança un coup d'œil qui laissait à penser qu'elle se sentait vexée de voir son entrée en matière tomber à l'eau.

— Je ne sais pas comment vous faites tous pour tenir aussi bien le coup. À votre place, je crois que j'arriverais même pas à me lever le matin.

— Si tu avais des gosses, si.

Avoir-des-gosses était un sujet que Bernice prenait soin d'éviter, alors le silence s'empara de la cuisine pendant une minute. On n'entendit plus que le cliquetis des assiettes. Puis, comme si cette idée venait de lui traverser l'esprit, elle s'enquit:

— Quand est-ce que Sam revient?

— Vendredi soir, l'informa Willadee. Comme toujours.

— Je me demande où vous serez l'année prochaine.

— Dieu sait.

— Vous n'aurez peut-être pas à déménager.

— Déménager, c'est pas si terrible.

— Moi, j'aurais du mal à le supporter, je pense.

— Heureusement que tu n'as pas épousé Sam.

Fin de la conversation. C'était au tour de Bernice de parler, et elle n'émit pas le moindre son. Aussi le silence s'imposa, jusqu'au moment où Willadee se mit à fredonner «In The Gloaming[1]», alors Bernice la planta là. Comme ça. Sans sommation. Willadee s'essuya les mains sur son tablier et la regarda s'en aller. Puis elle s'aperçut que Swan était toujours là, assise à table, les yeux et les oreilles écarquillés.

— Swan Lake, qu'est-ce que tu fabriques?

— Rien.

— Eh bien, va le faire ailleurs.

— Oui, maman.

Bien entendu, Swan ne bougea pas. Avec Willadee, si on ne refusait pas ouvertement d'obéir, on n'était pas toujours obligé, du moins pendant un petit moment.

— C'est quoi, le problème de tante Bernice? interrogea Swan une fois sa mère retournée à sa vaisselle.

— *Ailleurs*, Swan.

Ça c'était mercredi soir, et à présent on était vendredi: le compte à rebours avait commencé. Le père de Swan était attendu, il allait bientôt leur annoncer où ils allaient vivre l'année suivante, et, au matin, Willadee, avant même l'heure de se lever, aurait

---

1. Ballade anglaise intitulée «Au crépuscule» qui se termine par les paroles: «C'était mieux que je te quitte, ma chérie, mieux pour toi, et mieux pour moi.»

bouclé les valises. À peine le petit déjeuner avalé, ils seraient sur la route. Direction la Louisiane. Soit pour se rétablir à Eros, la minuscule ville qui depuis un an était la leur, soit pour préparer le déménagement.

Swan espérait déménager. Tout le monde s'apitoyait sur elle et ses frères à cause de ces déménagements, mais elle, elle se laissait toujours prendre par l'excitation. Dans un nouvel endroit, les gens vous accueillaient à bras ouverts, vous invitaient à dîner et faisaient tout un foin : la nouveauté, c'était un état de grâce.

Du point de vue de Swan, une fois la nouveauté éventée, il était temps de bouger. Car la vie dès lors prenait l'allure d'une piste de danse, où il fallait faire attention de ne pas marcher sur les pieds des autres, ce dont son père ne se privait pas, jamais. C'était sa spécialité. Il ne pouvait s'empêcher d'aller seriner aux pécheurs que Dieu les aimait, comme il les aimait lui aussi d'ailleurs, et pourquoi ne se montraient-ils pas dans la maison du Seigneur, le dimanche venu ? Il s'adressait aux plus *endurcis*, en plus. Des hommes trop paresseux pour travailler, des couples vivant dans le péché, et même une vieille coquette, ancienne strip-teaseuse sur Bourbon Street. Si encore Samuel se contentait des pécheurs ordinaires. Mais il voulait sauver tous les habitants de la jolie planète du bon Dieu, et se comportait comme si cela ne dépendait que de lui. Comme si le Seigneur n'avait pas d'autres assistants.

Swan souhaitait parfois que son père soit n'importe quoi d'autre que pasteur. Facteur, quincaillier, n'importe quoi pourvu que les gens ne soient pas tout le temps en train de la surveiller, à cause de ce faux pas qu'ils espéraient tous, afin de se répandre en ragots, alors, oui, avec un peu de chance, elle pourrait être normale. Ce devait être merveilleux d'être comme tout le monde.

Mais pour le moment, elle avait d'autres priorités. Il ne lui restait plus qu'une journée pour se lier d'amitié avec oncle Toy. Demain, une fois sur la route, il lui faudrait attendre une année entière avant de le revoir, et d'ici là, la fin du monde avait des chances de se produire.

Dès le saut du lit, Swan se mit en quête de Toy. Noble et Bienville n'étaient nulle part en vue, Dieu merci. Depuis deux jours, dégoûtés, à force de la voir pendue aux basques d'oncle Toy, ils préféraient jouer à deux. Ce qui arrangeait Swan. Tout ce qui, il y avait une semaine encore, paraissait amusant avait perdu tout intérêt comparé à oncle Toy, qui était plus grand que nature, plus grandiose que tout ce qu'elle avait jamais imaginé.

Elle le trouva dehors. Allongé par terre, sous le vieux camion de papa John, avec seulement les pieds qui dépassaient : il bricolait quelque chose. Swan s'accroupit, regarda sous le camion et se racla la gorge très fort. Oncle Toy n'eut pas besoin de tourner la tête : il savait qui c'était.

— Je peux t'aider ? proposa Swan.

— Non.

— Ça me déplairait pas.

— À moi, si.

Sa voix était tombée comme une massue. Swan étrécit ses yeux en deux minces fentes, et prit un air lointain, *pensif*.

— Tu sais quoi ? demanda-t-elle au bout d'un moment.

— Quoi ?

— J'ai perdu mon temps avec toi.

— Ah, vraiment.

— Ah, oui, merde !

Elle se leva et tapa du pied à plusieurs reprises. Hautaine. Les bras croisés sur la poitrine, elle examinait les deux pieds qui dépassaient. Si elle avait su lequel était le vrai, elle lui aurait donné un bon coup. Mais comme ce n'était pas le cas, elle chercha des mots blessants.

— Je sais pas pourquoi je te suis partout comme si t'étais un héros, alors que tout ce que t'es, c'est rien qu'un vieux bootlegger mutilé. Je parie que t'as jamais sauvé la vie de personne. T'as perdu ta jambe en te sauvant du champ de bataille. Ce Yam Ferguson, ça devait être vraiment un fichu pied-tendre pour se laisser zigouiller. Un type comme toi, ça me ferait pas peur dans un cimetière par une nuit sans lune.

Le silence se fit pesant. Oncle Toy avait arrêté de bricoler. D'un instant à l'autre, il allait surgir de dessous le camion. Mais Swan s'en fichait. Elle ne mentait pas en disant qu'il ne lui faisait pas peur. Elle avait décidé qu'il lui était totalement indifférent. Il ne comptait pas plus pour elle maintenant, qu'elle ne comptait pour lui.

— Et je ne veux plus être ton amie, non plus, ajouta-t-elle.

C'était plus dur à dire, parce que, sur ce point, elle n'était pas sincère, encore moins que pour le reste. Elle avait comme un poids sur l'estomac, avec la sensation de fermer une porte qu'elle n'avait pas envie de fermer, pour l'éternité. Mais elle en avait assez. Parce qu'elle ne quémandait jamais. Elle tourna les talons et s'éloigna à grands pas, trop fière pour regarder en arrière.

Toy sortit de dessous le camion, s'assit et la suivit des yeux tandis qu'elle se dirigeait vers la maison. Épaules carrées, tête haute.

— En voilà une bonne nouvelle, articula-t-il doucement.

Non qu'il fût totalement de bonne foi.

Lorsque la vieille voiture de Samuel s'arrêta dans la cour, la nuit était presque tombée. Swan l'attendait assise sur les marches de la véranda. À l'instant où, descendant de voiture, il posa ses pieds par terre, elle se propulsa à travers la pelouse et se pendit à son cou en sautant sur place.

— Hé, hé, une minute, tu veux, protesta Samuel, qui ne pouvait néanmoins s'empêcher de sourire devant tant d'enthousiasme.

— On déménage?

— Oui.

— Super. Où ça?

— On en parlera plus tard. Où est maman?

À la seconde même, Willadee se matérialisa sur la véranda et lui adressa un grand signe de la main. Tous deux se mirent à marcher l'un vers l'autre. Bernice était assise sur la balancelle, à moitié cachée par la profusion de belles-de-jour qui s'enroulaient autour de la balustrade de la véranda. Elle observa Samuel et Willadee se jeter dans les bras l'un de l'autre. Noble et Bienville remontèrent à toutes jambes du pré et traversèrent la pelouse comme des flèches pour se ruer sur leurs parents – les embrassant tous les deux en même temps, puisqu'ils ne formaient plus qu'un. Ce qui était bien avec Samuel et Willadee, c'est que leurs retrouvailles étaient vraiment à la hauteur.

Samuel finit par relâcher sa femme et soulever Bienville qu'il secoua comme un vieux chiffon en émettant des rugissements de bête sauvage avant de le reposer par terre. Il salua Noble d'un coup de poing dans l'épaule. Noble riposta. Samuel se tint l'épaule avec une grimace de douleur, et pendant que Noble se demandait s'il n'y avait pas été un peu fort avec son vieux, Samuel en profita pour lui appliquer un deuxième direct.

Tout cela, Bernice l'observa depuis la balancelle. Samuel, Willadee et les enfants gravissaient à présent les marches de la véranda, parlant tous en même temps. Lorsqu'ils arrivèrent à la hauteur de Bernice, celle-ci se leva avec la grâce souple d'une chatte. Elle portait une petite robe crème toute douce qui moulait ses courbes quand elle bougeait. En la voyant s'avancer, le groupe se figea. Bernice faisait cet effet-là sur les gens.

— Comment ça va, Bernice ? lança Samuel.

— Rondement, roucoula Bernice d'une voix aussi onctueuse que du beurre fondu.

Willadee leva les yeux au ciel et dit en exagérant la suavité de son doux parler du Sud :

— J'ai quelque chose sur le feu, Sam. Tu n'as qu'à venir quand tu seras prêt.

Et elle entra dans la maison. (Ça s'appelle avoir confiance.)

— Où est ton mari ? demanda Samuel à Bernice.

Elle esquissa un geste qui désignait l'arrière de la maison. Un geste évasif. Samuel jeta un coup d'œil dans la direction indiquée et acquiesça de la tête, comme s'il certifiait que Toy était là-bas, où qu'il fût. Il enchaîna :

— Il paraît qu'il a pris les choses en main par ici depuis quelques jours.

— Certaines choses, oui.

Samuel dévisagea Bernice. Un regard ni affectueux ni hostile. Juste pour lui montrer qu'il savait où elle voulait en venir, et qu'il n'y irait pas avec elle. Il la regarda ainsi jusqu'à ce qu'elle détourne les yeux. Puis il ouvrit la porte et poussa ses enfants à l'intérieur.

— Dépêchez-vous, votre maman nous attend.

— Plutôt deux fois qu'une, mon petit pasteur ! prononça Willadee en faisant rouler encore plus suavement les mots sous sa langue.

Pendant le dîner, Swan, Noble et Bienville harcelèrent Samuel pour qu'il révèle le nom de leur nouvelle ville, mais il refusa de répondre. Cela ne ressemblait pas à leur père. En général, il était au contraire impatient de leur brosser un avenir qu'il enjolivait de tous les commentaires positifs soutirés aux rares individus familiers des lieux. En règle générale, la nouvelle ville se révélait si petite qu'il n'était pas commode de trouver des gens qui y étaient allés, ou même passés – hormis le pasteur partant, mais celui-là maniait mieux la critique que l'éloge. Pourtant Samuel trouvait chaque fois du bien à en dire. Là-bas les gens étaient le sel de la terre, les paysages d'une beauté divine, l'église une sainte relique ; on racontait qu'il y

avait des passages secrets; ou le jardin du presbytère
était l'endroit idéal pour construire une cabane; ou
autre avantage mirifique.

Ce soir, toutefois, c'était différent, et tout le monde
le remarqua. Même Calla, Toy et Bernice, qui l'inter-
rogeaient du regard.

— Quelque chose ne va pas, Sam? s'enquit finalement Willadee.

— Je voulais te prévenir d'abord, avant de mettre
les autres au courant.

Willadee tendit le plat de haricots à Toy assis en
face d'elle.

— À tous les coups, ils nous envoient dans le
bayou. Nous avons fait tout le reste.

— Non, pas le bayou, répliqua Samuel.

Il posa son verre de thé glacé, s'appuya sur ses
avant-bras, baissa un instant la tête, puis la redressa
doucement, tous les yeux fixés sur lui: ils attendaient,
le souffle suspendu.

— Ils nous envoient nulle part.

Swan battit tous les records du sauve-qui-peut-
après-le-dîner. Il lui fallait un coin tranquille où réfléchir. Elle aurait volontiers opté pour la balancelle,
si tante Bernice n'avait pas fait main basse dessus
avant même que l'on ait eu le temps de faire ouf dès
la vaisselle terminée, comme toujours. Swan n'était
pas priée d'aider, contrairement à tant d'autres
malheureuses gamines de sa connaissance. Willadee
estimait que l'on n'était enfant qu'une seule fois dans
sa vie. À quoi grand-maman Calla répliquait que,
justement, c'était l'occasion ou jamais de s'initier

aux responsabilités, mais comme Swan pouvait être éreintante, elle ne jugeait pas utile d'insister. Quant à tante Bernice, si elle avait une opinion, elle la gardait pour elle. Après avoir accompli sa part de corvée aussi vite que possible, elle s'éclipsait dans le coin le plus obscur de la véranda jusqu'à l'heure du coucher. S'il n'y avait pas eu le discret grincement de la balancelle, on ne se serait même pas douté qu'elle était là.

Swan se demandait parfois quelles pensées s'agitaient dans la tête de sa tante quand elle se trouvait livrée à elle-même. Elle lui avait un jour posé la question. Tante Bernice avait mis ses mains derrière sa tête, soulevé la masse de ses cheveux et murmuré : «Mmm? Oh! À des choses.»

La balancelle était donc exclue. Swan passa devant et traversa la pelouse en se faufilant entre les voitures garées n'importe comment. Cela faisait maintenant plus d'une heure que les habitués convergeaient vers le Never Closes.

D'habitude, Swan se serait glissée derrière la maison pour espionner le bar. Ce qui leur était strictement défendu, à elle et à ses frères. Comme ils ne voyaient jamais rien de très intéressant, ils auraient carrément laissé tomber, si l'interdit ne leur semblait pas receler une promesse cachée.

Ce soir pourtant, Swan n'avait pas envie de jouer les espionnes. Elle voulait qu'on lui fiche la paix. Elle marcha sur l'herbe au bord de la route, laissant derrière elle les fenêtres éclairées de la maison et du bar. La lune était pleine, ou presque. Elle ne s'était encore jamais rendu compte que le clair de lune éclairait pour de vrai. Mais, aussi, jamais elle ne s'était éloignée de chez elle dans le noir. Sauf qu'il ne faisait pas noir. La nuit était blanche.

En suivant les doux méandres de la route qui serpentait, Swan conclut qu'elle n'avait pas besoin de trouver un *endroit* pour réfléchir. Il suffisait d'aller de l'avant, de poser un pied devant l'autre, tout au plaisir d'aller nulle part.

La situation de son père prenait du relief dans son esprit. Au début, quand elle avait compris qu'ils n'avaient plus ni revenus, ni foyer, elle s'était sentie coupable d'avoir souhaité changer de vie. Elle avait formulé ce vœu sans se douter qu'il y aurait des conséquences de ce genre.

Le degré de gravité de leurs ennuis lui échappait toutefois. La famille Lake changeait de ville tous les ans, au maximum tous les deux ans. Ce n'était pas comme s'ils allaient être déracinés. Ils n'avaient pas de racines. En plus, les grandes personnes passaient leur existence à chercher des solutions à des problèmes. Ils ne faisaient *que* ça. Sans compter la volonté de Notre-Seigneur. Combien de fois Samuel n'avait-il pas expliqué dans ses prédications que Dieu possédait un Plan, et que tout se combinait à la perfection pour ceux qui L'aimaient? Ses parents L'aimaient, c'était certain. Swan aussi, évidemment, même si elle contournait Sa loi plutôt deux fois qu'une, et ne Le priait que lorsque-c'était-important, n'étant pas le genre de fille à Lui casser les pieds avec son babillage.

En somme, à condition de regarder les choses sous le bon angle, la Bible vous garantissait une issue favorable, et elle pouvait laisser sa conscience au vestiaire.

Elle prit un grand bol d'air parfumé au chèvre-feuille. L'herbe haute ployait sous ses pieds, puis se redressait derrière elle. Elle n'était pas encore prête à retourner sur ses pas. Ce moment était trop délicieux. Vers la gauche, un chemin étroit prenait naissance. Il serait imprudent de s'y engager – d'ailleurs, elle n'aurait même pas dû aller jusque-là – mais que risquait-elle, au fond? Le Malheur arrivait par une nuit d'orage, une nuit sans lune, pas par une belle nuit comme celle-ci, dans un monde drapé de satin blanc.

7

Le petit chemin zigzaguait en lacets en s'amenuisant jusqu'à n'être pratiquement rien, mais un rien qui continuait à se dévider. Chaque virage promettait une nouvelle découverte. Promesses tenues. Un mince arbuste argenté par le clair de lune. Le ballet des étoiles reflété par les eaux turbulentes du ruisseau le long du sentier défoncé. Rien n'était ordinaire ce soir. Même les prés où paissaient les vaches et les enclos à moitié effondrés semblaient d'une autre planète.

Et le silence ! On aurait dit l'immense calme d'une tempête de neige. C'était un signe, forcément. Un signe de bon augure. Seul un événement heureux pouvait être engendré par toute cette lumière là où régnaient habituellement les ténèbres. Oui, conclut Swan, un heureux présage, offert par une lune-promesse.

Voilà les pensées qui l'absorbaient au moment où elle déboucha du dernier virage devant la Maison. De dimensions modestes, en bois brut terni par le temps, coiffée de tôle. Les fenêtres étaient éclairées, dorées sur le fond argent de la nuit. Dans la cour parfaitement entretenue, quelque chose brillait. Une carrosserie. Un pick-up. En dépit de la luminosité, on n'en distinguait pas la couleur. Mais Swan savait, dans la moelle de ses os. C'était du rouge.

Elle entendit un bruit mat, comme l'espèce de grognement qui vous échappe quand vous recevez un coup de poing dans le ventre. Il lui fallut une seconde pour s'apercevoir que c'était elle qui l'avait produit. Elle ne pouvait plus bouger. Son cœur s'était arrêté, sûrement.

Mais son cerveau, lui, n'était pas paralysé. Il filait à cent à l'heure, emballé, imaginant l'inimaginable. Ce petit homme-vipère était-il caché par là, quelque part, se coulant dans le noir ? Et s'il était en train de l'épier à cet instant même ?

Elle pivota sur elle-même. Fuir. Jambes flageolantes, pieds de plomb. Courir à perdre haleine en trébuchant sur les ornières du sentier. Elle *sentait* la présence de Ballenger, derrière elle, dans son dos – et elle le devinait aussi là-bas, devant. Aucune direction n'était sûre. La brise de juin était son haleine chaude. Le bruissement des feuilles un chuchotement sinistre. Homme-serpent prononçant SSSwan dans un sifflement.

Swan se considérait comme une personne prête à tout. Mais pas à ça. Et pas non plus à ce qui arriva ensuite.

La lune (la grosse menteuse) se glissa derrière un banc de gros nuages. Et le monde fut plongé dans le noir. D'un seul coup, Swan ne voyait plus où elle mettait les pieds – elle tomba. Il n'y avait rien à quoi se raccrocher, rien qui puisse ralentir ou adoucir sa chute. Elle fit de grands moulinets avec ses bras, mais cela ne servit à rien.

Il lui sembla tomber pendant une éternité. Ce fut un roulé-boulé. Quand elle cessa de tomber, elle ne fit pas un mouvement tant elle avait peur de bouger.

La raison pour laquelle elle avait peur de bouger, c'est que sa main touchait quelque chose de doux et de chaud : une autre main.

Ses yeux étaient fermés, elle prit garde de ne pas les ouvrir. Terrifiée à l'idée de soulever les paupières et de voir ce qu'il y avait à voir.

— Alors, t'es morte ? demanda une voix.

Ce n'était pas la voix de Ballenger. Swan crut qu'elle allait mourir de soulagement. Elle ouvrit les yeux, juste un petit peu, pour scruter l'obscurité. Puis elle les ouvrit plus grand. Beaucoup plus grand. Elle se dressa sur son séant.

La personne qui lui parlait… était le petit garçon. Le petit garçon de Ballenger. Celui qui s'était pris une torgnole devant le magasin. Il était assis dans le fossé, vêtu d'un tricot de corps et d'un caleçon déchirés et sales. Un petit bonhomme tout maigre, les cheveux hérissés sur la tête. Il la dévisageait avec le plus grand calme. Swan se ressaisit assez pour cesser de trembler et le dévisager à son tour.

— Qu'est-ce que tu fais dehors ? s'enquit-elle.

— J'attends.

— Tu attends quoi ?

— De pouvoir rentrer.

— Rentrer où ?

Le gamin montra du doigt la direction de la maison.

— Pourquoi tu peux pas rentrer maintenant ?

— *Parce que.*

— Tu es trop petit pour rester tout seul dehors la nuit, dit Swan. *Pourquoi* tu peux pas rentrer, dis ?

Le gamin répondit par un haussement d'épaules. Swan soupira. Elle devinait trop bien, hélas !

N'empêche, il n'avait rien à faire ici tout seul, et elle ne pouvait pas rester avec lui Alors, quoi?

— Bien, c'est peut-être le moment pour toi de rentrer, parce que, moi, il faut que je rentre chez moi, dit-elle.

Il secoua de nouveau la tête, fort.

— Je peux pas être ta baby-sitter.

— Personne t'a rien demandé.

Elle poussa un deuxième soupir, et se leva.

— Bon, mais fais gaffe aux lynx. Un lynx ferait que deux bouchées de toi.

— Je peux tuer les lynx.

— Ah, oui? Et avec quoi?

Il se contenta de la regarder fixement. Swan commença à s'énerver: elle allait avoir de sérieux ennuis si elle ne retournait pas dare-dare chez grand-maman Calla. Ils allaient organiser une battue, et rien n'énervait plus les grandes personnes que de trouver un enfant sain et sauf, alors qu'elles avaient paniqué à la perspective de le retrouver mort.

Elle déclara:

— Écoute. Je sais que tu as peur de ton papa. Moi-même, j'ai peur de lui, et je l'ai vu qu'une seule fois. Et si mon papa parlait au tien, hein? Mon papa est pasteur. Il sait comment obliger les gens à changer, il le fait tout le temps.

— Mon papa tuerait ton papa.

Swan se laissa tomber à genoux. La lune sortant de sa cachette, elle voyait parfaitement son visage. Un beau visage, aux pommettes saillantes, aux cils noirs et fournis, à la bouche plus pleine qu'elle n'en avait l'air à présent, pour la bonne raison que ses lèvres étaient serrées – une fine ligne droite, déterminée, pleine de courage. Ses yeux noirs la transpercèrent jusqu'à l'âme. Des yeux noirs féroces. Elle n'avait jamais vu des yeux pareils.

— Dis donc, entonna-t-elle, tu parles beaucoup de tuer, pour quelqu'un qui est à peine assez haut pour pisser debout.

Mais on ne pouvait même pas l'insulter. Il se contentait de pencher la tête sur le côté. Un geste qui lui servait sans doute à montrer que rien ne pouvait l'atteindre. Elle se releva.

— Rentre chez toi!

Il ne bougeait pas.

— Rentre chez toi, *quémanda*-t-elle, et quémander était chose que Swan Lake ne faisait jamais.

Il ne bougeait toujours pas.

— Bon, eh bien, je m'en vais, l'avertit-elle.

Et elle joignit l'acte à la parole. Elle mit lentement un pied devant l'autre. C'était horrible. L'inquiétude la tenaillait: ce gamin, qu'allait-il lui arriver? Il pouvait se faire mordre par un serpent, ou par une araignée, ou finir dans l'estomac d'un gros mammifère. Et où allait-il dormir? Creuserait-il un trou pour s'y pelotonner? Irait-il jusque-là, poussé par l'instinct? Ou son abominable père partirait-il à sa recherche, et s'il le trouvait, que se passerait-il alors? Quoi?

Elle ferait mieux de ramener le gamin chez lui. Le confier à sa maman – sauf que sa maman n'avait pas l'air capable de le protéger. Alors le ramener chez *elle*. Cela ne se faisait pas. Un rapt d'enfant, voilà comment ça s'appelait, même si c'était une enfant qui exécutait le rapt. Swan n'avait pas peur d'aller en prison, avec tous ces représentants de l'ordre qui buvaient à l'œil au Never Closes, mais elle se doutait que cette histoire ne se terminerait pas par des chansons.

Elle décida donc que, dès son retour chez grand-maman Calla, elle irait trouver son père pour qu'il aille chercher le gamin, le ramène chez lui et parle à ses parents. Personne n'envisagerait même en rêve de tuer Samuel Lake, et même si cette idée venait à l'esprit de quelqu'un, c'était impossible. Samuel Lake vivait sous la protection de Notre-Seigneur.

Le *hic*, c'était qu'il faudrait un mensonge qui tienne la route pour expliquer ce qu'elle fabriquait là-bas dehors toute seule en pleine nuit, mais Swan avait confiance dans ses talents de menteuse. Et, au pire, elle pourrait toujours dire la vérité.

En l'occurrence, elle n'eut à dire ni la vérité, ni un mensonge, ni rien du tout. Elle approchait de chez grand-maman Calla quand, sans raison précise, elle jeta un coup d'œil par-dessus son épaule. Et il était là. Le petit dur. Marchant à quelques mètres derrière elle, aussi silencieux qu'un Indien.

— Est-ce qu'on a un plan? demanda Willadee à Samuel.

Cela faisait une heure qu'ils étaient au lit, lovés l'un contre l'autre. Ils étaient montés se coucher avant tout le monde, ce qui était rarissime. Amoureux comme ils l'étaient encore après toutes ces années, ils préféraient rester pudiques et évitaient de se ruer dans leur chambre avant l'heure. Mais aujourd'hui cela leur avait paru le seul moyen de discuter sans témoins.

Willadee avait raconté à Samuel la mort de John Moses, et tout ce qui s'était passé ce jour-là. (En prenant soin de taire les événements de la veille au soir. Samuel avait assez de soucis comme ça, elle lui avouerait pour la bière une autre fois. Peut-être.) Elle lui avait aussi parlé de Calla. Sa mère avait pris l'habitude de descendre dans le séjour au milieu de la nuit, une vieille chemise de John passée sur sa robe de nuit, et elle restait là, assise toute seule pendant des heures. La première fois que c'était arrivé, Willadee était descendue à sa suite et lui avait demandé :

— Maman ? Tu as envie de parler un peu ?

— Il est trop tard pour dire ce que j'aurais dû dire, lui avoua tristement Calla. J'aurais dû dire à John combien il me manquait la nuit dans notre lit. J'aurais dû lui dire : « Abattons donc ces fichues cloisons ! » J'aurais dû ravaler mon orgueil, mais je n'ai pas pu, et maintenant il est en train de m'étouffer.

Samuel écouta Willadee, et quand elle le supplia de ne jamais laisser se dresser entre eux le moindre obstacle, il lui en fit la promesse. Puis il lui rapporta qu'à la conférence annuelle, son supérieur lui avait expliqué que, de nos jours, les Églises n'avaient pas les mêmes besoins que par le passé, mais que ce n'était pas *terminé* pour lui, il gardait le *titre* de pasteur et tout ça, sauf que cette année, comme aucune congrégation ne semblait lui convenir, il lui conseillait d'envisager, très sérieusement, de procéder à des changements positifs, pour ne pas dire des améliorations, dans son ministère.

— Ils ne veulent plus de prédicateurs, avait déclaré Samuel à Willadee d'une voix émue. Ils veulent des animateurs sociaux.

— Tu dois défendre ce qui te paraît juste.

—Je songe d'abord à nourrir ma famille, mais je ne sais pas comment je vais m'y prendre.

— Tout va s'arranger.

— Tu crois?

— Mais, oui, tu sais bien qu'on va s'en tirer.

À plusieurs reprises, ils furent au bord de faire l'amour, mais le lit était si vieux et les ressorts si bruyants qu'ils décidèrent d'attendre que les autres soient couchés, endormis, ou bien que, saisis d'une subite inspiration, ils trouvent une combine leur épargnant les regards de travers au petit déjeuner le lendemain matin.

— On a un plan? répéta-t-elle.

— Je pourrais descendre chercher de l'huile, proposa Samuel. Ces ressorts ont besoin d'être huilés.

— Je ne voulais pas parler de ce genre de plan.

—Je sais.

— Il va falloir trouver un endroit où vivre.

—Je sais.

Il garda le silence. Sa respiration emplissait la chambre. Forte, profonde, régulière. Puis il proposa :

— Willadee? Et par terre? Tu te sentirais insultée si on le faisait par terre?

— Pas insultée. Mais ils nous entendraient quand même.

— On n'a qu'à pas faire de bruit.

— Facile à dire pour *toi*.

Il éclata de rire. C'était plus fort que lui. Elle le fit taire par un baiser. Au bout d'un moment, il prononça :

—Je crois que je devrais avoir peur, Willadee. Me voilà avec une femme et des enfants, pas de travail, pas de maison, et tu sais quoi, Willadee?

— Quoi, Samuel ?

— J'ai peur.

Cela ne disait rien qui vaille à Willadee. Cette peur. Samuel souffrait. C'était ce qu'il y avait de plus pénible dans cette affaire, qu'il souffre. Lui, Samuel !

— Rien à foutre des ressorts.

— J'ai bien entendu ?

— J'ai dit : rien à foutre des ressorts, Samuel.

Willadee se débarrassa d'un coup de pied des couvertures. Assise sur ses talons à côté de son mari, elle couvrit de baisers son cou, sa poitrine, son ventre. Mains caressantes, généreuses. Il roula sur lui-même pour se presser contre ses mains. Les ressorts crièrent, très très fort.

Il laissa échapper un gémissement de plaisir, pas aussi bas qu'il l'aurait souhaité. Il souffla :

— Pour l'amour de Dieu, Willadee.

Puis :

— Willadee, j'ai tellement besoin de toi.

Sa bouche explorait sa peau. Volubile. Voluptueuse.

— Heureusement, mon petit pasteur. Sinon, tu ne pourrais pas supporter tout ce que je m'apprête à te faire subir.

En bas, sur la balancelle, Bernice Moses dégustait un verre de thé glacé avec beaucoup de citron. Son oreille restait tendue vers la chambre du haut qui se trouvait pile au-dessus de l'endroit où elle était assise. Elle écoutait intensément. Écoutait, mais ne souriait pas. Bernice avait dans l'ensemble eu tout ce qu'elle souhaitait dans la vie, et rien ne l'avait jamais rendue heureuse. Une seule chose lui manquait parce qu'elle n'avait jamais pu l'obtenir, et elle était persuadée que si, ou plutôt le jour où elle parviendrait à se l'approprier, elle connaîtrait un bonheur sans nuages. Enfin.

Ce qu'elle voulait, c'était Samuel. Ce qui la séparait de lui aujourd'hui, c'était Willadee. Ce qui l'avait séparée de lui hier, cela avait été les kilomètres. Mais désormais il n'y avait plus que Willadee. Et tout bien réfléchi, Willadee représentait-elle un obstacle sérieux?

Bernice faisait partie des filles du comté de Columbia qui avaient gardé le lit pendant une semaine lorsque Sam s'était marié. Mais elle était la *seule* à avoir été fiancée avec lui – et à l'avoir plaqué – et elle était persuadée qu'il avait épousé Willadee par dépit. Pour quelle autre raison l'aurait-il épousée, elle n'était même pas jolie? En tout cas pas suivant les canons berniciens de la beauté.

Toujours est-il que les événements n'avaient pas pris le tour prévu au départ. Bernice voulait seulement le plaquer pour un temps, afin de lui apprendre à ne pas se montrer trop charmant avec les autres filles. Samuel était charmant avec tout le monde, homme ou femme, jeune ou vieux, il ne faisait pas de distinction. Tout ce charme la rongeait. Et elle avait appliqué une méthode à la portée de n'importe quelle femme. Elle lui avait donné-matière-à-réflexion. On ne pouvait pas le lui reprocher. Elle avait l'intention de lui céder et de l'épouser dès qu'il se serait plié à son point de vue.

Seulement, Samuel ne s'était plié à rien du tout. Alors qu'il réfléchissait à la leçon de Bernice, il avait rencontré Willadee, et jamais on n'avait vu un homme aussi transi d'amour. À croire qu'il avait trouvé un gisement d'or. Bien entendu, Bernice savait, elle l'avait toujours su, que Samuel n'aimait pas autant Willadee qu'il le croyait, mais elle n'avait jamais réussi à aborder ce sujet avec lui. Elle n'avait jamais pu le convaincre de lui parler de nouveau, sauf par politesse, de tout et de rien, ce qui était encore pire que s'il l'avait ignorée.

Bernice s'était fiancée à Toy dans le but de donner à Samuel une autre bonne leçon, qu'il avait à nouveau refusé d'apprendre. Il avait quand même épousé Willadee, et Bernice en fut réduite à épouser Toy ; cela avait été horrible.

Pauvre Toy. Cet homme était une crème. Il était si fou d'elle qu'il en était aveugle. Mais quand quelqu'un vous aime tellement qu'il ne demande rien en retour, eh bien, il faut s'attendre à ce qu'il n'en récolte pas plus. Cela s'appelle la loi de la nature.

C'est ainsi que Bernice, au creux de sa balancelle, contemplait sa triste situation, quand, soudainement, un sommier s'était mis à grincer au-dessus de sa tête. *Soudainement* n'était pas le mot approprié. Plutôt progressivement, à une cadence qui s'était accélérée.

Au premier son ténu, le cœur de Bernice s'était brisé en deux. Vous imaginez par conséquent l'effet que produisit sur elle la suite, surtout compte tenu de l'augmentation du volume et de la cadence. C'est ainsi que les gens deviennent fous, se disait Bernice. Quand il commence à se passer «des choses» et que vous n'avez aucune prise sur elles, et qu'ensuite elles prennent un rythme particulier dont vous êtes exclue ou que vous ne pouvez contrôler, alors cela peut vous pousser à faire «des choses» dont vous n'êtes pas coutumière.

Voilà ce que fit Bernice : elle s'éjecta de la balancelle avec une telle violence que sa boisson jaillit de son verre tel un geyser et qu'elle dut s'enfoncer le poing dans la bouche pour ne pas crier. Du thé et de la glace pilée retombèrent en pluie sur elle, sans parler de quartiers de citron ramollis, dont certains se logèrent dans sa chevelure. Bernice arracha les quartiers de citron de ses cheveux et les lança au plafond. Elle était tout simplement ridicule.

Mais ce qui compte dans cette histoire, c'est que Bernice Moses se montrait à cet instant trop investie dans le moment présent pour apercevoir Swan qui gravissait l'escalier en tapinois pour entrer dans la maison, suivie d'un petit garçon de huit ans aux grands yeux écarquillés, habillé de ses seuls sous-vêtements.

Ce gamin marchait dans le sillage de Swan comme s'il foulait le chemin du salut.

8

Le lit où Swan dormait était si haut qu'elle devait grimper sur un tabouret pour se coucher. Le petit garçon était assis, adossé à la tête de lit. Ses jambes allongées devant lui semblables à deux bâtons. Swan s'était étendue à l'autre bout du lit, et, rehaussée sur un coude, elle se demandait comment cela allait se terminer.

— Bon, dit-elle. J'ai réussi à te ramener ici, maintenant qu'est-ce que je vais faire de toi ?

Les yeux noirs soutinrent son regard, sans ciller.

— D'abord, comment tu t'appelles ?

— Blade[1].

— C'est pas un nom, ça.

Il opina. Si.

Swan fit rouler le nom plusieurs fois sur sa langue, comme pour une mise en bouche.

— Blade Ballenger. Blade Bal-len-ger. T'as pas eu plus de chance que moi avec ton nom.

Une perche pareille, n'importe qui l'aurait saisie et lui aurait demandé comment elle s'appelait, mais Blade s'en abstint. Aussi elle prit sur elle :

— Swan Lake. Si tu ris, je te cogne.

---

1. *Blade* signifie « lame ».

Il ne rit pas. Il ne réagit même pas. Swan s'assit et sauta un peu sur le lit en attendant de trouver un autre sujet de conversation. Elle finit par déclarer :

— C'est ici que j'habite. Cette semaine. La dame que t'as vu tout à l'heure… sur la véranda ? T'inquiète, elle est pas folle ou un truc comme ça. Elle est furieuse que son mari travaille la nuit.

Toujours pas de réaction.

— Pourquoi tu m'as suivie ?

Il souleva les épaules, et les laissa retomber.

— Tu sais qu'il faut que tu rentres chez toi ?

Il se glissa sous les couvertures et remonta le drap jusqu'à son menton, comme s'il revêtait une armure.

— Je veux pas dire tout de suite, corrigea-t-elle. Seulement à un moment donné.

Il se renfonça dans l'oreiller et ferma les yeux. Swan resta longtemps assise à le regarder. Il devait être horriblement fatigué. Ses petites mains relâchèrent les couvertures, son corps parut se détendre morceau par morceau. Blade Ballenger, à huit ans, était trop craintif pour céder au sommeil d'un seul coup.

Une boule se forma dans la gorge de Swan. Elle aurait été bien en peine d'expliquer pourquoi. Tout doucement, précautionneusement, elle se mit debout sur le lit sans quitter un seul instant des yeux le visage de Blade. Une ficelle à nœuds était suspendue à l'ampoule nue au-dessus de sa tête. Swan tira sur la ficelle, et tout devint noir. Elle demeura une minute totalement immobile. Par la suite, des années plus tard, ce moment lui apparaîtrait comme celui où le monde avait changé pendant qu'elle ne regardait pas. Toutes les décisions qu'elle prendrait dorénavant iraient dans une direction différente de celle dans laquelle elle cheminait auparavant. Mais sur le moment, ce ne fut pas ce qu'elle se dit. Elle n'envisageait même pas que Blade Ballenger puisse changer quoi que ce soit à son existence, alors que si. Il allait changer beaucoup de choses. Elle se disait en fait que son père n'étant plus pasteur, techniquement parlant, elle n'était plus une fille de pasteur, et qu'elle pouvait maintenant se conduire comme quelqu'un de normal. Rien ne pouvait plus l'en empêcher.

Par la fenêtre ouverte lui parvenait la musique du Never Closes. Une chanson country. « *Wanna live fast, love hard, die young – and leave a beautiful memory*[1]. » Qu'est-ce qui leur avait pris d'écrire une chanson pareille alors que personne, vraiment personne, n'avait envie de mourir jeune ?

Swan se mit à quatre pattes et, à tâtons, se glissa sous les couvertures. Blade bougea dans son sommeil, puis resta tranquille. Un peu plus tard, alors que Swan s'endormait, elle l'entendit murmurer d'une voix ensommeillée : « Swan Lake. C'est trop rigolo. »

Au point du jour, Willadee et Samuel tombèrent d'accord sur un plan à adopter, et Samuel le rendit officiel le lendemain au petit déjeuner.

— On aimerait rester ici pour le moment. En attendant de trouver un autre arrangement. Si cela vous convient.

---

1. « *Je veux vivre en quatrième vitesse, aimer passionnément, mourir jeune… et laisser un merveilleux souvenir.* »

Cela convenait sacrément à Noble et Bienville. Ils poussèrent tous les deux plusieurs cris de guerre. Cela convenait aussi à Swan, même si elle n'émit pas le moindre cri de joie. On ne crie pas de joie quand on est en train de voler de la nourriture à table pour la monter à un Fugitif, en espérant que personne ne remarquera rien.

Calla leur déclara non seulement que cela lui convenait, mais encore qu'elle ne voulait pas entendre parler d'une autre solution. Elle espérait toutefois que Samuel supporterait de vivre dans une maison à laquelle était rattaché un bar. Samuel lui assura que le bar ne le dérangeait pas du tout, et que, de toute façon, il allait trouver du travail quelque part. Il n'avait aucune intention de traîner à la maison en se tournant les pouces et en critiquant ce qui s'y passait.

— Et la prédication? s'enquit Calla.

Elle connaissait assez bien Samuel pour savoir que, s'il ne prêchait pas, il serait mélancolique. Et elle connaissait assez bien la vie pour savoir qu'il suffit d'une personne mélancolique dans une maisonnée, pour que la mélancolie s'y propage comme la varicelle.

— Tout est prévu, l'informa Samuel. Le week-end, j'ai l'intention d'être pasteur vacataire.

— C'est quoi ça, pasteur vacataire? minauda Bernice en laissant sa jolie voix traîner sur le dernier mot avec des roucoulades de pigeonne.

Bernice était assise à table dans une robe en satin blanc qui semblait poursuivre le même objectif que ses petites manières. Sa chevelure, lâchée sur ses épaules, était extrêmement brillante – sans doute à cause de l'eau citronnée. Elle avait l'air de sortir d'une page du catalogue Sears, Roebuck and Co.

Willadee regarda Bernice avec patience, et lui expliqua qu'il arrivait qu'un pasteur soit obligé de s'absenter, pour des vacances en famille, pour une urgence, etc. À quoi elle ajouta qu'un pasteur comme Samuel, qui avait un ministère mais pas de congrégation, pouvait célébrer la liturgie à la place d'un autre pasteur absent, ce qui bénéficiait à tout le monde.

— Les pasteurs vacataires donnent du répit à beaucoup d'églises, énonça gaiement Willadee.

Calla demeura songeuse, elle but une petite gorgée de café puis secoua tristement la tête en concluant :

— Avec Samuel, ils n'auront pas beaucoup de répit.

Swan était très pressée de remonter dans sa chambre après le petit déjeuner. Elle se disait que si Blade Ballenger se réveillait et se retrouvait tout seul dans un endroit qu'il ne connaissait pas, il risquait d'avoir peur. Ou pire : il pouvait surgir d'un instant à l'autre dans l'escalier, et le pot aux roses serait décou-vert. Pourtant son anxiété n'était rien comparée à une autre sensation. Blade Ballenger l'avait choisie, elle, comme refuge. N'avait-elle pas appelé de ses vœux la naissance d'une amitié ? Tout d'un coup, ses vœux se réalisaient à tire-larigot !

Elle s'apprêtait à se propulser hors de la cuisine, quand Samuel l'attrapa au vol. Willadee et lui emmenèrent les trois enfants dans la salle de séjour, fermèrent la porte et les firent tous asseoir en cercle, comme dans une scène d'*Ideals Magazine*[1].

— Nos vies sont sur le point de changer de bien des manières, leur déclara Samuel. Il nous faudra faire de gros efforts pour garder notre équilibre. Mais surtout ne vous inquiétez pas, n'ayez pas peur. Quoi qu'il nous arrive dorénavant, ce sera pour la bonne cause, parce que toutes les causes de Dieu sont justes.

— Est-ce qu'un des changements sera que je pourrai porter des blue-jeans ? voulut savoir Swan. Parce que je pense que ce serait juste. Puisqu'on habite une ferme et tout ça. (Elle avait remis une robe la veille. Forcément. Samuel de retour de la conférence, les gamins cessaient net de transgresser toutes les règles qu'ils choisissaient d'ignorer en son absence.)

— Ne dis donc pas de bêtises, Swan, la gronda Willadee. (L'hypocrite.)

— C'est pas comme s'il y aura une église pleine de gens qui nous surveilleront tout le temps, argua Swan.

— On ne vit pas selon la peur du qu'en-dira-t-on, déclara Samuel, on vit selon les paroles de Dieu.

Swan avança, ce qui était raisonnable, qu'il n'y avait pas dans la Bible un seul mot concernant la façon dont une enfant devait s'habiller pour jouer dans les prés, mais Samuel abordait déjà un autre sujet. Ils n'allaient pas rouler sur l'or – non qu'ils eussent jamais roulé dessus – et leurs revenus seraient encore plus précaires qu'auparavant, de sorte que chacun devrait accepter de faire des sacrifices. Il

---

1. Presse religieuse.

espérait qu'ils seraient compréhensifs, participatifs et contribueraient à l'effort collectif sans se plaindre.

Swan n'était pas certaine de la signification du mot «sacrifice» aux Temps modernes. Aux temps bibliques, cela voulait dire que l'on déposait une offrande sur l'autel afin d'obtenir une faveur de Dieu. Dans le cas d'Abraham, le sacrifice avait été Isaac, mais Dieu avait envoyé un bouc émissaire, si bien qu'Abraham n'avait finalement pas égorgé son propre fils. Swan avait toujours pensé que c'était un peu trop facile. Elle se gardait de le dire tout haut, bien sûr. Pas question de mettre en doute la Bible, pas si vous avez envie d'entrer un de ces jours au paradis. En plus, une fois qu'on commence à critiquer quelque chose, il n'est pas évident ensuite de décider ce qui est bon à jeter, et ce qu'il vaut mieux garder.

Cela dit, si Samuel leur demandait de ne pas se plaindre, c'était qu'il y aurait peut-être des motifs de le faire. Ne plus être la fille du pasteur lui paraissait soudain un sort moins enviable. Une forme insidieuse d'inquiétude la tenaillait : et si Dieu avait retiré Sa grâce à Samuel ? Bien que cela parût impossible. Personne n'était d'aussi bonne volonté que Sam Lake. Dieu en avait sûrement conscience.

Naturellement, Blade ne resta pas là à se battre les flancs en attendant que Swan remonte dans sa chambre. Il sortit en douce de la maison et rentra chez lui à bonne allure. Il raconta à sa mère qu'il jouait au bord du ruisseau, et elle riposta qu'il avait dû le remonter jusqu'en Alaska, car elle avait crié très fort une demi-heure plus tôt, et personne ne lui avait répondu, et puis depuis quand il sortait jouer dehors alors que le reste de la famille dormait encore?

Géraldine avait dressé la planche à repasser dans la salle de séjour (elle prenait du repassage à domicile) et fumait une Pall Mall. Son visage, de cinq couleurs différentes mais à dominante bleue, présentait le long de la mâchoire un fin entrecroisement de coupures et de griffures. Ce qui s'était passé la veille au soir, c'était que le papa de Blade avait instruit sa maman, et que Blade avait préféré s'éloigner. Quand ce besoin d'instruire se manifestait chez son père, c'était effrayant. Parfois, Blade faisait semblant de dormir, mais hier soir, ce n'avait même pas été la peine. Ras avait promené Géraldine dans la cuisine en la tirant par les cheveux et en lui tapant dessus avec une spatule métallique. Géraldine avait d'abord pleuré et supplié, puis elle était passée à la contre-attaque, ce qui n'était jamais une décision judicieuse. Blade avait fait de son mieux pour ne pas entendre, ne pas entendre, ne pas entendre… mais, au bout du compte, il était sorti par la fenêtre.

Il s'était recroquevillé contre la cabane du puits et avait dessiné dans la boue, avec ses doigts, une de ses occupations favorites dans une circonstance de ce genre. Il n'était pas obligé de voir ses mains, ni de copier un modèle. Il avait toujours dessiné dans le noir, en général sans même y penser. Hélas, cela ne l'empêchait pas d'entendre. Il s'était éloigné de quelques pas dans le jardin, puis avait descendu le chemin jusqu'à se trouver assez loin pour jouir du silence. C'est alors que cette fille avait débarqué.

Blade ne savait pas ce qui l'avait décidé à la suivre. Peut-être parce que l'endroit vers lequel elle se dirigeait promettait d'avoir une qualité : rien d'effrayant ne pouvait s'y produire. En tout cas, elle avait l'air de n'avoir peur de rien – sauf quand elle était tombée. Alors, là, elle avait eu une trouille bleue, comme si elle s'attendait à ce que le diable fonde sur elle pour l'enlever. Mais une fois remise de sa frayeur, elle s'était révélée solide comme un roc.

Toujours est-il qu'il ne regrettait pas de l'avoir suivie. Mentalement, il avait déjà pris possession de Swan Lake. Elle était un lieu sûr... et quelque chose d'autre encore qu'il était encore trop petit pour comprendre ou formuler. Tout ce qu'il savait, c'était qu'il voulait garder en lui la sensation de la veille, il voulait qu'elle s'enroule autour de lui pareille à une couverture bien chaude par une nuit froide.

9

Bernice passa les jours suivants sur des charbons ardents. D'abord, elle n'arrêtait pas de se dire que toute la famille était au courant de sa crise de nerfs de l'autre soir. Toute la famille sauf Toy. En général, Toy évitait d'apprendre ce qui risquait de nuire à son bonheur et à son bien-être. Une politique qu'il avait adoptée depuis la vilaine affaire Yam Ferguson, juste après la guerre. Quant aux autres... à force de vivre entassés, personne ne pouvait péter sans que tout le monde plisse le nez.

Non que Bernice pétât.

Autre source de chagrin pour elle : elle était trop souvent la proie du sentiment que les-jours-s'en-allaient-et-sa-beauté-avec. Quand on a grandi avec la certitude d'être la plus jolie, et que l'on se rend compte tout d'un coup que l'on est une femme en fleur, il y a de quoi angoisser un peu. Après tout, toutes les fleurs finissent par se faner et leurs pétales par tomber. La voilà donc, épanouie, sensuelle, avec tous ses pétales pointant dans la bonne direction, et Sam Lake qui ne s'en apercevait même pas.

Il fallait trouver un moyen d'y remédier.

Bernice cherchait à attirer l'attention de Sam. Elle y réfléchissait toute la journée, une fois Toy et elle de retour sous leur propre toit. Il se couchait dès qu'ils rentraient de chez Calla, pour ne se réveiller qu'au milieu de l'après-midi. Pendant qu'il dormait, Bernice errait de pièce en pièce dans leur petite maison, aussi silencieuse et belle qu'un papillon. Elle se posait çà et là. Dans un fauteuil. Sur le canapé. Quelquefois dehors, sur la balustrade de la véranda. Des gardénias qui s'épanouissaient au bas de l'escalier montait un parfum si suave qu'elle en avait la gorge nouée et les larmes aux yeux.

Elle y réfléchissait la nuit, seule sur la balancelle de Calla, avec la musique du Never Closes en bruit de fond. Elle y réfléchissait le jour où Samuel, Willadee et les enfants reprirent le chemin de la Louisiane pour se rendre à un service d'adieux dans la petite église qu'ils quittaient. Elle y réfléchissait sans cesse. Car il devait bien y avoir un moyen d'ouvrir les yeux de Samuel... de lui faire prendre conscience que sa vie était pitoyable sans elle.

À mesure que les heures passaient, Bernice sentait son stress grimper. Elle ne dormait pas assez, elle n'avait pas ce qu'elle voulait, et elle ne rajeunissait pas.

Le vendredi, tard dans la soirée, la voiture de Samuel arriva en cahotant devant la maison, avec derrière une remorque où s'empilait une montagne de meubles et de caisses si haute que c'était un miracle qu'elle soit passée sous les ponts du chemin de fer. Grand-maman Calla les attendait sur la véranda. Elle se faufila entre les véhicules des clients du bar garés à la va-comme-je-te-pousse, se pencha à la fenêtre de la voiture et s'adressa à Samuel en criant pour se faire entendre par-dessus la musique et le brouhaha général :

— Laisse les enfants, et va garer la remorque dans la grange. Il est trop tard pour rentrer vos affaires, et il vaut mieux pas les laisser dehors au cas où il y aurait du chapardage.

Samuel fit ce qu'on lui disait.

Le samedi, les W.-C. de Calla débordèrent, et Samuel passa la journée à dégager la fosse septique. Il n'eut aucun mal à la trouver, l'herbe à cet endroit-là étant toujours plus verte et plus fournie que partout ailleurs. En revanche, il eut un mal de chien à tailler les racines de liquidambar qui s'étaient enroulées autour et à l'intérieur de la canalisation. Et pendant ce temps-là, la voiture et la remorque restèrent enfermées dans la grange. Rien n'avait été déchargé. Il ne s'était produit aucun de ces branle-bas de combat qui accompagnent en général l'emménagement d'une famille dans une maison. Ce qui explique pourquoi les gens de la région n'étaient pas avertis que Sam Lake et les siens étaient de retour dans l'Arkansas.

Le dimanche matin, Bernice ne descendit pas prendre son petit déjeuner. Elle était trop préoccupée, et puis son cœur semblait fait de plomb. Elle resta donc au lit en se lamentant intérieurement. Et c'est ainsi que lui vint l'Idée.

En vérité, c'est Samuel qui la lui donna, sans le savoir bien entendu. Willadee et lui s'habillaient dans leur chambre pour aller à l'église, et leurs voix flottaient jusqu'à elle, plus claires que du cristal.

Bernice n'eut même pas à coller son oreille contre le mur. Ce fut comme un moment-de-grâce-prédestiné.

Willadee demanda à Samuel si cela ne l'embêtait pas trop d'aller à l'église ce matin, sachant que les gens allaient lui demander pourquoi il n'était pas retourné en Louisiane dans sa propre congrégation. (Il allait forcément trouver humiliant d'avoir à avouer qu'il n'en avait plus.) Et Samuel répondit qu'il n'était pas prêt à laisser tomber le Seigneur en ne se présentant pas dans Sa Maison le jour qui est justement le Sien.

— Il faut croire qu'il y a une raison à tout cela, ajouta-t-il. J'ai peut-être quelque chose à faire ici pour Notre-Seigneur que je ne peux faire nulle part ailleurs. Il y a peut-être quelqu'un que je dois sauver, ou un problème, je ne sais pas...

Bernice se dressa sur son séant.

Dans la chambre voisine, Willadee abondait dans le sens de Samuel. C'était sûrement ça : Dieu avait une mission pour lui, et la seule façon de la lui confier était de le déraciner du sol de la Louisiane pour le replanter dans la glaise de l'Arkansas, et il était probable qu'ils arrivaient à l'heure où les champs étaient mûrs pour la moisson.

Bernice rejeta d'un geste ses couvertures et sauta de son lit d'un bond. Les champs étaient mûrs, ça c'était sûr. Elle était même tellement mûre pour la moisson qu'elle n'avait plus les yeux en face des trous.

Bernice avait à peine eu le temps de se retourner, que Sam et Willadee chargeaient les gosses dans la voiture. Calla avait ouvert le magasin depuis déjà des siècles et dès qu'il avait fermé le bar, Toy était descendu à l'étang pêcher quelques poissons. Bref, ni l'un ni l'autre ne pourrait mettre leur grain de sable. Malgré cela, Bernice eut à peine le temps de se débarbouiller, de se brosser les cheveux et d'enfiler la robe qu'elle avait portée aux funérailles de papa John. Une petite robe gris pâle, à peine décolletée ; idéale pour l'occasion. Tout à la fois convenable et émoustillante. Elle négligea de se maquiller, sa peau n'ayant pas besoin de fard. En outre, quand on pleure, le maquillage coule et on a l'air d'un monstre. Et elle avait la ferme intention de pleurer ce matin.

Elle sortit en courant de la maison à la toute dernière seconde, en laissant claquer la porte-moustiquaire derrière elle. Samuel tourna la tête dans sa direction une première fois, puis, plus vivement, une seconde : ce n'était pas tous les jours qu'on voyait Bernice Moses courir.

— Un problème, Bernice ?

Elle attendit d'être tout près de lui pour lui répondre, afin qu'il puisse respirer son parfum.

— Je me demandais juste si je pouvais venir avec vous, dit-elle.

Si Sam était étonné, il ne le montra pas. Il lui adressa un grand sourire, son très beau sourire, et répondit :

— Bien sûr. Il y a toujours de la place dans la Maison de Dieu.

Comme si Dieu avait quoi que ce soit à voir avec cette histoire.

Samuel la prit par le bras, lui fit faire le tour de la voiture, lui ouvrit la portière et se courba pour annoncer :

— Willadee, Bernice veut venir avec nous.

Willadee lança à Sam un sourire entendu, et glissa sur le côté pour faire de la place. Bernice monta en voiture comme elle l'avait vu faire aux stars de Hollywood, en s'asseyant avec élégance sur le siège et en s'arrangeant, au moment de faire basculer ses jambes à l'intérieur, pour découvrir juste ce qu'il fallait de chair affriolante. Elle leva modestement les yeux vers Samuel, pour voir s'il avait été affriolé, mais il était occupé à vérifier que les enfants ne se prennent pas les doigts dans la portière.

Bernice n'avait pas réfléchi au trajet. Elle s'était figurée assise devant avec Samuel et entre eux une Willadee de plus en plus mal à l'aise. Samuel lui aurait coulé par-dessus la tête de Willadee de longs regards langoureux, auxquels elle aurait concédé un sourire énigmatique. Willadee, si elle s'en était aperçue, aurait boudé, ce qui aurait fait l'affaire de Bernice, car rien n'incite un homme à désirer une autre femme que de se voir rappeler par la sienne qu'elle était déterminée à se cramponner à lui.

Quant aux gosses, ils figuraient en arrière-plan, comme une sorte de toile de fond de la vie de Samuel. À vrai dire, elle n'avait jamais accordé de pensées aux enfants de Samuel. D'un autre côté, elle n'avait jamais été enfermée dans une voiture avec les trois à la fois.

Au moment du démarrage, Bernice se sentait tranquille. Parfois, va savoir pourquoi, on sait que tout va se passer comme on veut. Mais bientôt, elle se rendit compte que Samuel ne lui coulait pas les langoureux regards escomptés. Willadee et lui se tenaient la main sur les genoux de la première, et

Samuel arborait l'expression d'un homme dont tous les désirs sont comblés.

Les gosses se tinrent tranquilles pendant le premier kilomètre, puis Noble se pencha en avant en respirant bruyamment par le nez.

— Qu'est-ce que tu fabriques là-derrière, Noble ? entonna finalement Samuel.

— Je suis assis. (C'était vrai.)

— Il respire son parfum, expliqua Bienville. (Quand on lit beaucoup de livres, c'est le genre de phénomène que l'on repère facilement.)

Noble devint rouge comme une écrevisse, et décocha à son frère un regard qui en disait long sur le traitement qu'il lui réserverait plus tard. Bienville n'était pas inquiet. Il n'en était pas à son premier traitement. Il survivrait.

— Pourquoi les dames mettent du parfum, tante Bernice ? s'enquit Bienville.

— Pour attirer les mâles, répondit à sa place Willadee avec son accent du Sud le plus doux, le plus traînant.

— On aime juste sentir bon, corrigea Bernice.

— C'est vrai que tu sens drôlement bon, tante Bernice.

— Merci, Bienville.

— Tu attires beaucoup de mâles ?

Willadee sentit monter un fou rire, qu'elle tenta d'étouffer, mais il se révéla récalcitrant. Il gargouilla dans sa gorge. Elle s'étranglait à moitié. Quant à Bernice, la bouche ouverte, la matière grise en surchauffe, elle attendait qu'il lui vienne une réponse adéquate. Elle ne pouvait pas dire : « Plus que je ne voudrais », parce qu'il y a des cas où la vérité dessert

vos projets. Elle ne pouvait pas dire non plus : « Seulement mon mari », parce qu'elle aurait eu l'air tarte, ce
qui était inacceptable. Et bien sûr, elle ne pouvait pas
répondre : « J'essaie justement d'en attirer un. »

Finalement, elle répliqua :

— Oh ! je ne prête jamais attention à ces
choses-là !

Samuel parvint à garder son sérieux, mais uniquement parce qu'un pasteur apprend très vite dans son
ministère à rester impassible même quand il a très
envie de rire. Un pasteur apprend aussi très vite
que le meilleur moyen de rassembler les fidèles dans
l'enthousiasme, c'est le chant choral. Aussi demanda-
t-il à Swan si elle connaissait de nouvelles chansons.

— C'est obligé que ce soit un hymne ?

— Non, juste quelque chose qu'on puisse chanter
tous ensemble.

Lovey lui en avait appris une – « My Gal's A
Corker[1] » – qui était vraiment très entraînante. D'ordinaire, Samuel aurait tué celle-là dans l'œuf, mais pas
aujourd'hui. Aujourd'hui, il déclara :

— Bon, on t'écoute.

Personne n'avait jamais à demander deux fois à
Swan de chanter. Elle avait une voix énorme pour
une aussi petite gamine, et elle n'avait pas peur de la
déployer dans l'espace. Elle commença par chanter
tous les couplets, puis ses frères se joignirent à elle.
Noble aux effets sonores. Ils tapaient dans leurs
mains, tapaient des pieds, de plus en plus fort, et ni
Willadee ni Samuel ne les prièrent à aucun moment
de mettre une sourdine. Ils beuglèrent ainsi jusqu'au

----
1. « Ma pépée est épatante ».

parvis de l'église, la Bethel Baptist Church (les Moses avaient toujours été des baptistes, du moins ceux qui fréquentaient l'église. Lorsque Willadee avait épousé Samuel, elle était devenue la première Moses méthodiste de tous les temps). Au moment où la voiture freina, Noble émit sur la dernière note de la chanson un brame de cerf en rut du meilleur goût.

Bernice décida sur-le-champ que le jour béni où elle aurait enfin Samuel, Willadee pourrait garder les enfants.

Elle poussa vigoureusement la portière et mit pied à terre sans regarder où elle le mettait, et, ô surprise, il s'enfonça dans un trou. Le délicat talon de son délicat escarpin se brisa avec un clac qu'on entendit jusque dans l'Eldorado.

— Tu ne t'es pas fait mal au moins ? s'enquit Willadee, alors que Bernice se tordait de douleur. (Casser une paire d'escarpins dans lesquels vos pieds sont si joliment cambrés est une épreuve douloureuse.)

Bernice se redressa et clopina jusqu'à la porte de l'église. À chaque pas, elle se répétait que, en mission, il ne fallait pas se laisser décourager par des broutilles. Elle était venue ce matin pour être sauvée, et c'était bien le diable si quoi que ce soit allait lui gâcher son plaisir.

À l'intérieur, les fidèles attaquaient leur premier hymne. Le chant hausse les cœurs, songea Samuel – et cette pensée s'accompagna d'une bouffée d'émotion. Du regret de ne plus posséder sa propre congrégation. Tout autre homme à la place de Samuel se serait demandé s'il avait commis quelque impair lui ayant valu la disgrâce divine, mais Samuel ne raisonnait pas de cette manière. Le Dieu qu'il connaissait était généreux et bon : il était convaincu que cette épreuve se révélerait à la longue une bénédiction, peut-être la chance la plus inespérée de sa vie. N'empêche, en attendant, il souffrait.

Bernice descendit la travée clopin-clopant, se glissa dans la première rangée vide et se poussa jusqu'au fond afin de permettre aux autres de s'asseoir. Les enfants s'y engouffrèrent d'abord, puis Willadee, puis Samuel. Swan se mit à chanter à pleins poumons. Les gens tournèrent la tête vers elle, comme toujours dès qu'elle ouvrait la bouche pour laisser échapper sa grande voix. Swan n'en avait cure. Quand elle chantait, elle habitait un monde à elle. Elle se livrait corps et âme à la musique, et la mélodie se déversait d'elle, comme une cascade. L'émotion qui s'emparait d'elle alors était incomparable.

Samuel et Willadee se poussèrent du coude en souriant. Les garçons grimaçaient comme s'ils se retenaient de se boucher les oreilles. Bernice, très droite, regardait droit devant elle. D'instinct, Samuel suivit la direction de son regard. Elle ne pouvait pas regarder la face rougeaude du maigre chef de chœur, pour la simple raison qu'il était sans cesse en mouvement et agitait les bras en battant la mesure. Non, les yeux de Bernice étaient dirigés vers un point fixe. Cela dit, connaissant Bernice, elle pouvait ne rien regarder du tout. Bernice avait la manie de vivre dans sa propre tête. On ne savait jamais ce qui s'y déroulait.

Une chose était sûre. Elle était venue avec des intentions cachées – et Samuel se doutait que ces intentions n'étaient pas sans rapport avec lui. On aurait pu penser qu'après toutes ces années, elle avait renoncé, mais, d'un autre côté, si elle capitulait, que lui resterait-il? Un mariage qu'elle n'avait jamais souhaité, à une crème d'homme qui l'aimait tellement qu'elle l'en méprisait.

En vérité, Samuel avait pitié de Bernice. Elle était la personne la plus seule qu'il eût jamais rencontrée – toujours tellement désireuse d'être belle à vous couper le souffle qu'elle ne permettait pas à la beauté du monde de lui couper le sien. Il n'avait pas ressenti la moindre petite démangeaison depuis le jour où il avait rencontré Willadee. (Quand on parle de beauté! Quand on parle de belle à vous couper le souffle!) Pour autant il n'allait pas relâcher sa vigilance à l'égard de sa belle-sœur.

10

Dresser un cheval, c'était lui apprendre que la vie était incertaine et le châtiment incontournable. Du moins d'après Ras. Ses clients eussent-ils été avertis de ses méthodes se seraient mis en quête d'un autre entraîneur.

Certes il y aurait eu des exceptions. Ceux pour qui seul le résultat comptait. Car Ras était un champion des résultats. Il pouvait faire faire pratiquement n'importe quoi à votre cheval. Vous vouliez un cheval qui lève haut les antérieurs? Il vous livrait un cheval qui levait haut. Vous vouliez un cheval qui trotte avec la tête penchée à un angle gracieux? Il vous livrait un cheval qui pouvait trotter toute la journée sans redresser une fois la tête. Vous vouliez un cheval doux comme un agneau pour votre enfant? Il vous rendait un cheval qu'un enfant de trois ans pouvait monter sans risque.

Le secret – la raison pour laquelle les chevaux dressés par Ras se révélaient aussi obéissants et avides de plaire –, c'était qu'il ne leur restait plus une goutte de volonté. Ils étaient terrifiés par les êtres humains, ils étaient cassés. S'ils émergeaient de son écurie la robe reluisante, ils avaient l'œil vide et des frissons dès que vous posiez la main sur eux pour les caresser.

Il arrivait qu'à ce sujet les propriétaires questionnent Ras, lequel avait toutes sortes d'explications. La météo était variable, et vous savez combien ces bêtes sont sensibles aux changements de temps. Ou bien, le cheval n'était plus habitué à son propriétaire, après tout, cela faisait deux mois qu'il ne l'avait pas vu, mais cela ne saurait durer. Ou bien encore, il savait qu'il allait partir, et ces bêtes détestent voyager. Ce genre d'explications.

Ras ne s'appesantissait jamais sur les détails. Ce qui attirait les gens chez lui, c'était le goût de la performance. Aussi allait-il droit au but : il leur montrait ce que leur cheval savait faire, maintenant qu'il était passé entre ses mains diligentes.

Il montait sur son dos et tournait dans le manège. Il le faisait avancer au pas, s'arrêter, reculer, esquisser des pas de côté. Il le faisait marcher, trotter, galoper au petit galop et au grand galop, puis il faisait une petite démonstration de *cutting*, ce qui avait toujours beaucoup de succès. Rien n'est plus joli et émouvant à regarder que les figures compliquées qu'exécute un cheval quand il cherche à séparer un veau de son troupeau.

À un moment ou à un autre, Ras lâchait la bride, l'enroulait autour du pommeau et posait ses mains sur ses cuisses : il laissait le cheval faire son travail tout seul. Il terminait toujours son numéro en hissant un gosse sur la selle. (Si le propriétaire n'en avait pas amené avec lui, il se servait d'un des siens.) Il donnait des instructions au gosse, et celui-ci répétait dans une version écourtée la démonstration de Ras, si bien que personne à ce stade ne se souciait du regard vide du cheval. On tapait sur l'épaule de Ras, on lui demandait comment il s'y prenait, on fourrait des billets dans sa paume ouverte.

— Un cheval, c'est un animal intelligent, leur disait Ras, souriant. Il suffit de lui montrer ce que vous voulez de lui, et il le fait, en tout cas il s'y donne à mort.

Jusqu'ici, aucun cheval confié à Ras n'avait été jusque-là, même si un certain nombre avait vu la mort de près.

Si vous vouliez que Ras Ballenger dresse votre cheval, vous deviez le déposer à son écurie et l'y laisser. De cette manière, il pouvait s'en occuper à plein temps, et en outre, il avait tout l'équipement nécessaire sur place.

Les propriétaires ignoraient que, dans sa boîte à outils, Ras avait une pince, un fouet, et un box où la bête était maintenue écartelée par des cordes sans pouvoir bouger d'un pouce. Après plusieurs jours de ce supplice sans rien à boire ni à manger, quand il la libérait enfin et lui offrait un peu d'eau, elle était reconnaissante et docile. Il y avait mille et une manières de les torturer, et Ras les connaissait toutes.

À peu près au moment où, à l'église, Samuel Lake se demandait ce qui allait advenir de lui, dans le box de Ras Ballenger, un grand hongre appelé Snowman se posait sans doute la même question. Ras, debout à l'extérieur du box, accoudé aux barres de bois, regardait le cheval le regarder.

Cela faisait deux heures qu'ils se fixaient dans le blanc des yeux. En fait depuis que le propriétaire (un certain Odell Pritchett, des environs de Camden) était reparti après avoir déposé son cheval. D'après Odell, il était débourré et avait juste besoin de parfaire son éducation. Il lui paraissait un peu tête en l'air. Un peu imprévisible.

Ras avait promis à Odell qu'il ferait son maximum. Les chevaux devaient acquérir de l'expérience (il ne précisa pas de quelle nature) et bénéficier de soins particuliers (sans précisions non plus). Il s'engagea à faire travailler Snowman tous les jours, à ne pas ménager ses efforts pour lui montrer ce qu'on attendait de lui : en deux coups de cuillère à pot, il serait aux ordres (sans s'étendre davantage).

Ras commençait toujours par provoquer chez l'animal un stress intense. Cela devait-il prendre une journée entière, qu'à cela ne tienne, il était capable de passer la journée debout afin de l'amener à comprendre que, quoi qu'il arrive, il n'aurait pas l'initiative. Un cheval déstabilisé commettait forcément des erreurs. Et un cheval qui commettait des erreurs devait forcément être corrigé. Et c'est à ce tournant que Ras Ballenger l'attendait en se frottant les mains.

— Tu réfléchis, hein, mon gaillard ? susurra-t-il. (Voix douce. Rire sous cape.)

Snowman se recula au fond du box et détourna la tête.

— Tu te dis que t'es plus grand que moi, que tu cours plus vite et que t'as quatre pieds au lieu de deux, continua Ras d'une voix mielleuse. Tu te demandes si ça va être dur ou facile, hein, Snowman ?

Il entra dans le box, se dirigea vers le cheval, se saisit de son licol et y accrocha une longe attachée à l'autre extrémité à un robuste pilier ancré dans la chape de béton.

— Eh bien, mon vieux Snowman, je vais te dire : ça va pas être facile. Parce que, quand c'est facile, c'est pas drôle.

11

Frère Homer Nations se leva, et les premiers mots qui tombèrent de sa bouche furent ceux-là mêmes que Samuel redoutait.

— Nous avons un visiteur de marque ce matin, mes frères et mes sœurs, annonça Homer. Un des hommes les meilleurs et les plus dévoués que j'aie eu le privilège de rencontrer. Samuel Lake. Lève-toi, Samuel. Que tout le monde te voie.

Samuel se leva. Ça lui était désagréable, mais il obtempéra. Il regarda autour de lui, sourit, exécuta de petits hochements de tête, et les gens à leur tour lui sourirent et remuèrent le menton. Frère Homer, radieux, s'éclaircit la gorge : il avait quelque chose à ajouter. Les visages se tournèrent de nouveau docilement vers lui.

— En règle générale, nous n'avons pas l'honneur d'accueillir Samuel parmi nous. Il a fallu des circonstances tragiques pour l'amener ici ce matin. Samuel, je sais que tu es ici pour accompagner la famille de ta femme dans son chagrin. Sache que vous avez toute notre sympathie et que nous prions pour vous du fond de notre cœur.

— Merci, frère Homer, répondit Samuel. Nous vous en sommes reconnaissants…

Et puis il ajouta :

— J'espère que vous n'allez pas en avoir bientôt assez de me voir, parce que Willadee, les enfants et moi, nous revenons au pays.

— Gloire à Dieu! Où vas-tu prêcher?

Samuel promena de nouveau les yeux sur ces visages familiers depuis sa plus tendre enfance. Ces gens le respectaient, l'admiraient même. De sa voix calme et vibrante, il déclara:

— Cette année, je suis sans église. Je prêcherai là où Dieu me tendra une chaire.

On aurait entendu voler une mouche. Si Sam Lake n'avait pas d'église, c'était que la conférence méthodiste n'avait pas jugé bon de lui en confier une. Et il devait y avoir une bonne raison. L'Église méthodiste avait beau se complaire dans l'erreur en ne croyant ni à la communion fermée[1] ni au «Une fois sauvés, sauvés pour toujours», elle était néanmoins soutenue par ses pasteurs. Elle ne licenciait sûrement pas ces derniers sans raison, comme une usine qui débauche à la saison creuse. Il avait dû se passer quelque chose, quelque chose de grave, dont Samuel avait été faussement accusé.

Personne n'envisageait à ce moment-là, même pas une seconde, que Samuel pourrait avoir quoi que ce soit à se reprocher. Ces mauvaises pensées viendraient par la suite. Fatalement. C'est humain. Mais pour l'heure, tout le monde soutenait Samuel.

La prédication de frère Homer, toute frémissante des flammes de l'enfer, ne correspondait pas à l'aspect de la religion sur lequel Samuel aimait insister, mais

---

1. Communion réservée aux seuls membres de l'Église en question.

en se concentrant sur son message caché, il évitait de songer à la suite, à toutes les visites qu'il devrait faire à tous ces gens à qui il faudrait répéter cent fois que ces temps-ci l'Église et lui, eh bien, ils n'étaient pas sur la même longueur d'onde. Willadee avait raison. C'était humiliant, et plus il aurait à en parler aux membres de la congrégation, plus l'humiliation serait cuisante.

Ce qu'il ignorait, c'était que, d'ici à la fin du service, tout le monde aurait autre chose à l'esprit.

Lorsque Calla apprit que Bernice s'était convertie, elle dut se retenir pour ne pas cracher par terre. Non qu'elle eût une dent contre le baptême. Elle-même avait sauté le pas à l'époque où elle était une mince jeune fille. D'ailleurs, elle priait toujours et s'efforçait de suivre le droit chemin, même si, après toutes ces années, elle avait décidé que Dieu se trouvait en toute chose et qu'il était inutile d'aller à l'église pour Le trouver. À vrai dire, son opinion sur Bernice était faite depuis longtemps et elle ne lui accordait même pas le bénéfice du doute. Sans l'avoir jamais avoué à personne, elle estimait qu'au retour de la guerre, en tuant Yam Ferguson, la plus grosse erreur de Toy avait été de tordre le mauvais cou.

Ce furent les enfants qui lui annoncèrent la grande nouvelle. Avant même que leur père coupe le moteur, ils bondirent de la voiture pour courir vers la maison et entrer en trombe dans le magasin.

— Tante Bernice est sauvée ! vociféra Noble qui semblait oublier qu'il y avait dans le magasin deux clients qui n'avaient pas besoin de tout-savoir-sur-tout.

Calla faillit lâcher la douzaine d'œufs et le paquet de farine qu'elle était en train d'encaisser. Les clients – une gentille vieille dame et un vieux monsieur buriné – prirent l'air réjoui qui sied à ceux qui découvrent qu'une créature a entendu l'appel de Dieu.

— C'est pas possible, gazouilla la vieille dame.

— Si, si, madame, c'est bien vrai ! entonna Swan.

Les trois enfants pilèrent devant Calla, Swan essayant de pousser Noble sur le côté afin de s'octroyer le rôle de porte-parole de la délégation.

— Elle a marché vers l'autel en chantant « Telle que je suis » et elle s'est jetée à genoux...

Swan se laissa tomber à genoux devant de gros sacs de grains de maïs – des grains comme Calla en distribuait à ses poules. La toile de coton fleurie des sacs lui sembla du meilleur effet comme décor pour la reconstitution de la scène.

— Et elle tenait la tête bien haute ! s'exclamait Swan. Comme ça ! Et elle levait les yeux vers Dieu ! Et elle pleurait toutes les larmes de son corps, mais sa figure n'était pas toute chiffonnée comme les gens d'habitude, tu sais comme ils sont vilains quand ils pleurent ? Elle, elle était pas vilaine du tout... elle ressemblait à un ange !

— Et tout le monde s'est mis à genoux autour d'elle et ils l'ont aidée à prier, précisa Noble, laconique.

Calla, qui s'était mise à les regarder d'un drôle d'air, tendit au vieux couple ses achats, et leur souhaita une bonne journée. Les deux vieux s'entre-regardèrent d'un air égaré, comprenant qu'on venait de leur donner congé, et se demandaient quelle mouche piquait tout à coup Calla Moses, elle en général si charmante, toujours un mot gentil pour chacun.

Toy écaillait des poissons de rivière sur une vieille table bancale, derrière la maison, non loin du potager de Calla. Il leva brièvement les yeux au bruit des portières qui claquaient, puis se pencha de nouveau sur le travail en cours. Il savait que Bernice était allée à l'église avec les autres – non parce qu'il l'avait vue partir, ni parce qu'il était monté dans leur chambre et avait constaté son absence. Il le savait pour la simple raison qu'il le savait – tout comme il savait d'autres choses, surtout en ce qui concernait sa femme.

Il aurait tant souhaité ne pas avoir à se soucier de ce que Bernice faisait, ni des sentiments qu'*elle* avait pour *lui*. Il aurait tant souhaité ne plus rien ressentir, ne plus souffrir à cause d'elle, ne plus la désirer, ne plus en avoir rien à foutre. Il aurait souhaité qu'elle ne soit pas toujours amoureuse de Sam Lake, ou du moins ne pas en avoir une conscience intense. Le plus dur, c'était de feindre de ne rien voir, et la seule façon d'y parvenir consistait à vaquer à ses occupations du lever au coucher, jour après jour.

Pour le moment, il y avait ces poissons à préparer. À vider-écailler, vider-écailler. Il y avait dans ses gestes un rythme qui aurait incité tout témoin extérieur à se dire : « Tiens, voilà un homme en paix. »

Il entendait à présent des bruits de préparation de repas dans la cuisine. Des bruits de casserole. Le murmure de voix féminines. Bernice et Willadee sans doute. Il ne tendit pas l'oreille pour écouter : d'une part, ce n'était pas son genre, et, d'autre part, elles ne disaient sûrement rien d'extraordinaire.

Peu après, Samuel sortit et vint le rejoindre. Il s'était changé – pantalon en toile et chemise de tous les jours – et tenait à la main un petit couteau.

— Tu veux un coup de main ? demanda Samuel.

— Pas la peine qu'on pue le poisson tous les deux, répondit Toy. De toute façon, j'ai presque fini.

Samuel avait prévu que Toy ne voudrait ni n'accepterait son aide. Il avait pris un couteau rien que pour montrer sa bonne volonté. Se sentant inutile, désœuvré, il s'appuya au tronc d'un arbre et se mit à lancer son couteau d'une main pour le rattraper de l'autre.

— Comment c'était, à l'église ? dit Toy. (Histoire de dire quelque chose.)

— Euphorisant.

— Tant mieux.

Il continua à éviscérer ses poissons, et Samuel à lancer son couteau d'une main vers l'autre. Au bout d'un moment, Samuel prononça :

— Je ne sais pas si je dois te le dire, ou s'il vaut mieux laisser Bernice...

Toy ne broncha pas, mais il se produisit un léger décalage dans son rythme qui suffit à alerter Samuel. Il se mordit la langue, trop tard : il avait suffi d'un quart de seconde de silence pour laisser planer le doute dans l'esprit de Toy sur ce qu'il valait mieux ne pas lui dire.

— Bernice s'est tournée vers Dieu ce matin, s'empressa de préciser Samuel.

Il se produisit une deuxième légère rupture de rythme dans les gestes de Toy. Oh, à peine perceptible.

Il termina de vider son poisson et le jeta dans le plat avec les autres, puis plongea la main dans la bassine d'eau où s'ébrouaient quelques derniers spécimens encore en vie.

— Je suppose qu'elle va fréquenter pas mal l'église, dorénavant, avança-t-il.

— Tu pourrais peut-être l'accompagner, suggéra Samuel.

C'est ce qu'espérait Samuel, sans trop y croire, hélas. Non seulement ce serait bénéfique pour l'âme de Toy, mais surtout, s'il se mettait à aller à l'église, sa femme irait avec lui, au lieu de monter dans la voiture de Samuel. Willadee avait beau être bonne comme le pain blanc, il y avait des limites, et Samuel pressentait que ces limites étaient près d'être atteintes.

Toy secoua la tête.

— Ce serait comme un pavé dans la mare.

Samuel se fendit d'un large sourire. Il jeta son couteau en l'air et le rattrapa avec la même main cette fois.

— Je ne pense pas que tu sois un pavé, repartit-il.

— Ce serait dommage que les gens l'apprennent à leurs dépens.

Le temps que les femmes préparent le repas, Toy avait emballé le poisson dans des briques de lait vides, rempli les briques d'eau et les avait mises au congélateur. Puis il avait enveloppé les entrailles et les autres déchets dans du papier journal et enterré le tout dans un coin de terre non ensemencé du potager de Calla. Le printemps venu, ce qu'on planterait à cet endroit pousserait en telle abondance qu'il se trouverait sûrement quelqu'un pour remarquer : « On dirait que Toy a ramené une belle pêche un jour de l'été dernier. »

Il ficha un pieu en terre, bien profondément, à coups de masse, afin qu'il ne risque pas d'être renversé par accident. Calla insistait toujours pour qu'il lui signale où il enterrait ses tripes de poisson, de sorte qu'elle évite de planter ses petits pois ou ses haricots violets dans les parages. Ces plantes, quand on leur fournit une grosse dose d'engrais, développent de magnifiques tiges au feuillage luxuriant, mais c'est tout ce qu'elles produisent. Calla était maniaque au sujet de son jardin. Elle avait un système qui fonctionnait, et supportait mal que quiconque se mêlât d'en perturber l'équilibre.

Il passa la table au jet d'eau, ôta sa chemise et s'aspergea à son tour. Comme il puait encore à plein nez, il entra au Never Closes et se frictionna à l'eau et au savon dans l'évier derrière le bar. Samuel étant sorti appeler les enfants à table, Toy mit à profit ces quelques minutes de tranquillité pour réfléchir.

Il ne comprenait pas pourquoi il avait été aussi surpris par ce que lui avait appris Samuel. Lui qui pensait être préparé à tout ce que pouvait inventer Bernice, il l'était (en effet), à tout, sauf à *ça*. C'était du Bernice tout craché : elle avait trouvé la seule chose que personne n'irait jamais lui reprocher. Le seul moyen d'être proche à intervalles réguliers, et dans les circonstances les plus favorables, de l'homme qu'elle tenait pour l'amour de sa vie.

Toy avait le plus grand respect pour le beau pasteur, son beau-frère, et il ne pouvait imaginer Sam Lake se laissant happer par une situation où son honneur serait compromis.

Malgré tout, Toy Moses ne pouvait s'empêcher de se sentir écœuré.

Swan et ses frères ne jouaient plus aux Espions de guerre, pour la bonne raison que, maintenant, à chaque fois qu'ils traversaient en courant le Champ de mines, esquivant les balles ennemies et s'efforçant de ne pas être envoyés au royaume de Dieu à cause d'un faux pas malencontreux sur un engin explosif, ils ne pouvaient s'empêcher de penser à ce que cela faisait *en vrai* quand on vous tirait dessus ou qu'une partie du corps éclatait d'un seul coup. Ils n'arrêtaient pas de repenser à ce à quoi papa John devait ressembler deux secondes après avoir appuyé sur la détente.

Ils s'étaient aperçus qu'ils ne se voyaient plus mourir de la même façon. Avant, ils pouvaient se tirer dessus et se regarder les uns les autres tomber et se rouler par terre en gémissant et en se tordant de douleur, sans jamais voir la mort comme quelque chose dont on ne pouvait pas se relever. Désormais, rien n'allait plus.

Ils délaissaient les Espions de guerre pour jouer aux cow-boys et aux Indiens, ce qui marchait très bien. Les cow-boys et les Indiens s'entre-tuaient à tour de bras, sauf que cela n'avait pas l'air aussi vrai. De toute façon, Swan, Noble et Bienville ne se tiraient plus dessus. Parfois, histoire de pimenter le jeu, il leur arrivait de se faire rentrer dans le chou par un méchant, mais ces échauffourées ne laissaient que des plaies superficielles. Aucun d'eux ne terminait jamais au mont des Clamsés.

Swan voulait être shérif, mais Noble refusait d'en entendre parler. Qui avait jamais vu *une* shérif, et en plus elle risquait de les faire tous tuer, tête brûlée comme elle était. C'était lui le shérif. Si elle voulait représenter la loi, elle n'avait qu'à être son adjointe.

Swan ne concevant pas d'être l'adjointe de qui que ce soit, elle devint marshal. Si Noble préférait ne pas reconnaître son autorité, c'était son problème. Quant à Bienville, en éclaireur indien sourd-muet, il avait mis au point un certain nombre de signaux sémaphoriques pour communiquer avec eux. Au début, ils n'y comprenaient rien, étant donné qu'il ne pouvait ni parler ni entendre ce qu'ils disaient (il expliquait les signaux par d'autres signaux), mais, au bout d'un certain temps, ils prirent le pli. En fait, ils finirent par maîtriser si bien cette langue, qu'ils se mirent à s'en servir à la maison, pour se confier de noirs secrets au nez et à la barbe des grandes personnes. Cela n'avait pas l'air de gêner Samuel, et Willadee les encourageait volontiers. Quand ils parlaient la langue des signes, on ne les entendait pas. Ils énervaient toutefois prodigieusement Calla qui les menaçait parfois : encore un geste du bras, et elle avait quelques signaux à leur donner avec la tapette à mouches.

Il y a des gens qui ont l'art de vous gâcher le plaisir.

Les enfants projetaient une grosse bagarre pour l'après-midi. Cela faisait un certain temps qu'ils pistaient une bande de hors-la-loi et ils les avaient finalement cernés, ces pauvres pleutres perfides, dans le canyon (le vieil enclos des veaux). Ils étaient une cinquantaine, à en juger par la quantité d'empreintes de sabots qu'ils avaient trouvées dans le sable en traversant la Big River (le ruisseau), de sorte que les gentils étaient désavantagés par le nombre. Comme d'habitude.

Le plan, c'était que l'éclaireur indien sourd-muet se glisse à l'arrière du canyon pour y jeter une torche allumée; les buissons prendraient feu; les méchants seraient obligés de se carapater s'ils ne voulaient pas être transformés en barbecue. Par un heureux hasard, l'entrée du canyon (la barrière de l'enclos des veaux) se révélait étroite: comme elle laissait tout juste passer un cavalier à la fois, le shérif et le marshal n'auraient plus qu'à cueillir un à un à la sortie ce tas de sinistres crotales propres à rien.

Bienville n'étant pas le concepteur du plan, il n'en pensait pas de bien. De son point de vue, même un hors-la-loi avait le droit qu'on lui donne sa chance. Ce qui avait fait hurler Swan. Quoi? Cinquante hors-la-loi contre un seul shérif et un seul marshal des États-Unis, cela ne lui paraissait pas du tout équitable à *elle*, même si le marshal en question se trouvait être un des justiciers les plus redoutés du pays. De toute façon, si ces bandits avaient voulu qu'on leur donne une chance, ils n'auraient pas dû piller la banque, ni mettre la ville à feu et à sang, ni pisser dans l'abreuvoir devant le saloon.

Bien entendu, le temps que le déjeuner se termine et que la cavalerie soit prête à partir, le plan avait changé.

Swan, inspirée par les événements de la matinée, avait décidé qu'ils faucheraient une bâche dans la remise, dresseraient une tente au bord du ruisseau et organiseraient une «réunion pour le renouveau de la foi». De cette manière, si jamais il y avait des conversions, ils pourraient baptiser les gens sur place avant qu'ils ne puissent se rétracter.

Elle avait la ferme intention de faire des convertis. Une en particulier. Au déjeuner, grand-maman Calla avait annoncé qu'elle attendait pour cet après-midi la visite de Sid, Nicey et Lovey, en ajoutant que Swan allait être drôlement contente de jouer avec une fille pour changer.

Grand-maman Calla ne comprenait rien.

Swan calcula que, le temps qu'ils arrivent, elle (l'évangéliste) et ses diacres pouvaient avoir monté la tente : ils seraient prêts à mener leur première pécheresse au salut. De force, s'il le fallait. Swan répondit à grand-maman Calla qu'elle adorait l'idée de jouer avec une autre fille, et aurait-elle la gentillesse de dire à Lovey de les rejoindre en bas, à la rivière ?

Grand-maman Calla posa sur Swan un de ces regards je-vois-au-fond-de-toi et dit :

— Tu n'as pas intérêt à faire des bêtises, Swan Lake.

— Je veux juste être gentille avec Lovey, expliqua Swan, malicieusement.

Et grand-maman Calla fit :

— Hum.

12

Noble était revenu avec une corde, et Bienville avait trouvé une branche basse convenable. Tous deux étaient fort occupés à dresser la tente du réveil quand ils entendirent le remue-ménage. Mais leur sœur s'était si bien éloignée que sa voix terrifiée ne leur parvenait pas avec la force et la clarté coutumières. Elle était assourdie. Lointaine. Et pas vraiment crédible, puisque Swan était une championne de la mise en scène.

Les deux garçons continuèrent à monter la tente.

Blade Ballenger suivait Swan depuis qu'elle avait laissé Bienville en plan pour s'en aller seule à l'aventure. Il était resté hors de vue, et n'avait fait aucun bruit. Contrairement au clan Moses, il avait vraiment du sang indien dans les veines, et ce devait être vrai ce qu'on disait sur eux, qu'ils pouvaient se déplacer en silence, sans même un craquement de brindille sous leurs pas. En plus, il était léger comme une plume.

En voyant Swan se lancer dans le sous-bois, Blade avait commencé à hurler afin de la prévenir qu'il y avait un trou. Il était déjà venu dans ce coin. Il le connaissait. Il connaissait beaucoup de coins par ici, pour les avoir explorés à un moment ou à un autre les jours où il s'employait à rester loin de ce qui se passait chez lui. Mais elle avançait plus vite que ses pensées. D'une seconde à l'autre, elle passa de la terre ferme au royaume des airs… et la seule chose qui la retenait à deux mètres cinquante au-dessus de l'eau, c'était une vieille vigne toute noueuse.

Blade courut au bord du talus, terrifié à l'idée que Swan Lake fût sur le point de disparaître pour toujours de sa vie, et qu'il ne pouvait rien faire.

Il avait peur de lui parler. Peur de commettre une erreur fatale. Pourtant il fallait bien qu'il agisse d'une manière ou d'une autre.

Alors il sauta. Il se propulsa du talus, la frôla presque, et ploc, dans l'eau. Petit comme il était, il éclaboussa à peine. Il coula, coula, puis remonta comme un bouchon à la surface.

Swan le contemplait bouche bée, accrochée à sa liane qui était accrochée à elle.

— Lâche-la ! s'écria-t-il.

Elle secoua la tête, et se cramponna de plus belle.

— Je sais pas nager !

Comme il ne savait pas quoi dire, il indiqua :

— Tu coules puis tu remontes !

— Et après je coulerai pour de bon.

— Mais non. Moi j'ai appris à nager quand quelqu'un m'a jeté à l'eau.

C'était vrai. À l'âge de trois ans, dans un étang, il avait été jeté par-dessus bord d'un canot par son papa. Il ne se rappelait pas les détails ; tout ce qu'il savait, c'était qu'il avait nagé comme un poisson.

Swan ne gobait pas son histoire : c'était un peu court.

— Je lâche pas ! Si tu coules trois fois, t'es mort.

—Je te sauverai ! (Un petit gars qui se prenait pour un grand.)

— Et qui te sauvera, *toi* ?

—J'ai pas besoin qu'on me sauve.

Il tournait en rond en nageant comme un petit chien ; il n'avait pas l'air d'avoir besoin d'être sauvé. Mais Swan n'allait pas prendre ce risque.

—Je vais me balancer vers le bord…

Elle fit de son mieux. Elle replia les jambes sur son ventre et poussa l'air en avant, sans résultat. De nouveau. Pareil. Une trouille bleue la gagnait.

— Va chercher de l'aide ! hurla-t-elle.

Accrochée à présent des deux mains, n'osant pas lâcher prise, elle tourna la tête vers le lieu de la réunion pour le renouveau de la foi.

— Va chercher mes frères ! Ils sont juste là-bas derrière.

Ses frères ne savaient pas nager non plus, mais ils étaient inventifs.

Blade n'était pas disposé à la laisser seule. Cela prendrait trop de temps. Et si elle lâchait pendant son absence ? Et si elle coulait et qu'elle ne remontât pas, ou coulait trois fois et ne remontait que deux ? Il ne pouvait pas prendre ce risque. Il ne savait pas quoi faire. Et si elle tombait maintenant à côté de lui, que ferait-il ? Mais il était sûr d'une chose : il serait là.

Swan avait souvent accompagné son père quand il rendait visite à des personnes âgées qui se complaisaient à décrire par le menu leur dernier combat contre la mort, la crise cardiaque étant le plus fréquent et le plus spectaculaire de tous. Elle en connaissait tous les symptômes, et tout semblait indiquer qu'elle était en train d'en avoir une. Sa poitrine était contractée, le sang lui battait dans les oreilles, son bras gauche était tout engourdi. Évidemment, c'était celui qui était entortillé dans la liane. Celui dont l'épaule menaçait de se disloquer. Mais c'est le genre de raisonnement que l'on se tient après coup, quand on a survécu à ce qui avait au départ causé la crise cardiaque. À condition d'en avoir réchappé.

Elle qui était pourtant dotée d'une nature plutôt optimiste, la situation ne lui disait rien qui vaille. De deux choses l'une : soit elle allait mourir dans les airs, soit elle allait mourir dans l'eau.

Lorsque, quelques secondes plus tard, l'homme-serpent surgit de nulle part sur la berge du ruisseau, lui disant de ne pas s'inquiéter, qu'il allait la faire redescendre sur terre en un clin d'œil, Swan eut un souci de plus.

Peut-être allait-elle mourir sur la terre ferme.

Ras Ballenger avait mieux à faire que poursuivre à travers bois un gosse qui n'arrêtait pas de fuguer. Ces temps derniers, chaque fois qu'il l'appelait pour l'envoyer chercher son tabac à rouler ou un pichet d'eau glacée, le mioche avait filé. Autrefois, Blade ne disparaissait que pour éviter qu'il lui flanque une danse après une de ses bêtises… ou pour ne pas entendre les gnagnagna de sa maman, quand *elle* se montrait déraisonnable. Mais depuis quelque temps, il se transformait en feu follet. Pas plus tôt là que déjà reparti. Il devait pourtant comprendre, depuis le temps, que se sauver ne faisait qu'aggraver son cas, mais ce petit, il lui fallait toujours apprendre par la manière forte.

Ras avait pris la résolution que, cette fois, quand il le rattraperait, il mettrait les points sur les i, une fois pour toutes. Un cheval n'était pas la seule chose qu'on pouvait attacher à des sangles.

Et puis voilà qu'il se retrouvait debout sur ce talus, avec Blade en bas dans l'eau, et cette jeunette suspendue au-dessus, la jupette retroussée. Sa colère retomba d'un seul coup.

Il avait son fouet roulé dans une main. Il n'eut pas besoin de dire à la petite de se tenir tranquille : dès qu'elle le vit, elle se figea.

— N'aie pas peur, lui dit-il, d'une voix gentille et douce. Je vais attraper la liane avec mon fouet, et je vais te ramener par ici et te sortir de là.

Swan le fixait avec des yeux grands comme des soucoupes. Elle avait la gorge tellement sèche, qu'elle n'arrivait plus à avaler sa salive. Si seulement elle avait su voler.

Mais après tout, Ballenger n'avait peut-être pas l'intention de lui faire du mal. Peut-être n'était-il méchant qu'avec ses propres enfants. Beaucoup de gens étaient comme ça : plus gentils avec les autres qu'avec ceux de la même chair et du même sang.

Et puis, de toute façon… l'homme-serpent reculait, le fouet levé, sur le point de le faire claquer. Si elle bougeait d'un pouce, il risquait de lui arracher le bras. Elle ne bougea pas.

La lanière du fouet siffla dans l'air et claqua en s'enroulant autour de la vigne, à une cinquantaine de centimètres au-dessus de la tête de Swan. Ras tira vigoureusement sur le fouet sans lui laisser le temps

134

de se désenrouler, et Swan glissa dans l'espace vide comme sur un trapèze volant. Dès qu'elle fut à portée de main, il se saisit de la vigne.

— C'était pas si terrible, si ? demanda-t-il.

Swan essayait de se libérer de la liane, mais elle avait les mains qui tremblaient très fort, et les jambes en coton. Elle tenait à peine debout. Elle pouvait encore moins parler.

Ras rit et l'aida à désentortiller la liane. Quand il la toucha, elle esquissa un mouvement de recul.

— T'as rien à craindre, ma petite mignonne, lui dit-il, gai comme un pinson.

Il prit soin de ne poser ses mains que sur son bras et son épaule. Il prit soin de détourner le regard pendant qu'elle rabattait sa jupe. Il alla jusqu'à lui tapoter le haut du crâne.

Swan avait le haut du bras tout raboté. Maintenant qu'elle était saine et sauve, elle sentait la douleur. Serrant les dents, elle ravala ses larmes. Ras émit un gloussement de sympathie.

— Tu vas rentrer chez toi tout de suite, que ta maman te mette quelque chose là-dessus.

Elle fit oui de la tête et se mit à reculer.

Ras Ballenger la salua d'une majestueuse inclinaison du buste.

— À l'avenir, tu n'as qu'à crier, et je viendrai.

Pour crier, elle savait crier. C'est ce qu'il se dit un peu plus tard, en rentrant chez lui avec Blade. Ras marchait à vive allure. Le garçon trottait à son côté, le visage levé vers lui, et déblatérait à cent à l'heure.

— C'était superchouette, ce que t'as fait avec ton fouet. Tu l'as drôlement bien donné, ce coup, comme au base-ball, en plein dans la cible. Ça c'est pas croyable, ce que t'as fait avec ce fouet…

Ras tendit négligemment le bras et tapota la tête de son fils, comme tout à l'heure celle de la petite fille.

— Je parie que t'espères que je vais faire la même chose avec toi.

Le petit garçon déglutit. Lui qui croyait que son père avait oublié la raison qui l'avait amené jusqu'au bord du ruisseau, la raison pour laquelle il avait pris son fouet. Ras n'avait rien oublié. Blade savait ce qui l'attendait.

Croyait savoir.

Ras baissa les yeux vers lui, et sourit. Pas un sourire méchant, comme il en avait parfois. Il passa la main dans les cheveux de l'enfant.

— Eh bien, tu te trompes. Pas de fouet pour toi.

Blade déglutit une deuxième fois, cette fois de soulagement.

— Pas le fouet?

— Naaaan.

Sur ce, avec une célérité de serpent, il noua ses doigts dans la chevelure de son fils, le souleva de terre et le poussa brutalement de côté, sans cesser de marcher.

Quand Swan retrouva le lieu de la réunion pour le renouveau de la foi, les diacres avaient dressé la tente et s'employaient à construire une chaire avec des pierres et du bois mort. Pas une chaire très haute, expliqua Noble. Trop haute, elle basculerait. Mais il avait vu un jour un prédicateur évangéliste si grand qu'il était obligé de s'accroupir pour lire ses notes. Si elle voulait, Swan pouvait faire comme si elle était très grande.

Swan lui rétorqua qu'il était fada s'il s'attendait à ce qu'elle fasse le chimpanzé. Puis elle remonta vers la maison. Ce qui laissait Noble dans le rôle de l'évangéliste et Bienville dans celui de la congrégation.

Sid, Nicey et Lovey n'étaient pas les seuls à avoir débarqué pendant que Swan était là où elle n'aurait pas dû être. Alvis et Clayton étaient venus, eux aussi, avec leurs épouses, Eudora et LaNelle. Leur progéniture était en ville, au cinéma – où Swan et ses frères n'allaient jamais, le cinéma étant un péché aux yeux de Samuel. Mais comme elle ne laissa à personne le temps de lui dire où se trouvaient ses cousins, ce fut toujours une chose de moins susceptible de la faire flipper.

Sur la véranda et la pelouse, les grandes personnes se prélassaient et claquaient des doigts et tapaient dans leurs mains au son du banjo de Samuel.

Alvis, le plus gros farceur de la famille, se tenait adossé au grand chêne du jardin. Lorsque Swan passa en trombe devant lui, il l'attrapa au vol et se mit à danser avec elle. D'ordinaire, elle aurait été ravie – retenir l'attention d'un adulte, vous pensez – mais pas aujourd'hui. Elle lui fila entre les pattes comme si elle le jugeait repoussant, et continua sur sa lancée.

Samuel cessa de jouer, et suivit sa fille des yeux.

Alvis, l'air perplexe, renifla ses dessous de bras en disant :

— Je peux pas sentir aussi mauvais que ça.

Il ne sentait pas mauvais du tout. Il fleurait bon la savonnette et l'Old Spice, comme toujours quand il n'était pas au travail. Alvis Moses était garagiste ; il passait une moitié de sa vie à s'enduire de cambouis et l'autre à s'assurer qu'il était propre comme un sou neuf.

— C'est juste une phase, observa grand-maman Calla.

— Attention, répliqua Clayton. Ces phases peuvent être éprouvantes.

Swan bondit sur la véranda et contourna Lovey qui jouait à la poupée près de la porte d'entrée. Lovey avait droit aux shorts ; elle en portait un bleu marine, avec une blouse de marin blanche trop mimi. Un instant, Swan envisagea de la traîner jusqu'au Trou des nageurs pour la baptiser une bonne fois pour toutes. Sauf que, maintenant, pour rien au monde elle ne retournerait là-bas. Des dangers vous y guettaient dont même ses parents ne se doutaient pas.

Lovey ne lui demanda pas de jouer avec elle, ce qui n'était pas plus mal. Swan détestait jouer à la poupée. Et, de toute façon, pour le moment, elle n'avait envie de jouer à rien. Elle n'aurait même pas joué un disque. Elle fit claquer la porte-moustiquaire et entra dans la maison. Puis dans la salle de bains, afin de badigeonner ses éraflures au Mercurochrome – plus connu sous le nom de « sang de singe ». Enfin, dans sa chambre en haut.

Si seulement elle avait pu confier aux hommes de sa famille qu'elle avait une peur bleue de Ras Ballenger, et leur demander d'être sur le qui-vive et de la protéger. Mais ce n'était pas possible. Il lui faudrait expliquer qu'elle avait enfreint les consignes, ce qui exigerait de sa part un courage dont elle ne se sentait pas capable. Dans un cas comme celui-ci, il était judicieux de raisonner en pourcentage. À condition de ne pas s'éloigner de la maison, il y avait cinquante pour cent de chances de pouvoir éviter Ras Ballenger. D'un autre côté, si ses parents découvraient ce qu'elle avait fait, elle aurait cent pour cent de chances de ne plus pouvoir trouver de cachette.

Plusieurs fois pendant la semaine, les Moses reçurent la visite d'un rôdeur.

Parfois le rôdeur venait au cœur de la nuit – une nuit toujours assez animée dans les parages. Il y avait en général quelqu'un au Never Closes, et une voiture, ou plusieurs voitures, garées sur le côté de la maison. Le juke-box baissait en général de volume aux petites heures, mais qui sait quand un de ces braves gars se piquerait de satisfaire une petite envie pressante d'écouter Hank Williams ou Lefty Frizzell. Dans la famille, on avait l'habitude des flux et reflux musicaux. Des claquements de portière, des voix étouffées, des voix qui auraient mérité d'être étouffées. On avait même l'habitude des bruits de bagarre, même si les bagarres se révélaient à la fois brèves et rares, tout individu incapable de s'entendre avec tout le monde étant promptement invité à aller voir ailleurs.

Le clan Moses ne fermait jamais ses portes à clé, et n'avait pas peur que quelqu'un entre, puisque personne n'était jamais entré. Mais à présent, si. Les portes s'ouvraient, les couloirs étaient explorés, les escaliers gravis en silence, et ceux qui dormaient dans les chambres n'en étaient pas plus sages pour autant.

Les visites se produisaient parfois en plein jour – mais alors le visiteur ne s'aventurait pas aussi loin. Caché dans la grange, l'œil collé à un interstice du mur, il épiait la famille qui vaquait à ses occupations, et dès que quelqu'un s'approchait, il reculait dans l'ombre. Caché dans le fenil. Toujours caché. Observant. Accroupi derrière les buissons à l'orée du bois. Patient, aux aguets, et aussi immobile qu'un rocher.

Un après-midi, Samuel crut voir quelque chose de bizarre. Il était dans sa chambre, dans leur chambre à Willadee et à lui, à genoux devant la fenêtre ouverte, et demandait à Dieu de le guider. Il priait les yeux fermés, se visualisant debout devant le Trône de grâce. Il n'était pas homme à Lui adresser des suppliques, puisqu'il n'était pas nécessaire de Le supplier pour qu'Il soit plein de mansuétude à l'égard de Ses enfants. En revanche, il trouvait que c'était bien de Lui demander force, clairvoyance et sagesse – toutes qualités qui lui étaient plus que jamais nécessaires.

En ouvrant les yeux, il contempla la ferme Moses, une vue réconfortante, même dans son état d'abandon actuel. Samuel Lake avait été garçon de ferme avant de devenir pasteur. Il aimait la terre, la bonne terre. Son odeur, la palper avec ses mains. Il aimait ce qu'on pouvait en faire quand on l'aimait assez pour y mêler sa sueur, pour lui faire le don de soi.

Quelqu'un devrait remonter ses manches. Quelqu'un devrait s'y attaquer, à cette terre, avec tout l'amour qu'on lui porte, pour la ramener à sa beauté de jadis. Tel était le fil de ses pensées. Fil qui fut coupé lorsque quelque chose attira son regard. En contrebas, dans l'ancien champ de luzerne qui disparaissait sous les vagues gris-vert d'un océan d'herbes à chèvre : un petit garçon avait le visage levé vers la maison.

Ce ne pouvait pas être un de ses propres enfants, celui-ci était plus petit, et avait une tignasse d'un noir de jais.

Samuel, déconcerté, descendit voir ce qui se passait. Il n'y avait rien dans le champ. Rien qu'un petit rond de sol meuble où une main avait tracé quelques gribouillis.

Mais Blade Ballenger avait disparu sans laisser aucune autre trace.

13

Bernice avait assez de jugeote pour ne pas s'étendre sur les changements que le Seigneur apportait à sa vie. Elle savait très bien que plus on parle d'une chose, plus les autres ont du mal à croire à l'intérêt que vous y portez, surtout quand la vérité et ce que vous voulez faire passer pour telle n'ont jamais eu le plaisir de se serrer la pince. Elle comptait laisser ses actes parler d'eux-mêmes.

Primo, elle avait la ferme intention d'aller à l'église chaque fois qu'elle ouvrirait ses portes. Willadee ne cachait pas qu'elle pensait qu'élever son âme à Dieu et assister au culte étaient deux choses bien différentes, et il lui était déjà arrivé d'en manquer un de temps en temps. Sur ce chapitre, Bernice était sûre et certaine de damer le pion à Willadee.

Deuzio, elle allait chanter en solo, dès qu'on aurait remarqué combien elle avait une jolie voix et qu'on l'en aurait priée. Dans ces petites églises de campagne, ils étaient friands de nouvelles recrues sachant chanter. Ils en usaient et abusaient en leur demandant de faire un solo le dimanche, et que dirait-on d'un trio, et où avait-on été tout ce temps, alors qu'ils avaient tellement besoin de ses talents.

Bernice n'avait pas chanté depuis longtemps, pas une seule note, car quelle femme a envie de chanter quand elle est triste, et elle était triste depuis si longtemps. Mais autrefois, si, elle chantait, avant de laisser Samuel à Willadee. C'était en fait ce qui les avait réunis au départ, Samuel et elle. Samuel venait s'installer sur la véranda en compagnie du frère de Bernice, Van, et tous les deux grattaient leurs vieilles guitares. Bernice s'asseyait avec eux et chantait à pleins poumons. Samuel avait alors une de ces petites lueurs dans les yeux. Il ne résistait pas à la musique à l'époque, et à elle non plus.

À l'époque, et encore de nouveau demain.

Tertio, elle supposait qu'elle serait obligée de commencer à vivre autrement, bien que le seul élément à changer d'après elle dans sa vie soit son compagnon. Mais comme les personnes pieuses n'en finissaient jamais de répéter que Dieu avait transformé leur existence, il lui faudrait bien se transformer et en attribuer la palme à Dieu.

C'était dans ses cordes. Une femme pouvait faire n'importe quoi du moment qu'elle était aiguillonnée par une bonne raison. Et Bernice en avait une excellente. Tous les soirs, elle le regardait en face d'elle à table. Parfois elle devait résister à l'envie de tendre le bras pour le toucher.

Mais il ne fallait pas la prendre pour une idiote. Elle ne le toucherait pas. Même pas quand c'était pourtant si facile. Lui passer la purée, et laisser le bout de ses doigts effleurer les siens. Se tenir debout derrière lui et se pencher pour poser le pain de maïs sur la table en se pressant une seconde électrique contre son épaule. Si facile. Mais pas malin.

Les bonnes actions, ça c'était malin.

Elle proposa son aide au ménage, et devinez quoi? Calla lui flanqua une serpillière entre les mains. On aurait pu croire qu'elle avait dit à Bernice de faire ce qui lui venait à l'esprit… bon, rien ne lui était venu à l'esprit, mais là n'était pas la question : elle avait proposé son aide, et il lui semblait que Calla aurait pu la remercier de sa gentillesse, et en rester là. Après tout, ce n'était pas comme si elle habitait vraiment ici.

Elle réfléchit à d'autres bonnes actions envisageables… et à leurs inconvénients implicites. Rendre visite aux malades et aux personnes âgées, c'était une initiative vertueuse, mais qui ne la rapprocherait guère de Samuel, à moins qu'elle ne lui demande de l'y emmener, ce qui serait malcommode à obtenir, étant donné qu'elle savait conduire. Et puis, les malades et les vieux, ça lui donnait la chair de poule. Il y avait aussi prier (une activité à laquelle se livraient volontiers les Moses soit à l'église soit en privé), lire la Bible (ce qui risquait de donner l'image d'une vieille grandmère plissant les yeux pour voir les petites lettres) et peut-être se montrer gentille avec son mari (ce qui était attendu de toute femme pieuse, et les gens se poseraient sûrement des questions sur sa piété si elle ne le faisait pas).

Et voilà. Il ne lui restait plus qu'à passer aux travaux pratiques.

Toy fut très étonné quand Bernice se mit à le chauffer, ce qui ne s'était plus produit depuis leurs premiers flirts. Étonné... et sur le point de pleurer de joie. Bernice jouait la comédie, se disait-il, c'était tout pour la galerie. Il se traita du plus idiot des maris. Mais tout au fond de lui, son «être» était sourd à la raison. Son «être» buvait du petit-lait, se délectait comme un enfant qui suce un bonbon.

Toy Moses n'en revenait pas du *goût* que la vie avait pris tout d'un coup. Bernice lui souriait quand il se réveillait à la fin de l'après-midi. Elle lui apportait du café et restait à bavarder avec lui pendant qu'il le buvait. En voiture, quand ils allaient chez Calla, elle s'asseyait tout près de lui au lieu de se plaquer contre la portière... et quand il passait un bras autour d'elle, elle se nichait en se trémoussant contre lui comme un petit oiseau.

À table, le soir, il surprenait son regard posé sur lui, et lui trouvait un air radieux, l'air d'une femme en train de tomber, ou de retomber, amoureuse. Toy n'était pas le seul à l'avoir remarqué. Samuel et Willadee battirent tous les deux des paupières la première fois qu'ils assistèrent au phénomène, et Calla faillit s'étrangler en mangeant son chou.

Toy s'en fichait. Qu'ils pensent donc que Bernice le bichonnait pour mieux le laisser choir de nouveau. Qu'ils pensent ce qu'ils voulaient. S'il n'y avait qu'une seule chance que tout cela soit vrai, Toy Moses n'était pas du genre à ne pas la tenter.

«Diabolique», voilà tout ce que Calla avait à en dire. C'était un jeudi matin; Willadee et elle étendaient le linge sur la pelouse derrière la maison. Bernice s'était rendue à une réunion de prière la veille au soir en compagnie de Samuel, de Willadee et des enfants, jolie à croquer avec son sourire virginal et sa robe style «princesse» qui montrait bien que sa taille était beaucoup plus fine que les parties de son corps au-dessus et au-dessous. Calla avait pris sur elle pour ne pas la sortir de force de la voiture et lui crier qu'elle ferait mieux de faire ses prières à la maison.

— On ne peut pas dire qu'elle n'est pas sincère, fit remarquer Willadee. (Qui n'en pensait pas moins.)

— Oh! pour être sincère, elle est sincère! marmonna Calla. Et on sait à quel *propos*.

Willadee étendit un drap et le lissa bien sur la corde, en veillant à ce que les coins restent à angle droit:

— Tu sais, maman, peu importe ce que fait Bernice. Ce qui compte, c'est ce que Samuel fait. C'est un homme trop bon pour déroger à ses principes.

Calla secoua la tête. Elle aussi était convaincue que Samuel était la crème des hommes. L'ennui, c'était qu'elle était tout aussi convaincue que Bernice était capable de s'emparer de la crème et de la faire tourner.

Willadee se sentait coupable d'accorder tout haut à Bernice le bénéfice du doute, alors que tout bas elle professait tout le contraire. À vrai dire, elle estimait que la crise religieuse de sa belle-sœur serait de courte

146

durée. Bernice tiendrait un certain temps dans ce rôle. Puis, voyant que cela ne la menait nulle part, elle se lasserait. Elle n'était pas du style à se donner beaucoup de mal pour des prunes.

Le pire dans l'histoire, c'était que Toy allait forcément être blessé, de nouveau, comme s'il n'avait pas déjà assez souffert. Willadee s'en ouvrit à Samuel de bonne heure un matin, juste après le départ de Toy et Bernice pour la journée. Bernice avait été spécialement aux petits soins pour Toy au petit déjeuner, lui donnant du « chéri », lui beurrant ses toasts et posant sa main sur son bras, alors que cela faisait sans doute des années qu'elle évitait autant que possible de le toucher. Il n'y avait pas qu'avec le beurre qu'elle en remettait une couche.

— Je suis inquiète pour Toy, dit Willadee à Samuel.

Ils étaient dans la salle de bains, porte close. Lui debout devant le lavabo : il se rasait la barbe. Elle assise sur le bord de la baignoire : elle se rasait les jambes.

Samuel tira sur sa joue pour y faire glisser le rasoir. Ensuite seulement, il se permit d'esquisser un large sourire.

— Il a l'air plutôt heureux en ce moment, Willadee.

— C'est ce qui m'inquiète. Elle est de nouveau en train de le rouler dans la farine.

— En fait, on n'en sait rien.

D'une voix gentille, patiente… et un brin désapprobatrice. Willadee se retourna si vivement qu'elle s'enleva un centimètre de chair sur la cheville.

— Ne me dis pas que tu n'y vois que du feu, toi aussi.

La blessure à la jambe était cuisante, mais pas autant que l'autre. Samuel comprit qu'il valait mieux rattraper le coup.

— Je ne cherche pas à la défendre, protesta-t-il, je dis seulement qu'on ne sait pas. On ne peut pas savoir ce que recèle le cœur de notre prochain.

— Je sais ce que recèle le sien.

Willadee se détestait. En général, Samuel et elle étaient toujours sur la même longueur d'onde. Elle attendit qu'il ajoute quelque chose, mais il s'était remis à se raser en tirant la peau de son autre joue avec ses doigts ; il était très concentré. Willadee respira un bon coup, ferma la bouche et se détourna pour reprendre son propre rasage. Pour la première fois depuis ses quinze ans, elle se coupa au moins six fois.

L'été en Arkansas ne serait pas l'été sans quelques beaux orages, et il y en avait un qui se préparait à l'ouest. Ce matin, sous un ciel couvert d'un gris terne, il faisait lourd, comme si l'air lui-même menaçait de se déchaîner et de devenir quelque chose de terrible. Willadee tenta de décourager Samuel de partir sur les routes en quête d'un emploi. Il était plus sage d'attendre que le temps se lève, argua-t-elle. Mais, orage ou pas, il refusait que ses enfants le voient passer son temps le nez en l'air. Il avait déjà perdu deux semaines, entre le déménagement et l'emménagement, et tout le tralala. Tout homme porte son propre poids. Dans la Bible, il est écrit noir sur blanc

148

que si quelqu'un ne prend pas soin de sa famille, il est pire qu'un infidèle, et même s'il n'y avait rien eu dans la Bible, Samuel aurait su dans son cœur que ce qu'il y a de plus bas pour un homme, c'est de ne pas pourvoir aux besoins des siens. En plus, il lui était insupportable de penser qu'il vivait aux crochets de Calla.

Il avait déjà passé des coups de téléphone, envoyé des lettres, proposé ses services à des pasteurs de la région qu'il connaissait depuis des années.

S'ils avaient envie de prendre des vacances, et voulaient quelqu'un pour les remplacer...

S'ils sentaient que Notre-Seigneur les poussait à organiser une réunion pour le renouveau de la foi dans un proche avenir, et qu'ils n'avaient pas encore choisi un pasteur évangélique...

Avec la meilleure volonté du monde, Samuel ne parvenait pas à se voir en évangéliste. Dans son esprit, un évangéliste était une sorte de loup solitaire qui passait de troupeau en troupeau, ramenant les brebis égarées sur le juste chemin. Le terme de « loup » était évidemment mal choisi, puisque les moutons n'avaient pas à craindre d'être dévorés tout crus. S'ils étaient ramenés sur le juste chemin, c'était pour leur propre bien. Un vrai berger s'occupait de tout !

Samuel, lui, était un vrai berger. Tout ce qu'il voulait, c'était avoir son propre troupeau, et le mener près des eaux paisibles, le protéger du mal, chercher les brebis égarées et les ramener doucement vers la paix et la sécurité du foyer. L'idée de voyager de ville en ville, de passer une semaine ici, deux semaines là, et de laisser derrière lui des gens qu'il n'avait pas eu le temps de connaître vraiment, cela ne lui plaisait pas du tout.

Il avait tort de se faire du souci. Les pasteurs avaient tous déjà programmé leurs vacances et leurs réunions de réveil de la foi : leurs chaires étaient pourvues. Mais comme ils avaient mauvaise conscience vis-à-vis de Samuel, ils lui promirent de penser à lui, dès que se présenterait une vacation.

Samuel n'avait pas l'intention de cesser de passer des coups de téléphone ni d'envoyer des lettres, mais en attendant, il lui fallait un gagne-pain. Il acheta *The Banner News*, à cause des petites annonces. Il ne savait trop ce qu'il pouvait faire. Un diplôme de théologie ne vous qualifiait pas pour la comptabilité, la gestion, l'enseignement ni d'ailleurs aucune autre profession que pasteur. Sam Lake avait beaucoup de cordes à son arc. Il savait chanter, jouer d'un instrument et aider les autres à voir ce qu'il y avait de meilleur en eux-mêmes et dans leur prochain. Il était capable de persuader un couple en instance de divorce d'entamer un dialogue, et de se rappeler pourquoi ils étaient tombés amoureux, et qu'est-ce qui avait bien pu leur faire croire que leur amour était mort. Il était capable de persuader un voleur de rendre ce qu'il avait pris, et d'avoir le courage de se confesser. Il était capable de persuader un juge ou un policier de ne pas se montrer trop sévère avec une personne qui méritait une seconde chance. Et s'il rendait visite à une adolescente qui venait de mettre au monde un enfant illégitime, quand il la quittait, elle se sentait fière de son enfant au lieu d'avoir honte d'elle-même.

Il y avait beaucoup de choses que Sam Lake pouvait faire. Mais aucune d'entre elles ne figurait dans les petites annonces.

En s'éloignant de la maison Moses ce matin-là, Samuel savait qu'un orage se préparait. Ce qu'il ignorait, c'était qu'il y aurait beaucoup d'orages dans les mois à venir, mais surtout que le plus effroyable gronderait en son for intérieur.

Sa première halte fut à Magnolia. La marbrerie Eternal Rock réclamait à cor et à cri un vendeur. Le gérant, M. Lindale Stroud, jeta un coup d'œil à Samuel et se dit ce que tout le monde se disait toujours en voyant Samuel : voilà un homme à qui personne ne peut rien refuser. Il l'engagea sur-le-champ.

Ce nouveau travail consistait à rendre visite à des gens ayant récemment perdu un être cher et à leur assurer qu'il prenait part à leur douleur – et ce n'était pas exagéré. Il partageait vraiment la douleur de ces gens qui souffraient. Il restait un moment à parler avec eux, tâtait le terrain, et au bout du compte leur demandait s'ils avaient songé à choisir un monument funéraire pour perpétuer le souvenir de la personne qui les avait quittés. Si l'idée se révélait neuve pour eux, il leur parlait encore un petit peu, afin de leur montrer qu'il serait absurde de repousser leur décision à plus tard : le temps passe si vite. Au moment propice, il ouvrait le classeur fourni par M. Lindale Stroud et montrait les photos sur papier glacé de la gamme de pierres et monuments disponibles.

Pour arranger certains qui n'avaient pas les moyens de payer comptant (c'est-à-dire la majorité), la marbrerie proposait un crédit accessible. Sauf que le taux d'intérêt n'était pas tellement accessible, ce qui embêtait bien Samuel. Il détaillait avec eux l'échéancier, en leur démontrant qu'ils finiraient par payer plusieurs fois le prix, mais ils demeuraient sourds à ses explications. C'était trop tentant de signer sur la ligne en pointillé et de ne verser qu'un modeste acompte. Tous ces paiements hebdomadaires leur semblaient à des années-lumière.

À l'heure où l'orage éclata, à quinze heures huit, Samuel avait déjà effectué sa première vente.

Toute personne assez stupide pour sortir regarder le spectacle juste avant l'arrivée d'une tornade aura observé qu'il souffle un vent dément et que les arbres se tordent dans tous les sens, et puis tout à coup plus rien, comme si on avait appuyé sur un interrupteur. Immobile comme la mort. Rien ne bouge. Pas la plus petite feuille sur l'arbre le plus squelettique. L'air s'arrête *totalement* de remuer, et l'atmosphère est tout d'un coup pesante, étrange.

Willadee avait gardé les enfants à l'intérieur presque toute la journée, parce que le ciel ne lui disait rien qui vaille ; et elle préférait ne pas avoir à aller les chercher en catastrophe si jamais cela tournait au vilain. Comme Swan et ses frères n'avaient jamais vécu dans un pays de tornades ni n'en avaient jamais vu lors de leurs précédents séjours dans l'Arkansas, ils ne comprenaient pas pourquoi on en faisait une telle histoire. En Louisiane, les nuages d'orage avaient des allures bien plus menaçantes que cette nappe étendue et dense couleur de plomb suspendue à l'horizon sur une base si plate qu'on l'aurait dite rasée afin de laisser apercevoir un filet de bleu. Une pluie fine tombait, des éclairs festonnaient le ciel, le tonnerre grondait, la cime des arbres tournoyait dans le vent. Rien de tout cela ne paraissait effroyable aux enfants, même pas les petits tentacules qui pointaient de la base du nuage comme pour tâter le terrain.

Toutes les cinq minutes, Willadee regardait par la fenêtre ou sortait sur la véranda : elle fixait le ciel en fronçant les sourcils et souhaitait tout haut que Samuel se dépêche de rentrer. Vers le milieu de l'après-midi, Calla passa du magasin à la maison par la porte intérieure et rejoignit Willadee sur la galerie. Elle aussi leva un front plissé vers le ciel.

— Les hommes sont bien tous les mêmes, pas un pet de bon sens, déclara Calla.

Ce qui n'était pas vrai. Ses fils et ses gendres en avaient à revendre, et John avait eu la tête bien vissée sur les épaules avant que l'alcool ne lui grille le cerveau. Mais Calla trouvait plus facile de râler contre les hommes, que d'admettre qu'elle s'inquiétait pour Samuel.

— Oh! je sais qu'il ne lui est rien arrivé! repartit Willadee, qui trouvait plus commode de se montrer optimiste que d'admettre qu'elle se rongeait les sangs.

Les enfants, qui jouaient près de la porte, ni dedans ni dehors, sortirent à leur tour participer à l'observation météorologique.

— Pourquoi le ciel est en train de virer au vert ? voulut s'informer Bienville.

— Pourquoi ton derrière va bientôt virer au rouge ? rétorqua grand-maman Calla, qui lui épargna en outre l'effort d'une repartie : Parce qu'il va tâter de ma tapette à mouches, voilà pourquoi. (Elle ne portait pas aussi souvent sa tapette sur les enfants qu'elle ne les en menaçait.)

Swan avança :

— Il ne se passe rien du tout. Il n'y a même plus de vent.

Elle avait raison. Willadee avait été si préoccupée par l'état du ciel qu'elle avait omis de remarquer la totale immobilité qui s'était installée autour d'eux. Elle se tourna aussitôt vers sa mère, qui la regardait, et toutes deux abaissèrent les coins de leur bouche.

— Entrez tout de suite et montez prendre vos oreillers sur vos lits, ordonna Willadee aux enfants. Ensuite mettez-vous dans la baignoire et maintenez les oreillers sur votre tête.

— Mais, il ne se passe rien ! s'obstina Swan.

Grand-maman Calla vociféra soudain :

— Swan Lake, si cet orage t'arrache la tête et l'envoie rouler dans le pré, peut-être que tu apprendras à écouter ce qu'on te dit.

Swan trouva l'idée hilarante. Une tête, dans un pré, qui écoutait. Pourtant elle n'osa pas rire, parce que grand-maman Calla tapait du pied et agitait son tablier comme quand elle chassait ses poules vers le poulailler. Les enfants se ruèrent comme un seul homme à l'intérieur et grimpèrent quatre à quatre à l'étage. S'emparèrent de leurs oreillers et dévalèrent l'escalier. Foncèrent dans la salle de bains. Plongèrent dans la baignoire. Jusque-là, c'était plutôt rigolo.

Grand-maman Calla et Willadee couraient partout pour ouvrir toutes les fenêtres en grand : elles avaient entendu dire que grâce à cette simple précaution, une maison résistait aux pires tornades. Puis elles se précipitèrent à la salle de bains et s'assirent par terre à côté de la baignoire. Willadee déclara aux enfants que, comme elle connaissait leur père (bien, manifestement), à cet instant même il priait Dieu de les mettre sous Sa sainte garde, et qu'ils n'avaient donc rien à craindre.

Swan abaissa l'oreiller qu'elle avait sur la tête et fit observer que, s'ils n'avaient rien à craindre, il était inutile de se cacher dans la baignoire. Willadee avait à peine ouvert la bouche pour demander à Swan de fermer la sienne, qu'ils entendirent ce qui ressemblait à un train de marchandises, hurlant à travers la plaine. La seule pensée qui vînt sur le moment aux enfants, ce fut que c'était bizarre, puisqu'il n'y avait pas de rails de chemin de fer à des lieues à la ronde.

14

Samuel se trouvait sur la Macedonia Highway, en route pour le domicile de Birdie Birdwell, fille de T. H. Birdwell, récemment disparu. À en croire M. Lindale Stroud, qui l'avait su par Avery Overbeck, dont un lointain cousin était l'oncle Frank du voisin de Birdie, T. H. aurait été au petit coin, avec le catalogue Montgomery Ward ouvert aux pages de lingerie fine, quand il avait été terrassé par une crise cardiaque.

Samuel ne s'appesantissait pas sur les détails. Sa tâche consistait à apporter du réconfort – ce qui lui paraissait bien – et à pousser Birdie à acheter une pierre tombale – ce qui lui paraissait moins bien. Il se voyait déjà en vautour, atterrissant avec de longs et lents battements d'ailes là où la mort avait frappé. La différence entre le vautour et lui, toutefois, c'était que le charognard tirait sa subsistance des morts alors que lui – tant qu'il restait dans ce rayon – la tirerait des vivants.

De toute façon, à lui ou à un autre, les gens continueraient à acheter des pierres tombales. D'un point de vue éthique, rien ne s'opposait à ce qu'il en vende. Il n'avait aucune raison logique de se sentir aussi coupable. Aussi avait-il l'intention d'y mettre tout son cœur. Il faudrait juste qu'il veille à proposer aux gens de sa liste ce qu'il y avait de plus approprié pour eux, sans jamais abuser de leur confiance.

S'il parvenait à effectuer cette deuxième vente, cela lui ferait deux chèques à remettre à la marbrerie Eternal Rock. Et par conséquent deux commissions. Samuel rentrerait chez lui avec de l'argent dans la poche. Non seulement ça, mais la semaine prochaine, tout en continuant à prospecter, il repasserait chez ces clients-ci afin de recueillir les versements hebdomadaires prévus au contrat. En théorie, le processus se réitérait et se propageait jusqu'au moment où, finalement, Samuel toucherait un coquet revenu, qu'il décroche ou non de nouvelles commandes.

Il n'était pas assez naïf pour croire que cela allait se passer comme dans du beurre. Une fois la pierre en place, avec les dates et une jolie inscription, les paiements seraient d'abord perçus comme un inconvénient, puis comme un fardeau et en fin de compte comme quelque chose que l'on ne devait pas vraiment, si on en jugeait par le taux d'intérêt impie.

Mais Samuel affronterait ces obstacles à mesure qu'ils surviendraient. Pour le moment, il cherchait la boîte aux lettres des Birdwell et espérait ne pas être déjà passé devant sans la voir. En même temps, il se demandait s'il ne devrait pas rebrousser chemin et retourner chez Calla. Le temps se gâtait d'heure en heure, et Samuel n'aimait pas être loin de la maison alors qu'on avait peut-être besoin de lui. D'un autre côté, s'il rentrait, que le temps se levait, et que sa présence se révélerait superflue, il aurait l'air d'un paresseux qui rechigne au travail.

Il venait de localiser la boîte aux lettres et de tourner dans le chemin de terre qui menait au domicile des

Birdwell, toujours tenté de faire demi-tour, quand le ciel explosa en une pluie soudaine et sauvage, un brusque rideau opaque. Le vent revenu à la charge avec des forces décuplées donna des coups de boutoir sur le côté de sa voiture, qui se mit à tanguer. À moins qu'elle ne décolle et s'envole (ce qui n'était pas exclu), Sam Lake était coincé : il était trop tard pour se précipiter chez lui. Alors il fit mieux.

Il coupa le moteur, prit sa bible sur le siège passager et, la tenant contre son cœur, se mit à prier. Ni fébrile ni désespéré. À entendre le ton de sa voix, on aurait cru qu'il demandait un verre d'eau à son meilleur ami.

— Seigneur, dit-il, je ne Te demande qu'une chose, une seule et unique chose. Si l'orage se dirige vers la maison de Calla, je T'en prie, fais qu'il la contourne.

Deux heures plus tard, alors que les éléments avaient terminé leur ramdam et que le ciel se parait à l'ouest de mauve et de rose, la voiture de Samuel franchit la dernière côte à huit cents mètres du seuil de Calla. De là-haut, on contemplait comme à vol d'oiseau la ferme Moses et les terrains alentour. Au premier coup d'œil, on aurait pu la croire dispersée aux quatre coins du sud de l'Arkansas. Samuel, abasourdi, s'arrêta et descendit de voiture. C'était comme si un bulldozer avait foncé à travers bois, tondant les arbres comme autant d'herbes hautes, et piqué droit sur la maison. Un vieux silo à grain s'était dressé sur son passage ; qu'à cela ne tienne : il l'avait aplati. D'anciennes remises. Aplaties. Le poulailler de Calla… épargné : la tornade avait brusquement bifurqué, traçant un demi-cercle autour de la pelouse, de la grange et de la maison elle-même, avant de reprendre en un mouvement rectiligne sa marche destructrice.

Samuel tomba à genoux, là, au milieu des flaques d'eau boueuse, et leva le visage vers le firmament. Ses yeux se remplirent de larmes. Quand il parla, au lieu de sa voix forte habituelle, ce fut un filet rauque et tremblant qui sortit de sa bouche.

— Tout ce que Tu me demanderas, Seigneur, dit-il simplement. Tout ce que Tu voudras de moi.

Ce soir-là, après le dîner, Calla déclara à Samuel qu'elle aurait beaucoup aimé lui procurer sa première vente. De toute façon, il faudrait bien qu'elle achète une pierre tombale pour John.

— Voyons, Calla, lui dit Samuel. Vous savez bien que je ne vous prendrai jamais d'argent. Je veux bien vous vendre une pierre, mais alors oubliez ma commission.

Elle lui fit taratata et le traîna dans le séjour pour qu'il lui montre les images sur papier glacé de son classeur. À la page trois, elle trouva la pierre qui lui convenait, et s'enquit du prix.

Il l'en informa.

Elle battit deux fois des cils, très vite, et le pria de ne plus lui présenter que sa gamme de prix.

Il obtempéra.

Les pierres tombales abordables étaient quelconques, mais Calla se dit que John aurait été furieux si elle s'était mise à jeter l'argent par les fenêtres. N'ayant jamais été du style à vivre au-dessus de ses moyens, il n'aurait sans doute pas voulu mourir au-dessus de ses moyens. Elle essaya de persuader Samuel de garder sa commission, d'autant que, comme elle payait au comptant, la marbrerie Eternal Rock serait obligée de la lui verser d'un seul coup, mais il ne voulait pas en entendre parler. Il avait déjà assez l'impression comme ça d'être un charognard. S'il se mettait à exploiter sa belle-mère, il finirait bientôt par se percher sur les arbres et à régurgiter sur les gens qui passaient en dessous. N'était-ce pas ce que faisait le vautour urubu?

Un peu plus tard, au lit, Samuel confia à Willadee qu'il avait le pressentiment que Dieu s'apprêtait à lui donner une ou deux leçons sur la confiance.

— Mais tu fais toujours confiance, avança-t-elle.

— Je sais. Sauf que ç'a toujours été facile, Willadee. Tout m'est toujours arrivé tout cuit.

— Parce que tu fais confiance, insista-t-elle.

— C'est ce que je pensais, moi aussi… que j'étais gâté parce que ma foi était si solide. Mais à présent, je ne suis pas sûr que cela soit aussi simple.

Comme Willadee ne savait plus quoi lui dire, elle demeura silencieuse. Au bout d'un moment, Samuel se remit à parler, tout doucement, ou plutôt il pensait tout haut:

— Au fond, je n'ai peut-être jamais eu vraiment la foi, Willadee. N'importe qui a confiance, tant qu'il a tout ce qu'il veut. C'est vrai, quand tu y réfléchis. Je n'ai jamais perdu quelqu'un de cher, sauf mes parents, et ils avaient eu une longue vie, et en plus c'était dans l'ordre des choses. Je n'ai jamais eu le cœur brisé, sauf quand Bernice a rompu avec moi, et c'est ce qu'il pouvait m'arriver de mieux. À l'exception de l'église qui me manque en ce moment, je n'ai jamais formulé un vœu qui n'ait pas été exaucé.

— Samuel. Je ne connais personne d'aussi bon que toi. Dieu t'a accordé Sa grâce à cause de ta bonté.

— Tu veux dire parce qu'*Il* est bon, la corrigea Sam.

Elle était tentée de lui rappeler que Dieu avait beau être bon, c'était fou le nombre de gens qui souffraient depuis le berceau jusqu'à la tombe. Mais Samuel cherchait à lui communiquer quelque chose d'important, et elle ne voulait pas lui faire perdre le fil.

— Ce ne peut être que le doigt de Dieu, continua-t-il. Je L'ai prié de faire en sorte que l'orage contourne la maison, et Il a réalisé ma prière. Cette tornade n'est pas passée sur la maison. Elle n'a pas non plus pris un autre chemin. Elle l'a *contournée*. Et pas d'un kilomètre. Tout juste. Rasibus. Ça ne pouvait pas être plus clair.

Il traça le chemin de la tornade sur sa peau nue.

— Comme ça, indiqua-t-il. Elle a foncé vers la maison, elle en a fait le tour, et après elle a de nouveau filé tout droit. Comme ça. Je t'emmènerai en haut de la côte, tu verras de tes propres yeux, parce que, d'ici, on ne voit rien.

Willadee se dressa sur son séant et le regarda à travers l'obscurité.

— Où veux-tu en venir, Sam Lake ?

— Je veux en venir… Dieu m'a envoyé un signe.

— Quel genre de signe ?

— Un signe auquel me raccrocher.

Il n'ajouta pas : « quand les temps sont durs », mais Willadee l'entendit de cette oreille.

161

Sam resta silencieux encore un moment, puis avança, avec une sincérité désarmante :

— Il était si *présent*, Willadee. Comme s'Il voulait être bien sûr que je n'oublie jamais. Voilà pourquoi je me dis qu'un jour viendra où ce souvenir sera la seule chose qui me sauvera.

15

Le premier vendredi de juillet, Odell Pritchett téléphona de Camden pour demander à Ras Ballenger comment se passait le dressage de Snowman. Ras lui répondit qu'il n'avait jamais vu un animal aussi désireux de bien faire. Odell était tout émoustillé par cette bonne nouvelle, sa fille Sandy étant dingue de ce cheval. Elle l'avait vu naître, ce qui est quelque chose qui marque, et l'avait tout de suite adopté, et maintenant il lui manquait horriblement. Ce que se disait Odell, c'était qu'il emmènerait Sandy regarder Ras travailler avec Snowman, et Ras pourrait peut-être lui donner quelques bons conseils.

Ras avait une bonne douzaine de raisons de ne pas vouloir qu'Odell rapplique avec sa gamine pour le regarder travailler avec Snowman, surtout pas en ce moment où ce dernier avait les flancs couverts de plaies purulentes à force de tâter du fouet de Ras. Encore deux semaines, et les plaies auraient assez cicatrisé pour qu'il puisse leur trouver une explication, mais pour l'instant, c'était une horreur. Bien entendu, ce ne fut pas la raison invoquée.

— Vous savez bien, monsieur Pritchett, que nous n'autorisons pas les propriétaires à venir assister au dressage. C'est très mauvais pour le cheval. Il devient tout excité, et il oublie la moitié de ce qu'il a appris. Il n'y a plus qu'à recommencer. Et l'argent que vous aurez perdu aurait été mieux employé à acheter une jolie selle ou quelque chose à votre petite demoiselle.

Odell suggéra que Sandy et lui les observent de loin. Snowman ne se douterait même pas de leur présence.

— On voit bien que vous sous-estimez l'intelligence de ce cheval, repartit Ras. (Il complimentait toujours les propriétaires sur l'intelligence de leurs chevaux, puisque c'est ce qu'ils voulaient entendre.) Même à deux kilomètres, il saurait que vous êtes là. Je vous jure, il lit dans vos pensées. Il devine ce que je veux qu'il fasse avant même que je le lui indique.

Odell Pritchett buvait ses paroles.

— Vous pensez vraiment que c'est un bon cheval ?

— Sans exagérer, lui répondit Ras, j'ai dressé un grand nombre de chevaux dans ma vie, et celui-ci ne cesse de me surprendre.

La dernière proposition était vraie. Snowman n'avait cessé de le surprendre. Il l'avait surpris en le vidant deux fois de sa selle (ce que très peu de chevaux avaient réussi à faire), et il l'avait surpris à plusieurs reprises en ne reculant pas devant le fouet (ce que tous les chevaux faisaient). Il l'avait même surpris une fois en ruant et en lui donnant un coup de sabot dans les fesses (ce qui expliquait les flancs sillonnés de balafres).

Odell eut beau discuter et cajoler, Ras resta de marbre. Il savait qu'il est tout aussi important de savoir contrôler le propriétaire que le cheval, parfois davantage même, un propriétaire indiscipliné étant susceptible de provoquer votre ruine en racontant à d'autres propriétaires des choses qu'il valait mieux qu'ils n'entendent pas. En somme, ils pouvaient vous ôter le pain de la bouche, ce qui était immoral.

Finalement, Ras déclara :

— Monsieur Pritchett, si vous ne me faites pas confiance, vous devriez peut-être trouver un autre entraîneur.

Un risque, indéniablement, mais ce n'était pas la première fois. Jusqu'ici, personne ne l'avait accusé de bluffer. Et cette fois ne fit pas exception à la règle.

— Oh ! mais pas du tout ! protesta Odell. Je n'ai jamais dit que je mettais en doute votre jugement.

— Ah, je dois être en train de devenir dur d'oreille, alors.

Odell émit quelques euh-euh, comme quoi Ras était le meilleur, tout le monde savait ça dans le pays, c'était juste qu'il détestait décevoir la petite, elle qui aimait tant son Snowman et tout. Ras lui affirma qu'il se détesterait si par malheur le cheval s'oubliait et sa fille tombait et se rompait le cou, tout ça parce qu'il avait dû interrompre son dressage à un moment crucial.

— Mais c'est votre choix, ajouta-t-il. C'est votre cheval, et votre fille, ce n'est pas à moi de vous dicter votre conduite. D'ailleurs, plus j'y réfléchis, plus je me dis que vous devriez venir le reprendre. Je me lave les mains de cette histoire.

Après avoir entendu ce discours, Odell n'avait plus du tout envie de revendiquer ses droits. Il fit machine arrière, bredouilla quelques mots pour finalement demander, avec ce qu'il fallait d'humilité, de combien de temps Ras estimait avoir besoin pour terminer son travail. Il ne voulait ni le presser, ni le pousser, ni rien du tout, il se demandait seulement…

— À la mi-août, laissa tomber sèchement Ras. Comme je vous l'avais indiqué au départ.

Géraldine était de nouveau en train de repasser. Perdue dans ses pensées. Quand vous êtes debout avant le lever du soleil et que vous consacrez votre journée à repasser le linge des autres en échange d'un peu d'argent que vous n'avez aucune chance de palper jamais pour la simple raison que vous n'êtes pas la personne *responsable* des finances, il faut bien trouver à se distraire. Souvent, comme aujourd'hui, Géraldine se distrayait en organisant les funérailles de son mari. Sans prévoir la façon dont il en arriverait à être mort et elle veuve, quoique se prenant fréquemment à espérer que la dernière chose que verrait Ras, ce seraient des sabots de cheval, s'abattant sur lui tel le glaive de la justice. La chose serait appropriée.

Elle songeait parfois (l'espace d'un bref instant, quand elle s'accordait ce luxe) qu'il serait encore plus approprié qu'elle-même l'envoie dans l'autre monde avec une poêle à frire en fonte Griswold numéro dix. Un petit coup sur le côté de son crâne en forme d'obus. Mais un culot pareil, elle ne l'aurait jamais. Ras était bien trop rapide. Toute tentative de meurtre sur sa personne étant vouée à des représailles, c'était sa cervelle à elle qui se retrouverait sur le sol de la cuisine.

Comment il en était arrivé à être mort ne comptait pas dans sa rêverie ; elle se disait qu'elle ne le souhaitait même pas vraiment. Elle se contentait de l'envisager.

Il n'y a rien de mal à visualiser le tour que prendrait votre vie si certains événements se produisaient.

Elle se le figurait gisant, l'air naturel, et elle vêtue d'une jolie robe noire avec des larmes silencieuses roulant sur ses joues, pendant que les gens de la petite Église du Nazaréen où elle allait parfois, le cœur débordant de pitié, la soutenaient au cas où ses forces la trahiraient, et entonnaient des chants à tue-tête. Elle ne possédait pas de robe noire, et ignorait comment elle pourrait s'en procurer une, mais ce qui était agréable, quand on rêvait éveillé, c'était qu'il était inutile de s'encombrer de détails. Une gentille voisine lui en prêtait peut-être une ou, mieux encore, en achetait une pour elle. Ou elle trouvait la cachette où Ras accumulait son argent, et la gentille voisine la conduisait en ville et elle s'achetait elle-même sa robe. Elle ne savait pas d'où elle tirerait les larmes silencieuses, mais supposait qu'elles viendraient toutes seules. Il lui arrivait d'avoir les yeux qui s'embuaient rien que d'y penser.

— Je vois que tu es trop occupée pour te déranger et te demander de me préparer une tasse de café, ricana Ras d'une voix qui semblait sortir de nulle part.

Géraldine avait été si absorbée qu'elle ne l'avait pas entendu raccrocher rageusement le téléphone et entrer sans se presser dans la cuisine. Et voilà qu'il était assis à table, aussi aimable qu'un frelon en colère.

Géraldine retomba lourdement sur terre, posa son fer à repasser sur le côté de la planche et se dépêcha de lui préparer son café. Cela n'irait pas, cela n'allait jamais, mais elle mesura les doses de sucre et de lait avant de les verser et de lui tendre la tasse, en se demandant ce qu'il allait bien pouvoir trouver cette fois. Ras but une gorgée pour goûter. Il leva vers elle un regard furibond.

— Et pourquoi tu restes plantée à me regarder comme une abrutie de génisse ? Tu n'as rien à faire d'autre qu'à prendre souche ?

Bon, au moins il n'y avait pas de réclamation sur le café. Géraldine retourna à sa planche à repasser et reprit son ouvrage là où elle l'avait laissé. Ras sirota son café en roulant des yeux furieux – dans le vide.

— Ce salaud croyait qu'il pouvait débarquer chez moi sans crier gare, dit-il.

— Quel salaud ? s'enquit Géraldine. (Après tout, savait-on jamais. À en croire Ras, la planète était peuplée de salauds.)

— Ce connard d'Odell Pritchett.

Géraldine arrondit les lèvres en un « Oh » silencieux et suspendit la chemise qu'elle venait de terminer sur un cintre, qu'elle accrocha à la porte extérieure grande ouverte et qui servait déjà de portant à plusieurs vêtements fraîchement repassés.

— Ce salaud pourrait bien recevoir un coup de fil un de ces quatre, précisa Ras.

Ce que cela sous-entendait, Géraldine ne le savait que trop bien : Odell Pritchett serait averti que son cheval souffrait d'une fourbure et avait dû être abattu. Ou qu'il s'était cassé la jambe en tombant dans un trou et avait dû être abattu. Ou quelques autres malheureuses circonstances dont l'issue était toujours la même : il avait été abattu. Ras n'était jamais en manque de prétextes pour tuer.

Il prenait sur lui pour abattre les chiens de chasse qui ne chassaient pas à sa convenance, comme il prenait sur lui pour attraper les chats errants et les

168

jeter en pâture auxdits chiens. Il empoisonnait les rats, quoique personne n'aille reprocher à quelqu'un de se débarrasser de ces bestioles. Il chassait l'écureuil, le cerf et le lapin pour agrémenter son souper ; le raton laveur, le renard et le castor pour leurs peaux ; les loups, les coyotes et les lynx par pure bonté d'âme, puisque, s'il ne les tuait pas, eux tueraient les troupeaux des autres. Il n'avait aucun scrupule à tuer les tatous, les opossums et les putois, parce que ceux-là n'avaient de toute façon aucune raison de vivre. Il n'avait encore jamais tué le cheval d'un client. Jusqu'ici. Mais, en même temps, il n'avait jamais détesté un cheval autant que celui-ci.

Ras frappa la table du plat de la main, signalant ainsi qu'il venait de prendre une décision. Puis il se leva et se dirigea à grands pas vers la sortie, ralentissant juste le temps de donner aux fesses de Géraldine un vulgaire et méchant pinçon.

Elle ne réagit pas. Pour quoi faire ? Sa rêverie l'attendait. Elle n'avait qu'à s'y laisser glisser. Ras n'eut pas plus tôt descendu les marches de la véranda, que le tableau se redéployait dans l'imagination de Géraldine. Ras gisant, très naturel. Et elle, dans une jolie robe noire, des larmes roulant sur ses joues. Tout autour, des gens de l'Église du Nazaréen, tristes pour elle, la soutenant au cas où ses forces l'abandonneraient, et chantant à tue-tête.

Le petit frère de Blade, qui s'appelait Blue, était un petit bonhomme de quatre ans et demi, les cheveux tout bouclés et aussi grassouillet qu'un ours en peluche, en admiration perpétuelle devant son papa.

Sans doute en aurait-il été autrement s'il avait reçu autant de torgnoles et de coups de fouet que Blade, mais ce n'était pas le cas.

Blade ne lui en tenait pas rigueur. On ne peut pas en vouloir à quelqu'un de ne pas se faire battre jusqu'à ce que le sang lui dégouline sur les jambes ou de ne pas recevoir sur la tête des coups à en avoir le crâne hérissé d'épis.

Au lieu d'en vouloir à son petit frère, Blade essayait de comprendre ce que Blue faisait correctement et que lui faisait de travers. Il en était arrivé à la conclusion que ce devait avoir un rapport avec le fait que Blue était intelligent et lui (Blade) bête. N'était-ce pas ce que leur père leur répétait à longueur de temps ?

« Blue, toi alors, t'as oublié d'être bête. »

« Blade, t'as donc rien dans le citron. »

Blade aurait bien aimé avoir oublié d'être bête, comme Blue, sauf qu'il ne trouvait pas Blue si malin que ça. Il mouillait encore son lit, parlait bébé et suçait son pouce. La seule chose astucieuse qu'il fallait bien lui reconnaître, c'était qu'il ne manquait jamais une occasion d'imiter son papa. Il marchait comme lui. Il parlait comme lui. Si Ras arrachait un brin d'herbe et se le mettait entre les dents, Blue arrachait un brin d'herbe et se le mettait entre les dents. Si Ras remontait son pantalon et passait les pouces dans sa ceinture, Blue remontait son pantalon et passait ses pouces dans sa ceinture. Si Ras donnait un coup de pied à un des mastiffs en descendant les marches de la véranda, Blue donnait un coup de pied à un des mastiffs en descendant les marches de la véranda.

Ras trouvait cela impayable, et tellement mignon, ce petit gamin tout potelé qui essayait de copier son père.

Chaque fois qu'il prenait Blue à le singer, il hochait la tête avec un énorme sourire et disait à qui voulait bien l'entendre que son fils était un sacré numéro.

Blade ne souhaitait pas ressembler à son père, mais comme il aurait voulu que son père l'*aime*, il tenta une ou deux fois de l'imiter, exactement comme Blue. Ça n'avait jamais marché. À chaque fois, Ras lui avait demandé ce qu'il avait à se pavaner, et pour qui il se prenait? Blade avait été bien en peine de répondre, preuve que Ras ne s'était pas trompé à propos de son fils aîné.

«T'as pas inventé la poudre, hein, mon cochon?»
«Dis donc, toi, t'es un débile avec un grand D.»
«Blade, t'es bête comme tes pieds.»

Lorsque Ras traversa la cour, Blade et Blue observaient Snowman à travers la barrière en bois de l'enclos. Le cœur de Blade débordait de pitié pour le cheval – ce qu'il se serait bien gardé de dire tout haut, car rien ne provoquait la colère de Ras Ballenger comme de voir un débile avec un grand D prendre en pitié un animal qu'il maltraitait. Blade avait pu le vérifier lors des rares circonstances où sa mère avait osé exprimer ce sentiment.

Blue ne prenait jamais aucun animal en pitié. Il semblait au contraire très intéressé par les méthodes de Ras, et participait dès que son père le lui permettait. Ras ne l'autorisait pas à se frotter aux chevaux, à moins qu'ils soient en contention dans les sangles, parce qu'il était petit et que ces sales bêtes pourraient le blesser. Les chats tombaient dans une tout autre catégorie. Ils ne pouvaient faire de mal à personne, même pas à un petit enfant, quand ils étaient ficelés dans un sac en toile de jute (ce qui était en général le cas) avant d'être jetés aux chiens. Dès qu'un chat errant montrait le bout de son museau, Blue courait le signaler à Ras. La loi de la jungle régnait chez les Ballenger, et Blue, à quatre ans et demi, s'il avait oublié d'être bête, savait fort bien marquer des points.

Ras s'approcha de sa démarche virile caractérisée par un déhanchement marqué et, s'appuyant à la barrière de l'enclos, fixa dans le blanc des yeux Snowman – qui se tenait très tranquille, comme s'il souhaitait passer inaperçu. C'était un cheval altier, ou du moins l'avait-il été quelques semaines plus tôt. C'était d'ailleurs son tempérament arrogant qui lui avait valu ce traitement. Un homme de la trempe de Ras Ballenger, qui avait tué cinquante Allemands (pas tous en uniforme, mais passons) avec la pointe de sa baïonnette, n'allait quand même pas tolérer la morgue d'un canasson. Les civils germaniques avaient supplié qu'il les épargne. Cela ne les avait pas beaucoup avancés. Mais ils l'avaient fait – ces animaux à deux jambes avaient crié grâce –, ce que Ras avait trouvé délectable.

Les animaux à quatre jambes, du moins les chevaux, ne crient pas grâce. Si vous frappez un cheval, il aura une des trois réactions suivantes : il essaiera de s'échapper ; ou il recevra les coups et se mettra à trembler, disposé à obéir aveuglément ; ou bien il tentera la contre-attaque.

Les chevaux que Ras avait dressés commençaient presque tous par la première – essayer de s'échapper – puis progressivement, mais toutefois assez rapidement, passaient au stade des tremblements et de l'obéissance aveugle. Snowman, lui, avait commencé carrément à l'envers : il avait été prêt à faire ce que voulait Ras, puis, voyant que ses efforts n'étaient pas reconnus, et, pire, qu'ils étaient récompensés par des coups et autres mauvais traitements, il avait opté pour la contre-attaque. Cela ne l'avait pas plus avancé que leurs prières n'avaient sauvé les sales Boches, à une différence près : Snowman était encore vivant.

Ras Ballenger ne jouissait pas de la liberté de tuer le cheval d'un tiers, comme il l'avait eue de tuer les citoyens d'un autre pays que le sien à la faveur d'une guerre. Il ne pouvait pas enfoncer sa baïonnette dans le ventre de ce cheval. Pour s'en tirer, il lui aurait fallu une excellente raison. La seule valable étant de sauver l'animal d'une affreuse agonie menant à une mort certaine. Ou bien se débrouiller pour qu'il meure de mort naturelle.

Il n'est pas nécessaire d'être un grand connaisseur de chevaux pour comprendre que la meilleure façon de précipiter sa fin est aussi la plus simple. Il suffit de laisser ouverte la porte de son box et celle du garde-manger des chevaux, et de partir faire un tour en ville (si c'est le jour) ou vous coucher (si c'est la nuit). Un cheval ne sait ni s'arrêter de manger ni régurgiter. Cela n'a pas grande importance s'il est dehors, dans un pré. Tout ce qu'il récoltera, c'est un ventre ballonné, ou une bonne diarrhée, car ce n'est pas pour rien que Dieu a fait du cheval un animal qui broute. Il peut passer sa journée à brouter tout en se promenant dans son pré, et il n'en mourra pas. Tandis que s'il engloutit vingt-cinq kilos de céréales et de luzerne sans bouger, si.

Quand un cheval a peur d'un être humain, il s'arrange pour esquiver son regard. Un peu comme s'il se disait que ne pas voir le danger le faisait disparaître. À moins qu'il ne supporte pas le stress. Toujours est-il que Snowman tenait ses yeux résolument dans la direction opposée de celle du petit homme noueux qui le fixait avec un grand sourire au-dessus de la barrière. Ras éclata de rire.

— Tu fais bien de regarder ailleurs, petit salopard, brailla-t-il.

— Fais bien *rougalder* ailleurs, *salopaille*, répéta Blue.

Ras partit d'un deuxième éclat de rire, et informa Blue qu'il était un sacré numéro. Blue savait-il ce qu'était un sacré numéro? Ce n'est pas sûr. Mais il leva son menton vers son père et répliqua qu'*il* était un *saclé noumyo*. Dans un nouvel éclat de rire, Ras souleva Blue de terre et l'assit sur la barrière en lui montrant Snowman du doigt.

— Tu vois ça là? Tu sais ce que c'est? demanda-t-il.

— Un *chevaille*.

— C'est ça, un *chevaille*. Un *chevaille* mort.

Les yeux de Blue s'arrondirent de surprise; ceux de Blade, d'horreur.

— Un *chevaille* mort, gloussa Blue.

Ras claironna d'une voix chantante:

— Tu entends ça, Snowman? Tu es mort.

Blade ne prononça pas un mot. Il se contenta de serrer très fort la barrière. C'était Blue qui était perché dessus, mais c'est lui qui avait l'impression d'être sur le point de tomber.

— Dès que ces vilaines plaies auront cicatrisé, précisa Ras.

— *Que laine plaissi catrisé*, répéta Blue.

— M. Odell Pritchett va vouloir examiner son cheval, et je n'ai pas l'intention de le priver de ce privilège.

Blue s'essoufflait, mais fit de son mieux:

— *Mystère oh pipette six nez chevaille sont deux leucilège.*

16

Blade ignorait en combien de temps les vilains bobos de Snowman cicatriseraient, en revanche il savait que, une fois guéri, le cheval serait condamné. Il fut d'abord écœuré, puis furieux.

Rien de ce que son père avait fait n'avait jusqu'ici provoqué chez Blade une réaction aussi franche. Tout le reste, il l'acceptait à cause de l'inévitable. Il ignorait pourquoi, cette fois, c'était différent, et ne se posait d'ailleurs pas la question. Ça l'était, un point c'est tout.

Il passa la journée à ruminer. Ras bourdonnait et tournicotait comme une mouche sur une vieille peau de pastèque. Il bricolait, réparait les box, coupait l'herbe à la faux. Blue, comme d'habitude, lui collait aux talons, et (comme d'habitude) récoltait des caresses sur la tête et des compliments sur son intelligence. Blade se coula sous la véranda. Assis dans la pénombre, il occupa ses doigts à dessiner dans la terre pendant que son cerveau cherchait une solution.

Ce n'était pas la peine de quémander pour Snowman. Cela ne servirait qu'à avancer l'heure de sa mort, et peut-être à aggraver les souffrances de son agonie. Blade aurait bien aimé pouvoir téléphoner à M. Odell Pritchett pour l'informer et qu'il vienne chercher son cheval – mais il lui faudrait trouver son numéro de téléphone dans le portefeuille de son père, apprendre à passer un appel longue distance et puis téléphoner sans se faire prendre. Trois montagnes qu'il ne se sentait pas de taille à franchir.

Si seulement son père pouvait disparaître. Il ne formulait pas tout à fait le vœu, contrairement à sa mère, que Ras meure. Un vœu pareil aurait pesé trop lourd dans la vie d'un petit garçon de son âge. Il souhaitait que Ras s'en aille dans les bois pour ne jamais revenir, ou pour de bon avec le camion. Là je te vois, là je te vois plus. T'es parti.

Mais Ras ne partirait pas. Ici aujourd'hui, ici demain. Et il tuerait le cheval, et rien de ce que Blade pouvait faire ne l'arrêterait. À moins que…

Sa pensée marqua un mouvement de recul. Le recul de pieds nus devant des débris de verre.

À moins que… il puisse faire *disparaître* le cheval.

Toy Moses haïssait le Never Closes. Chaque soir le trouvait debout derrière le comptoir et lui défendait de se mouvoir à sa guise : comme un singe en cage. Il était – avait toujours été – un homme tranquille, un homme des bois, un homme de la rivière. Le brouhaha du bar le rendait dingue. Comme si le monde entier vibrait.

Sa haine pour le Never Closes ne changeait rien au fait qu'il devait s'en occuper. Toy était coincé. Il venait chaque soir, et accomplissait son devoir, tout en songeant que quelque chose dans l'univers s'était désaxé. Il avait beau regarder dans toutes les directions, partout le monde se transformait et rien de tout ce qu'il pouvait faire n'y remédierait. La seule solution, c'était de se tenir prêt.

La chose au monde qui terrifiait le plus Blade Ballenger, c'était son papa, et jamais il n'avait eu aussi peur de lui qu'à l'instant où il défit la chaîne de la barrière et rejoignit Snowman dans l'enclos. Jusqu'à cette seconde précise, pris en flagrant délit, il aurait inventé une excuse pour justifier sa présence dehors au milieu de la nuit, ou se serait fermé comme une huître, une réaction prévisible de la part d'un gamin aussi débile avec un grand D que lui. D'une façon ou d'une autre, il y aurait eu des conséquences, mais Blade avait l'habitude des conséquences. Sa vie tout entière était une longue suite de conséquences.

S'il se faisait prendre maintenant, toutefois, les conséquences seraient autrement plus graves, d'une gravité jamais vue quoique souvent entrevue dans ses cauchemars. Par précaution, il était resté en «pyjama» (le mot employé par sa mère pour désigner le tricot de corps et le caleçon qu'il avait portés pendant la journée), au lieu d'enfiler son pantalon, de crainte que son père, alerté par le bruit, ne se lève et ne vienne voir ce qu'il complotait.

Mais il était inutile de tergiverser. Réfléchir ne servait à rien et, de toute manière, rien ne le ferait revenir sur sa décision. Il allait ouvrir à Snowman, le regarder s'enfuir et retourner se couler tout doucement dans son lit en espérant que le cheval parviendrait à regagner le domicile de M. Odell Pritchett avant que Ras Ballenger se réveille… et que Satan rapplique au petit déjeuner.

Bien entendu, Blade n'avait pas la moindre idée de la distance qui les séparait de Camden, ni du temps qu'il faudrait à un cheval pour arriver jusque là-bas, ni si le cheval avait le sens de l'orientation. Il se raccrochait à l'espoir.

Lorsque, quelques minutes auparavant, il était sorti en catimini par la fenêtre de sa chambre, les mastiffs avaient levé la tête et braqué leurs yeux sur lui. Il avait eu peur qu'ils ne se mettent à aboyer et ne réveillent tout le monde, mais comme depuis quelque temps ils le voyaient deux ou trois fois par semaine exécuter la même opération, ils avaient dû en conclure qu'il se passait le manège habituel. Ils ne firent même pas mine de vouloir le suivre dans la cour.

Snowman tournait le dos à la barrière. Quand Blade pénétra dans l'enclos, il ne broncha pas. Pas un de ses muscles ne tressaillit. Blade se planta à côté de lui et, le visage levé, se demanda ce qu'il devait faire maintenant. Il n'était pas assez sot pour essayer de le chasser hors de l'enclos. Le cheval se rebifferait et hennirait, ce qui alerterait les chiens, et le raffut déclencherait alors des événements que Blade préférait ne pas imaginer. Et puis, Ras ne laissant jamais son harnais à un cheval la nuit, il n'avait de prise sur rien. Pendant que le garçon soupesait les différents risques, Snowman sortit tout seul de son enclos.

— Bravo, murmura Blade presque en silence. Allez ! Vas-y !

Mais le cheval s'arrêta et resta immobile le long de la barrière, comme s'il attendait quelque chose.

Blade ne savait pas du tout ce qu'il voulait. Rien de bon, c'était certain, ne se produirait s'il s'attardait plus longtemps. Mais les animaux ne se rendent pas compte. Un chien, par exemple, si maltraité qu'il soit, ne s'en ira pas de chez lui. Il fera une escapade de temps à autre, mais il reviendra toujours une fois la fête terminée. S'il le peut.

Toujours est-il que ce Snowman, qui aurait dû filer comme le vent, restait collé à la barrière, aussi immobile qu'une statue. Ne voyant pas ce qu'il pouvait faire d'autre, Blade grimpa sur la barrière et enfourcha tant bien que mal le cheval, en espérant que la chance continuerait à lui sourire. Enroulant ses deux mains dans la crinière, il serra les genoux pour ne pas glisser et enfonça à peine ses talons dans les flancs meurtris du grand animal.

Par là, dit-il en silence dans son for intérieur. Là-bas, Snowman. Va jusqu'au ruisseau. Et suis la berge.

Deux heures avant le point du jour, Toy Moses fit quelque chose que son père n'aurait jamais fait. S'il l'avait su, le vieux John se serait retourné, voire dressé sur son séant, dans sa tombe : Toy refusa de servir un client payant.

Ce client payant était un certain Bootsie Phillips, un bûcheron, et un pilier du Never Closes. Non seulement Bootsie était systématiquement le premier client, et le dernier une fois tout le monde parti se coucher, mais encore il y laissait jusqu'à son dernier sou. Peu importait la flopée d'affamés qui l'attendaient chez lui, ou que son argent eût été mieux dépensé à l'épicerie. Cette nuit-là, arrivé dès l'ouverture, il était tellement soûl qu'il devait se tenir au juke-box pour y insérer des pièces, et pourtant il ne donnait pas signe de vouloir lever le camp. Toy tenta plusieurs fois de lui faire comprendre à demi-mot qu'il ferait mieux de rentrer chez lui, mais un demi-mot ne pouvait pas atteindre l'entendement de Bootsie.

Au bout d'un moment, Toy lui demanda s'il était décidé à rester jusqu'à son dernier radis, et Bootsie lui garantit que oui.

Avec un «Je reviens tout de suite», Toy sortit du bar par la porte intérieure et traversa la maison jusqu'à l'épicerie. Il prit du lait, des œufs, du pain, du bacon, quelques conserves, de la farine, deux poignées de bonbons, et rangea le tout dans un sac en papier. Puis il fit le chemin inverse et regagna le bar. Jusqu'au tabouret dont Bootsie s'efforçait de ne pas glisser.

— Tu n'as plus un radis, déclara Toy.

Bootsie essaya de regarder Toy, mais ses yeux refusaient de se fixer sur lui.

— *Tumendirastant*, marmonna-t-il.

Toy leva les mains sous son nez et remua les doigts. Bootsie, obéissant, plongea les mains dans ses poches et lui tendit tout ce qui lui restait. Toy lui montra la porte d'un mouvement du menton.

— Allez. Je te raccompagne. Tu pourras envoyer quelqu'un chercher ton camion demain.

Bootsie descendit en tanguant du tabouret et informa Toy d'un ton pas commode qu'il pouvait très bien conduire. À moins que ce fût qu'il allait se présenter à la présidentielle. Vu la façon dont il mangeait les mots, on ne pouvait être sûr de rien.

Quoi qu'il en soit, Toy le flanqua à la porte. Une fois dehors, alors que, devant lui, Bootsie titubait en direction des voitures, Toy Moses glissa l'argent qu'il venait de lui donner dans le sac à commissions. Il y avait une femme de bûcheron qui allait avoir une bonne surprise ce matin. Son mari, rentré avant le jour avec de quoi remplir les assiettes et acheter encore d'autres victuailles.

Toy retourna chez Calla au début de ce que Toy appelait «l'heure gris perle» à cause de la douceur parfaite dans laquelle le monde baigne juste avant l'aube. C'était son moment préféré. Ou plutôt ça l'était au temps où, à cette heure, il se levait, alors que maintenant c'était celle à laquelle il ne pensait plus qu'à s'écrouler dans son lit. Les lumières étaient allumées chez Calla, elle préparait le café et mettait tout en place pour accueillir les habitués les plus matinaux.

Après avoir sauté de la cabine du camion, il se dirigeait vers l'épicerie lorsque, soudain, il aperçut quelque chose d'inhabituel du coin de l'œil. Du côté du poulailler, dans le joli potager de Calla – ou de ce qu'il en restait –, il y avait un cheval. Un grand cheval blanc tout sale. L'animal avait déjà ratiboisé le maïs, qui, grâce aux entrailles de poisson que Toy avait enterrées au printemps dernier, était luxuriant cette année, et s'attaquait à présent aux plants de haricots.

Toy jugea plus prudent de ne pas agiter les bras et de ne pas crier, car si jamais le cheval paniquait, il piétinerait aussi les courges et les tomates, et cela ne ferait pas repousser le maïs et les haricots pour autant. Aussi se dirigea-t-il calmement vers le potager, en gardant les bras le long du corps. Il n'y avait pas d'autre solution que de l'attraper, l'enfermer dans l'enclos et se mettre en quête de son propriétaire. Ce qui ne serait pas long. On ne voyait pas souvent des chevaux aussi beaux que celui-ci une fois douché et étrillé.

En se rapprochant, il s'en voulut d'avoir cru que le cheval était seulement sale. Ces traces noires étaient du sang séché. Cela faisait longtemps que le sien n'avait pas bouilli comme à cet instant. Il y avait des choses intolérables, et ce qui était arrivé à cet animal en faisait partie.

Arrivé à trois mètres du cheval, Toy se figea sur place. Il avait été repéré. Le cheval avait cessé de manger et le contemplait d'un air méfiant.

— N'aie pas peur, mon vieux. Tu as le droit de t'enfuir, si tu veux. Mais tu seras mieux ici que là d'où tu viens.

Sa voix avait la douceur d'une eau de source.

Le cheval recula. Toy recula d'autant.

— Ce serait chouette si tu avais le don de la parole.

Toy recula encore d'un mètre et détourna les yeux. Et, bien entendu, le cheval s'avança vers lui. Juste un peu. Un tout petit peu. Tout en évitant de le regarder, Toy continua à lui parler, tout bas et tout doucement.

— Si tu pouvais me dire qui t'a fait ça, je lui ferais goûter le même traitement. On verrait bien si ça lui plaît de prendre ta place.

Le cheval se rapprocha encore. Toy, immobile, attendait. Lorsque le cheval fut à sa portée, Toy résista à l'envie de le toucher. Il respira tranquillement, lentement. Patiemment.

Le cheval lui présenta sa figure. Toy lui dit bonjour à la mode cheval, c'est-à-dire en lui soufflant dans les naseaux. Le cheval remua la tête de bas en haut, comme pour confirmer que Toy Moses était une créature acceptable, et qu'il ne lui déplaisait pas de lui rendre une petite visite. Avec des gestes d'une infinie lenteur, Toy ôta sa ceinture, la passa autour du cou du cheval et mena l'altier Snowman hors du potager de Calla.

Les enfants ne surent quoi penser quand, descendant prendre leur petit déjeuner, ils ne trouvèrent rien à manger. Bon, il y avait bien quelques biscuits froids dans une poêle à l'arrière de la cuisinière, et sur le plan de travail un bol d'œufs que Willadee avait sans doute prévu de brouiller avant d'être interrompue. Le premier réflexe de Swan fut de se dire que quelqu'un d'autre était mort : jamais de sa vie sa mère n'avait oublié de nourrir ses enfants. Même lorsque papa John avait mis un point final à la réunion de famille de manière explosive, personne n'avait sauté un seul repas.

Quand, par la fenêtre de la cuisine, elle vit la voiture du shérif garée à l'ombre d'un arbre, elle sut qu'elle ne s'était pas trompée. Pas à cause de la voiture. Cette voiture était garée là, exactement à la même place, pendant une heure tous les soirs ou presque, tandis que le shérif et son adjoint faisaient Dieu sait quoi au Never Closes. Mais elle ne l'avait jamais vue pendant la journée sauf le jour où papa John s'était tué. C'était très mauvais signe.

La seule personne dans la famille assez vieille pour mourir était maintenant grand-maman Calla, mais ce ne pouvait être elle, puisqu'elle était debout à côté du shérif. Tous les deux regardaient quelque chose qui se passait derrière le camion d'oncle Toy qui lui bouchait la vue.

— Oh! non! souffla Swan. (Tragique.)

Ses neurones affolés fabriquaient à toute allure des images de toutes les catastrophes qui auraient pu se produire et de toutes les victimes envisageables.

— Oh! non quoi? demanda Noble.

Bienville et lui s'étaient servis chacun d'un biscuit dans lequel ils faisaient des trous avec leurs doigts, trous qu'ils remplissaient ensuite de sirop de maïs.

Swan ne répondit pas: elle était déjà dehors.

17

Le shérif Early Meeks avait été, au tournant du siècle, un bébé prématuré, et depuis il ne manquait jamais d'être en avance. « Early[1] » : c'était le nom que lui avait donné son père – parce qu'il trouvait ça mignon, à l'approbation générale et même à celle d'Early une fois qu'il fut assez grand pour avoir sa propre opinion. « Early » était en fait plus qu'un nom. C'était ce qu'il *était*. Le catéchisme commençait à dix heures du matin, il arrivait à neuf heures quarante-cinq. Il devait se présenter à son travail à huit heures trente, il pointait à huit heures. Si d'aventure quelqu'un dans le pays lui téléphonait pour déposer une plainte ou signaler une urgence, il suffisait de peu pour qu'il débarque avant que cette personne ait même eu le temps de raccrocher.

Tout chez lui était extrême. Sa taille, sa maigreur et son sens de la justice. Un sens qui ne s'accordait toutefois pas toujours à la lettre de la loi. D'ailleurs, parfois, il lui arrivait même de la tordre comme le fil de fer d'un vulgaire cintre à vêtement.

---

1. *Early* signifie « tôt », *to be early*, « être en avance » et *meek*, « humble ».

Il y avait bien des années de cela, Yam Ferguson s'étant retrouvé devant chez lui avec la tête plus ou moins devant derrière, Early avait été le premier représentant de l'ordre à s'être dépêché sur place. Le corps se trouvait au volant de la décapotable de Yam, dont le moteur était encore chaud, ce qui n'était pas le cas de Yam. Même s'il n'avait pas su tout ce qu'il savait déjà, Early aurait deviné que cette nuit-là Yam n'était pas rentré chez lui par ses propres moyens.

Tout le monde dans le pays savait en effet que Yam couchait avec les femmes d'au moins une demi-douzaine de soldats qui se battaient pour la patrie. (Non seulement on savait, mais encore on condamnait. Est-ce qu'il avait le droit de folâtrer avec ce qui n'était pas à lui pendant que les maris, des hommes qui le valaient cent fois, risquaient et perdaient leur vie au loin ?) On savait aussi que le seul soldat de retour depuis la veille au soir était Toy Moses.

On le savait parce qu'en descendant du bus à Magnolia, il avait été pris en stop par Joe Bill Rader, lequel habitait du côté d'Emerson, quelques kilomètres après l'embranchement de la route qui menait chez Toy. Joe Bill raconta à sa femme, Omega, que Toy, qui n'était pas connu pour sa loquacité, l'avait soûlé tout au long du trajet avec son bonheur d'être de retour… et comme quoi il faisait une surprise à Bernice, afin de lui épargner les préparatifs des retrouvailles. À la vue du cul de la voiture de Yam dépassant de derrière sa maison, Toy avait illico demandé à Joe Bill de faire demi-tour. Soi-disant qu'il avait oublié d'acheter des cigarettes – il était pris d'un besoin urgent d'aller en chercher chez sa maman. Joe Bill l'avait laissé sur le seuil de l'épicerie, l'air d'un homme qui regrettait de ne pas avoir été rapatrié dans une boîte en sapin.

Omega ne perdit pas de temps et téléphona tout de suite à sa sœur, Almarie, à qui on ne saurait reprocher d'avoir glissé deux mots à une poignée de personnes triées sur le volet. Ce n'était pas leur faute si elles étaient incapables de garder un secret. Une de ces confidentes se trouvait être la femme d'Early, Patsy. Aussi Early n'était pas tout à fait dans le noir quand il reçut le fameux appel, peu après minuit. Une voix qui ne lui était pas inconnue lui annonça :

— Vous serez intéressé d'apprendre que Yam Ferguson est mort. Je m'attends à ce que vous vouliez me parler, mais je vous serais reconnaissant de m'accorder encore quelques heures.

Early lui avait accordé bien davantage que quelques heures. Il lui avait accordé toutes ces années, et ne lui avait pas encore posé une seule question. Il savait tout ce qu'il y avait à savoir, et sa curiosité n'allait pas plus loin. En quittant l'épicerie, Toy était rentré chez lui et avait perdu les pédales. Yam avait fini sur le carreau, et Toy avait préféré qu'on ne découvre pas le cadavre sous son toit. Ce qui éviterait à Bernice de devenir l'objet de commérages. Même si ce n'était pas possible, au moins en déplaçant le corps, elle pouvait toujours feindre ignorer ce qu'il était advenu de Yam Ferguson.

À l'arrivée d'Early, il n'y avait pas une rayure sur la voiture de Yam, alors que tout l'avant était fâcheusement embouti quand il appela son bureau et informa le garde de nuit qu'il était passé par hasard devant chez Yam Ferguson et qu'il avait été étonné de voir sa voiture garée devant la maison avec Yam affalé au volant. Il s'était arrêté, le supposant malade ou soûl, mais quand il s'était approché, il s'était rendu compte qu'il avait eu un accident. Il était possible que Yam ait percuté un arbre et reçu un coup du lapin mortel. Comment avait-il fait pour rentrer chez lui ? Mystère ! Une chose était sûre : la mort l'avait emporté avant qu'il ait pu sortir de son véhicule.

La famille Ferguson ne l'entendit pas de cette oreille, et elle fit tout un foin, mais en fut pour sa peine. Le juge Graves avait perdu un fils au champ d'honneur, et depuis se mourait lui-même à petit feu. De son point de vue, Yam avait récolté ce qu'il avait semé.

La première question que posa Swan en arrivant à la hauteur de grand-maman Calla et du shérif Meeks fut :

— Qui est mort ?

— Personne, encore, répondit Calla.

Ce que Swan traduisit par : « Fais gaffe aux taloches, Swan Lake. »

Comme grand-maman Calla lui avait parlé sans quitter des yeux ce qu'elle regardait, Swan suivit la direction de son regard et crut mourir, en effet. Dans l'enclos des veaux, Willadee caressait tendrement un immense cheval blanc couvert de plaies purulentes, qu'oncle Toy badigeonnait de térébenthine. Le cheval tressaillait – de peur, ou juste à cause de la douleur – mais il supportait le traitement sans protester.

Swan, prise d'un haut-le-cœur, voulut se détourner, mais une force supérieure l'obligeait à garder l'œil rivé sur le cheval.

Le shérif se racla la gorge et cracha par terre de façon ostentatoire en disant :

— Celui qui a fait ça, il avait vraiment envie de se sentir le roi.

— Comment on a eu un cheval ? s'enquit Swan.

En fait, ce qu'elle voulait savoir, c'était si le cheval pouvait être le sien, à elle, rien qu'à elle. Elle se voyait déjà s'occupant de lui, le gâtant, étant sa meilleure amie. Si ce cheval était à elle, il ne manquerait jamais de rien, pas de la moindre chose. Elle le brosserait, elle le caresserait, elle lui donnerait des sucres. (Swan avait lu dans des livres que les enfants donnaient des sucres aux chevaux, il semblait que c'était un moyen efficace de les faire venir quand on les appelait.) Il n'y avait pas de sucre en morceaux dans la cuisine de grand-maman Calla, mais au magasin, si, et Swan se promettait de la persuader de lui en céder un paquet, même si, pour l'obtenir, elle était forcée de travailler, même si elle détestait tout ce qui ressemblait de près ou de loin à du travail. Mais faire des choses pour ce cheval – *son* cheval – ce n'était pas du travail, c'était de l'amour ; cela lui serait égal, elle y mettrait tout son cœur. Tout son cœur y était déjà.

— On n'a pas eu un cheval, c'est le cheval qui nous a eus, dit grand-maman Calla. Et pas pour longtemps. On ne tardera pas à trouver à qui il appartient et il faudra bien le rendre.

Sa bouche se serra et elle esquissa une moue amère.

— Le rendre à la personne qui lui a fait ça ? s'écria Swan, rageusement.

Le shérif Meeks intervint :

— Il faut rendre à César ce qui est à César. La loi ne dicte pas l'usage qu'un individu fait de ce qui lui appartient.

Swan en resta coite. L'espace d'une seconde. Puis ses yeux lancèrent des éclairs et elle ouvrit les bras comme si on était en train de la crucifier. Et elle hurla :

— Si vous n'avez pas l'intention de faire quoi que ce soit, qu'est-ce que vous foutez ici ?

Elle avait oublié que, sauf devant oncle Toy, il fallait surveiller son langage devant les grandes personnes.

Le shérif la fixa un moment droit dans les yeux, mais il connaissait mal Swan s'il croyait l'intimider.

— Je suis venu parce que ton oncle m'a appelé, finit-il par répondre.

Puis, se tournant vers Calla :

— Elle a une grande gueule pour une petite fille.

Early ne s'attarda pas. Il avait rendez-vous avec Bud Jenkins au café à huit heures, et il était déjà sept heures. Étant donné qu'il lui fallait une demi-heure pour gagner la ville, cela ne lui laissait pas beaucoup de temps pour être en avance.

Avant de partir, il rédigea son rapport, et promit de faire circuler l'information. Si quelqu'un se présentait, Toy devait le prier de prouver qu'il était bien le propriétaire.

191

Noble et Bienville, ayant terminé leur petit déjeuner, caressaient le cheval de leurs doigts poisseux. Snowman n'en avait cure. Bien entendu, les enfants ignoraient qu'il s'appelait ainsi. Ils se disputaient pour savoir quel nom lui donner. Noble penchait pour Buttermilk[1], comme le cheval de Dale Evans, tandis que Bienville préférait Court-comme-le-vent, parce que c'était un son qui flottait dans l'air avec quelque chose d'indien. Swan décréta que Court-comme-le-vent, c'était trop long. Quand toute une bande de hors-la-loi s'abat sur une ville, il faut être rapide si on veut la neutraliser : on ne rigole pas avec des bandits prêts à commettre un massacre. Bienville corrigea : c'étaient les Indiens qui commettaient des massacres, et les hors-la-loi des tueries, mais Swan déclara que ça ne comptait pas. Ce qui comptait, c'était de ne pas perdre de temps à courir dans le pré en criant : « Viens, Court-comme-le-vent ! »

— Sauf si on raccourcit et qu'on dise simplement « Court », conclut-elle, d'un air au-dessus de tout ça.

Quant à Buttermilk, ce nom lui rappelait le lait caillé, et pour rien au monde elle n'accepterait que le nom de son cheval évoquât cette chose abjecte.

Cette remarque faite, les enfants embrayèrent sur une deuxième discussion : s'ils le gardaient, à qui serait-il ? Grand-maman Calla trancha en déclarant qu'il n'était pas question de le garder, mais si jamais ça arrivait, le cheval lui appartiendrait. Après tout, c'était son potager qu'il avait ravagé, et elle ajouta

---

1. *Buttermilk* signifie « babeurre ». C'est le nom du cheval que monte Dale Evans dans la série TV *The Roy Rodgers Show*.

qu'aucune personne contrevenant au règlement ou se dérobant aux corvées n'aurait droit de le monter. Plus, tant qu'il était chez elle, il s'appellerait John.

—*John!?* glapit Bienville.

Et Noble d'enchérir :

— Qui a jamais vu un cheval s'appeler *John* ?

Grand-maman estima qu'elle ne leur devait pas d'explication, elle avait le droit de donner à son cheval le nom qui lui plaisait, mais par la suite, elle confia à Willadee qu'elle s'était surprise plusieurs fois, lorsqu'elle était seule, à dire tout haut le nom de son défunt mari. Maintenant, si jamais quelqu'un l'entendait, elle pourrait toujours faire semblant qu'elle parlait du cheval.

Court-comme-le-vent n'était peut-être pas un nom approprié pour un cheval, mais il aurait convenu comme un gant à Blade sur le parcours qui reliait la maison Moses à la sienne. Il était terrifié par le sort que son papa lui réserverait quand – « si jamais » étant exclu – il découvrirait ce qu'il venait de faire. Blade le savait aussi sûrement qu'il s'écorchait les bras et les jambes à toutes les ronces et autres épines qu'il ne voyait pas dans le noir mais qui tentaient de l'agripper au passage.

À l'heure où Toy Moses s'en revenait après avoir raccompagné Bootsie Phillips chez lui à la fermeture du Never Closes, Blade regagnait sa chambre par la fenêtre ouverte. Tout était sombre et bien tranquille, sans un bruit, sauf celui que faisait Blue en suçant son pouce dans son sommeil. Blade détestait dormir dans le même lit que son petit frère, surtout parce qu'il arrivait parfois à Blue de lâcher les grandes eaux au milieu de la nuit, mais aussi à cause de ce bruit.

Si Blade avait été un peu plus vieux, et moins épuisé par sa course, il se serait aperçu qu'il laissait des traces de sang sur le rebord de la fenêtre, et à quoi allaient ressembler ses draps demain matin ? Mais est-ce que voir nettement l'aurait beaucoup avancé ? Rien n'est moins sûr. Il aurait bien entendu nettoyé la fenêtre, mais cela n'aurait rien changé à l'aspect des draps. D'autant qu'ils étaient lavés tous les jours. Merci à Blue et à sa fontaine.

Blade se coucha le plus loin possible de son frère et de la flaque retenue par le drap en caoutchouc qui protégeait le matelas mais non les petits dormeurs. La pisse était froide, puait et imbibait peu à peu ses sous-vêtements, les collant à sa peau. Pourtant ce n'était pas pour cette raison qu'il frissonnait.

À cinq heures trente-six tapantes, Ras Ballenger se dirigea vers l'étable pour donner à manger au bétail et s'aperçut que le cheval d'Odell Pritchett avait disparu. En voyant la barrière ouverte, il fut comme parcouru d'un courant électrique qui descendit puis remonta plusieurs fois le long de son épine dorsale. Le vol d'un cheval, ce n'est déjà pas drôle quand c'est le vôtre, et que ses flancs ne portent pas une douzaine de plaies purulentes, mais quand il appartient à un tiers et qu'il vous incombera d'expliquer comment il a pu disparaître, et (une fois l'animal retrouvé) comment il s'est mis dans cet état, c'est encore beaucoup plus compliqué.

Ce que Ras ne comprenait pas, c'était comment qui que ce soit avait pu approcher et s'emparer du cheval sans que les chiens donnent l'alerte. Ce n'était pourtant pas le genre de toutous à accueillir les gens en remuant la queue – et personne ne venait ici assez souvent pour être accueilli en ami. Ras n'aspirait pas à avoir des amis.

Snowman n'était sûrement pas sorti tout seul de l'enclos. La chaîne qui servait à attacher la barrière était munie à ses deux extrémités de systèmes de fermeture que seuls des doigts humains étaient aptes à ouvrir. Un cheval intelligent peut à la rigueur soulever une chaîne d'un crochet, mais il ne pourra jamais dénouer une boucle.

C'était donc l'œuvre d'un être humain. Mais qui ? Pas (Ras espérait bien que non) Odell Pritchett. Il l'imaginait mal s'introduisant chez lui au beau milieu de la nuit : c'était son cheval, il viendrait le chercher en plein jour. Et de toute façon, si c'était lui, il aurait pris un van, ou un camion, l'un et l'autre auraient fait du bruit. Bon, il aurait pu se garer sur la route et conduire son cheval jusque là-bas. Mais dans ce cas, on en revenait encore une fois à la question : pourquoi les chiens n'avaient-ils pas aboyé ?

Ras s'arracha à la contemplation de la barrière et de l'enclos vide pour se retourner et regarder fixement la maison un moment.

Géraldine se levait toujours un peu plus tôt que Ras. S'il y avait une chose qu'il ne supportait pas, c'était une femme paresseuse. En entendant ses bottes sur le plancher de la véranda, elle sentit son estomac se contracter : il voudrait son petit déjeuner et elle avait à peine commencé à cuire le bacon. Depuis quand donnait-il à manger aux bêtes en moins de cinq minutes ?

Quand il entrait dans une pièce, on sentait que c'était lui, parce que l'air lui-même semblait s'accorder à son humeur. S'il était fou furieux, il devenait chaud, et même quand tout était normal (du moins pour lui), on avait l'impression qu'il crépitait comme sous l'effet d'une surtension. À cet instant, toutefois, l'air était immobile et flasque. Ce qui n'arrivait presque jamais.

Géraldine observa Ras du coin de l'œil : il avait fait irruption dans la pièce comme une tornade, sans lui jeter un seul regard. Et le voilà qui se remplissait lui-même une tasse de café : du jamais vu, ça aussi. Un homme s'échine à nourrir sa famille, il mérite bien qu'on lui serve son café. Des mots qu'elle connaissait par cœur pour les avoir entendus mille fois.

Elle avait les entrailles toutes retournées. Elle avait l'habitude d'un mari fulminant qui tapait du pied. Elle avait l'habitude, à chaque fois qu'il avait un pet de travers, de se prendre des taloches avec ce qui lui tombait sous la main. Mais là, de le voir comme ça, si détendu, si calme… c'était tout à fait inhabituel.

— T'es drôlement silencieux, lui dit-elle. (Elle n'avait pas cherché à parler en premier, mais la tension était insupportable.)

Ras s'assit à table et souffla sur son café en la regardant par-dessus sa tasse. Ses yeux étaient presque doux.

— Toi aussi, rétorqua-t-il en usant d'un ton narquois. Tu l'étais hier soir, en tout cas.

Elle le dévisagea. Que fallait-il comprendre ? Elle avait manifestement fait quelque chose qui lui avait déplu, mais quoi ?

— Je me rappelle pas avoir été silencieuse hier soir. (Elle se sentait idiote. Elle se sentait toujours idiote avec lui.)

— Et comment. Une vraie petite souris, tellement t'étais silencieuse.

Il fit marcher ses doigts sur la table ; une petite souris, courant sans bruit par-ci, courant sans bruit par-là. Zigzag, zigzag. Allers-retours. Qu'elle paraissait donc industrieuse, cette petite souris.

Géraldine tenta de se rappeler si elle avait été silencieuse la veille au soir. Ras lui avait-il adressé la parole et elle n'aurait pas répondu ? Était-elle passée devant lui sans lui parler, alors qu'il s'attendait à ce qu'elle lui dise quelque chose ? En général, il était furieux quand elle prenait la parole de son propre chef.

Le bacon étant sur le point de se carboniser, elle le retourna et appuya sur les tranches avec la spatule.

— Sûrement que j'étais silencieuse pendant que je dormais.

Ras sourit. Il *sourit*. Comme si elle avait trouvé le Sésame ouvre-toi.

— Tu confonds. Dis plutôt que t'étais silencieuse pendant que *je* dormais.

Elle fronça les sourcils. Ça sentait le roussi. Elle était tombée dans des sables mouvants dont rien ne saurait l'arracher : soit elle ne réagissait pas, et elle s'enlisait ; soit elle essayait de s'en sortir, et elle s'enfonçait encore plus vite.

—Je sais pas de quoi tu parles ! protesta-t-elle. (Autant en finir tout de suite et être débarrassée.)

— T'es peut-être somnambule. Paraît que celles qui marchent en dormant commettent des fois des trucs qu'elles regrettent quand elles se réveillent.

Géraldine inclina la tête à gauche puis à droite avec une ondulation du cou trahissant une profonde perplexité.

—J'ai jamais marché en dormant, ou alors je m'en rends pas compte. (Elle s'était voulue catégorique, pourtant son ton était hésitant – comme si elle n'était pas sûre d'elle.)

Ras tourna sa langue à l'intérieur de sa bouche et la mit dans sa joue[1], produisant sur un côté de son visage une petite bosse frétillante. Géraldine se sentit gagnée par une folle envie de rire. Mais elle se retint, toutefois. Vu la façon dont Ras la regardait – comme si elle était en effet une souris, et lui un chat, sur le point de bondir –, rire n'aurait sans doute pas été diplomatique.

Elle sortit un sac en papier kraft du placard sous l'évier et le coucha sur une assiette : pour absorber la graisse du bacon.

----
1. En anglais, l'expression «Mettre sa langue dans sa joue» sert à faire comprendre à un locuteur que l'on ne croit pas un mot de ce qu'il dit.

— Bon, dit-elle. (Elle donnait sa langue au chat.) Qu'est-ce que j'ai fait ?

— Tu te rappelles pas.

— Je me rappelle être montée me coucher.

— Tu te rappelles pas t'être levée.

Elle soupira. Ça commençait à bien faire.

— Je me suis levée il y a vingt minutes. Bien sûr que je m'en rappelle.

Elle posa l'assiette sur la table et ajouta :

— Tu vas me le dire, ce que j'ai fait, enfin ?

— Non… C'est *toi* qui vas *me* le dire.

Il se servit une tranche de bacon. Il mastiqua d'un air songeur, avec ce même sourire. Paisible.

— Et puisque je n'ai pas de cheval à dresser… J'ai toute la journée devant moi.

18

Dans son rêve, Blade courait sur la berge du ruisseau qui menait de la ferme de son papa à l'arrière de celle des Moses, et les ronces du sentier tendaient leurs lianes vers lui... elles agrippaient ses chevilles et grandissaient à la vitesse de l'éclair... elles s'enroulaient autour de ses jambes... leurs épines s'accrochaient à lui comme des hameçons et il avait très envie de s'arrêter de courir pour les empêcher de pénétrer plus profondément. Mais il ne pouvait pas, parce qu'il y avait une buse à queue rousse qui volait au-dessus de lui – une gigantesque buse, il n'en avait jamais vu d'aussi énorme – et elle fondrait sur lui au moindre signe de ralentissement, et même s'il ne ralentissait pas et courait comme le vent.

Blade ne s'était jamais senti aussi petit. Il ne devait pas être plus gros qu'un lapin.

La buse descendit vers lui en planant, les serres dépliées comme de longues lames incurvées. Blade ne voulait pas regarder. Il ne put pas s'en empêcher. Et quand il leva les yeux, il vit la figure de l'oiseau de proie. Il aurait préféré ne pas l'avoir aperçue.

C'était celle de son papa.

Blade hurla, mais aucun son ne sortit de sa bouche, juste un silence étouffant. Il s'obstina, il cria du ventre, il cria des orteils. Désarmé, désespéré, au bord d'exploser à l'intérieur, sans bruit : un lapin, ça ne crie pas.

La buse éclata de rire. Un rire cru, acide. Elle piqua sur lui et Blade poussa un deuxième hurlement, et cette fois son cri jaillit. Tous azimuts, hachant menu l'atmosphère.

Blade se réveilla en sursaut et d'un bond se dressa sur son séant. Le cœur battant à tout rompre. Ce n'était qu'un rêve : il aurait pu en pleurer de soulagement, jusqu'à ce qu'il comprenne que ce n'était pas terminé ; cela ne faisait que commencer.

Blue s'était réveillé lui aussi, mais il restait couché à renifler et à tortiller dans son poing le drap imbibé de pipi. Blade lui ordonna de se taire et se glissa hors du lit.

Le cri, qui montait en fait de la cuisine, s'arrêta net. Le bruit qui le remplaça fut encore plus atroce.

Ras tenait Géraldine par le cou et lui maintenait la tête renversée en arrière au-dessus de l'évier, le visage sous le robinet. Elle produisait un gargouillement. Elle avalait et ses poumons se remplissaient, elle parlait et ses paroles gargouillaient.

Il la redressa et s'écarta d'elle pour ne pas être éclaboussé pendant qu'elle toussait, se raclait la gorge, crachait. Il garda ses mains serrées autour de son cou. Géraldine ne tenta pas de s'échapper. Ce n'était même pas la peine d'essayer.

— La mémoire te revient ? demanda Ras.

Elle cracha ses poumons. Elle secoua la tête.

— Le cheval, articula Ras, patient. Qu'est-ce que t'as fait du canasson ?

Blade entra dans la cuisine sur ces entrefaites, et ses jambes flageolèrent. Il faillit tomber. Il s'agissait de Snowman! Lui qui avait cru dur comme fer qu'*il* serait le seul à en subir les conséquences. Pas un instant, il n'avait envisagé que la faute pourrait retomber sur quelqu'un d'autre que *lui*.

Géraldine, assez remise pour tenter de se libérer, essaya d'obliger les doigts de Ras à desserrer leur étreinte autour de son cou. Mais le seul résultat qu'elle obtint fut que Ras serra plus fort.

— … pas touché… cheval, coassa Géraldine.

Ras la secoua, violemment.

— Tu l'as pas touché, mais tu as ouvert la barrière et tu l'as laissé filer, hein?

Géraldine avait le visage cramoisi en raison de sa toux et de ses râles qu'elle ne comptait plus. En plus, elle avait le nez qui coulait.

—J'ai pas…, commença-t-elle.

Ras la traîna à l'évier. Lui tint la figure sous le robinet, comme précédemment. Elle jetait la tête à droite et à gauche, sans que cela serve à quoi que ce soit. Il fallait bien qu'elle respire, l'eau lui entrait dans la bouche et le nez. Elle se remit à gargouiller.

— T'es qu'une truie sans cervelle, grogna-t-il. J'ai jamais vu de truie avec une aussi petite cervelle.

Blade ne pouvait pas laisser son papa tuer sa maman, voyez-vous, car c'est ce qui avait l'air de se dessiner. Il se saisit de la tasse de café sur la table et la lança à la volée à travers la cuisine. Elle percuta le dos de Ras, pile entre les deux omoplates.

Ras lâcha Géraldine et fit volte-face. Personne. Blade Ballenger avait disparu.

Grand-maman Calla tint sa promesse. Personne n'eut le droit de monter son cheval à moins de bien se tenir et de participer aux corvées. Swan, Noble et Bienville se montrèrent si prévenants les uns avec les autres et avec le reste du monde toute la sainte journée que, chaque fois qu'ils lui passaient sous le nez, Willadee se penchait en respirant très fort. Une maman, disait-elle, ça reconnaît toujours ses enfants à leur odeur, même quand ils se conduisent si bizarrement qu'elle aurait du mal à les reconnaître autrement.

Et côté corvées? Ces enfants se révélèrent des acharnés du travail. Ils balayèrent la véranda, arrachèrent les mauvaises herbes des plates-bandes et récoltèrent un plein panier de haricots, le tout avant onze heures trente du matin. Après quoi, les garçons lessivèrent les vieilles pompes à essence bien cracra avant de les polir nickel-chrome, pendant que Swan, à l'aide de papier journal et de vinaigre, faisait la totalité des carreaux et des surfaces vitrées du magasin de Calla. Ça brillait si fort que les clients, en descendant de voiture, mettaient leur main en visière devant leurs yeux.

De temps à autre, les enfants allaient se planter devant Calla, la contemplaient avec adoration et lui assuraient qu'elle était la *vieille personne* la plus merveilleuse du monde et qu'ils étaient tellement heureux d'être ses petits-enfants. Calla hochait la tête et leur disait qu'elle ne savait pas de qui ils étaient les petits-enfants, mais qu'elle était sacrément contente qu'ils soient passés lui rendre visite pour lui donner un coup de main.

En milieu d'après-midi, Willadee décida que les mômes en avaient fait assez. Elle commençait à être fatiguée de les entendre bourdonner autour d'elle. Calla admit qu'elle aussi avait la tête qui lui tournait, et que, de toute façon, elle avait tiré d'eux plus d'efforts qu'elle ne pensait jamais pouvoir en tirer. C'est ainsi que les enfants furent libérés.

Mais grand-maman Calla refusait toujours de leur laisser monter son cheval.

— Vous imaginez comment vous vous sentiriez si vous étiez dans son état, leur dit-elle. Qu'est-ce que vous diriez d'avoir une bande de gamins qui vous grimpent sur le dos et s'assoient sur vos bobos ?

Bienville fit observer qu'ils ne pourraient jamais être dans le même état que John, à cause de leurs deux jambes, alors que lui en avait quatre. Calla n'eut pas l'air d'apprécier la logique.

— Ce n'est pas la seule différence entre vous, repartit-elle, et tu devrais t'en féliciter. Ce cheval s'est pris une gigantesque raclée.

Elle n'ajouta pas (contrairement à son habitude) qu'ils récolteraient eux aussi quelques taloches s'ils ne filaient pas droit et tout de suite. De toute façon, d'une part, ils étaient déjà partis à tire-d'aile et, d'autre part, elle n'était pas d'humeur aujourd'hui à faire des bruits menaçants. À force de regarder ce cheval, et les longues balafres dont quelqu'un l'avait gratifié, un repli secret de son âme s'était mis à nu. Ce John-ci produisait sur elle un effet que l'autre John avait cessé de susciter bien avant de se fourrer dans le crâne le projet de se tuer. John le cheval réveillait la tendresse de Calla Moses.

Ce fut Noble qui persuada grand-maman Calla de les autoriser à emmener John avec eux dans les Badlands. Pour pister des hors-la-loi en pays inhospitalier (une expression empruntée à Bienville), on se déplaçait forcément à pied. Lorsque le pays est inhospitalier, on est obligé régulièrement de s'accroupir et de plisser très fort les yeux, et d'examiner le sol pour voir si des cailloux ont été bougés, ou si des bottes ont laissé dans la terre la marque de leurs talons. On cherche aussi les crachats, signes qui ne trompent pas (le hors-la-loi étant sujet à des toux encombrées). Bref, on ne peut pas suivre une piste en montant et en descendant de cheval sans discontinuer. C'est trop fatigant, et en plus ça vous ralentit.

Calla ne voyait pas de mal à ce que les enfants emmènent le cheval en expédition, tant qu'ils se contentaient de le mener par la bride, mais elle leur précisa qu'ils auraient de gros ennuis si jamais elle s'apercevait qu'ils étaient montés sur son dos.

« Le mener par la bride », c'est exactement ce qu'ils allaient faire. Rien d'autre, *juré*.

— Et on trahirait pas notre promesse à une gentille petite vieille dame comme toi, prononça Swan, passionnément.

Calla ne s'était encore jamais entendue autant qualifier de « vieille » en une seule journée, mais elle laissa passer. Quant à lui donner du « petite », personne ne s'y était aventuré depuis la première nausée matinale de sa première grossesse. Plus vite les mômes seraient partis pour les Badlands sur la piste des hors-la-loi et des crachats de ces messieurs, plus vite elle pourrait s'asseoir et profiter du silence.

Ras Ballenger n'eut pas à se demander comment cette tasse avait atterri entre ses omoplates. Elle n'avait pas volé toute seule. Il se rua dans la chambre des garçons.

Blue, assis dans son lit, criait, mais pour une fois, Ras ne fit pas attention à lui. Il fonça droit sur la fenêtre ouverte et fouilla la cour du regard. Blade n'était visible nulle part. C'est en s'appuyant au montant de la fenêtre pour réfléchir, qu'il remarqua des taches de rouille sur le bois. Il lécha son doigt et le passa sur les taches : la couleur déteignait sur sa peau.

Ras leva son doigt et l'étudia. Puis il se retourna et promena les yeux dans la pièce. Il n'y avait pas grand-chose à voir – sauf quelques points de rouille sur les draps que Blue tenait tire-bouchonnés sous son menton. Ras ébouriffa les cheveux de Blue et étudia les draps de plus près. Blue avait cessé de crier et regardait lui aussi fixement les draps : tout ce que fait papa, je le fais.

—J'aurais dû donner ce garçon aux chiens le jour de sa naissance, laissa tomber Ras.

Par déduction, Ras conclut que Blade saignait quand il était revenu en douce cette nuit après son forfait. Il se sera blessé d'une façon ou d'une autre, se dit-il. Il aura emmené le cheval sur la route pour le lâcher, et il aura fait une chute et se sera éraflé les coudes et les genoux sur les gravillons. Ou bien il se sera griffé à des branches qu'il ne voyait pas dans le noir.

Ras doutait que Blade ait pu «emmener» Snowman *où que ce soit*. Le cheval était grand, le garçon petit, et l'expérience de Blade en matière chevaline se cantonnait à des stations prolongées à la barrière de l'enclos d'où il regardait ce qui s'y passait avec de la pitié dans les yeux. Deux choses néanmoins étaient sûres : Blade Ballenger s'était débarrassé de Snowman... et il allait le regretter.

En temps voulu. Pour l'heure, il fallait de toute urgence retrouver le cheval d'Odell Pritchett.

Ras sauta dans son pick-up. Il n'eut pas beaucoup de route à faire. Le premier endroit où il s'arrêta fut la carrosserie de Calvin Furlough, parce que Calvin «savait toujours tout sur tout». Il le trouva dans son atelier, occupé à débosseler le capot d'une Nash Rambler avec un maillet en caoutchouc, et ça n'a pas loupé : Calvin était au courant. Il était descendu chez «Miz Calla» un peu plus tôt pour s'acheter du tabac à chiquer et n'avait même pas pu se faire servir, à cause d'une petite réunion de famille près de la grange autour d'un grand cheval blanc. Finalement, il s'était servi lui-même et avait laissé l'appoint sur le comptoir.

— Le shérif était là aussi, précisa Calvin. Me demandez pas pourquoi.

Ras n'avait aucune intention de demander pourquoi. Il était en train de se dire qu'il y a toujours moyen, quand on est assez futé pour trouver le bon angle, de tourner les choses à son avantage.

En l'occurrence, il se révéla moins futé qu'il ne le pensait.

Early Meeks arrachait des allumettes en carton de leur pochette et d'une pichenette les envoyait dans le mocassin d'eau enroulé sur lui-même au coin de son bureau avec la gueule grande ouverte découvrant ses crocs. Early avait tué le serpent dans une tourbière derrière chez lui deux ans plus tôt, et l'avait fait empailler dans une posture qui permettait d'y insérer un cendrier. Et comme il avait entendu dire que la morsure de ces reptiles pouvait être aussi venimeuse morts que vifs, par mesure de prudence, il avait demandé que l'on pose sur ses crocs un vernis qui, avec le temps, virait au jaune.

Le cendrier était à moitié plein d'allumettes lorsque Ras Ballenger fit irruption dans son bureau en braillant qu'on lui avait volé un cheval pendant la nuit. Ses chiens avaient aboyé, il s'était rué dehors avec son fusil, le temps de voir le voleur s'enfuir au galop sur son meilleur cheval. Il n'avait pas tiré, de crainte de toucher l'animal.

Early se renfonça dans son fauteuil et écouta, en bon représentant de l'ordre. Il n'interrompit pas une fois Ras, histoire de laisser le nabot déblatérer et se trahir lui-même.

— Il n'avait pas une griffure en partant de chez moi, conclut Ras en tapant du poing sur le bureau d'Early, et y a pas intérêt qu'on me le rende amoché !

Early se gratta l'oreille du bout du doigt, et regarda Ras comme s'il tentait de faire la somme de choses qui ne peuvent, par définition, pas s'additionner.

— Vous ne pensez pas que c'est *moi* qui ai volé votre cheval ? demanda-t-il.

Les yeux de Ras se révulsèrent un peu : il était pris de court.

—Je n'accuse personne… je porte plainte !

— Ah, bon. On croirait pourtant à vous entendre que vous me tenez responsable de ce qui a pu arriver à votre cheval.

Ras recula, soudain hostile, et contempla le shérif bouche bée :

—Je disais rien dans ce sens.

Early afficha une mine imperturbable. Comme si cette conversation avait des sous-entendus d'une profondeur insondable.

— Ainsi vous pensez que le voleur a décampé avec votre cheval puis a décidé qu'il ne lui plaisait pas tant que ça, alors il l'a blessé par pure méchanceté avant de l'abandonner quelque part où je pourrais facilement le trouver ? (Il se gratta de nouveau l'oreille.) D'habitude, les voleurs de chevaux approchent un van du pré, chargent l'animal dedans et filent dans le comté voisin. J'ai jamais entendu parler d'un voleur qui entre à pied dans une propriété, tout près de la maison, au milieu des chiens et tout, et puis s'en va en chevauchant son larcin, rien que pour le rouer de coups, avant de repartir d'où il est venu, toujours à pied. Je me demande bien comment il a fait pour rentrer chez lui, ce lascar.

Ras se redressa comme mû par un ressort. Il se rendait compte qu'Early se fichait de lui, mais il n'avait pas le choix : il fallait qu'il aille jusqu'au bout.

— Tout ce que je dis, c'est qu'on me l'a volé. Et c'est votre boulot de le retrouver.

Early sourit. Un sourire spécial. Celui qu'il réservait uniquement à certains individus : les individus sur qui il ne pisserait même pas s'ils prenaient feu. Puis il se leva, ou plutôt se déplia, comme une échelle

209

se déplie. Ras se dressa de toute sa modeste hauteur. Early s'attendait presque à ce qu'il monte d'un bond sur son bureau, afin d'être celui qui regarde l'autre de haut.

—Je vais me renseigner, lui assura Early.

Il n'allait pas lui dire qu'il savait déjà où se trouvait le cheval, et Ras n'allait pas lui dire qu'il savait qu'Early savait. Chacun gardait pour soi ses petits secrets.

Après le départ de Ras, Early se rassit, arracha une allumette à la pochette et la jeta dans le cendrier au creux de la spirale du mocassin dressé au coin de son bureau, la gueule ouverte et les crocs en avant. Par la fenêtre, il vit Ras se diriger rapidement sur ses petites jambes vers son Apache rouge garé le long du trottoir. Sous le soleil estival sa peau mate et ses cheveux noirs rutilaient comme la peau mouillée d'un serpent.

Le shérif Early Meeks tressaillit. Il avait peut-être eu tort de rabattre son caquet à cet individu. Manifestement, il avait tellement besoin de se sentir important qu'il n'hésiterait pas à se défouler sur une créature sans défense ou quelqu'un de plus petit que lui.

En regardant Ras monter dans son pick-up et démarrer sur les chapeaux de roues, Early ne put s'empêcher de penser : «En voilà un qui a un couteau entre les dents.» Le moment venu, Early serait trop content de l'accueillir entre ses murs, mais en attendant, Dieu sait qui ou quoi allait souffrir. Early aurait bien voulu l'arrêter, conformément à son nom,… par avance.

19

Ras prévoyait qu'il lui faudrait bientôt, à moins de trouver une combine pour l'éviter, téléphoner à Odell Pritchett pour lui annoncer que son cheval était porté disparu. Cela le révoltait d'avoir à lui dire une chose pareille, alors qu'il n'avait pas du tout disparu, il n'était tout simplement pas là où il aurait dû être. Il devait bien y avoir moyen de le récupérer.

Mais il n'y en avait pas. Il avait déjà surestimé ses atouts en ouvrant sa grande gueule devant Early Meeks. Maintenant, Meeks savait d'où provenait le cheval, et s'il redisparaissait, saurait où aller le chercher.

Son entretien avec le shérif s'était très mal, mais vraiment très mal passé. L'intention de Ras au départ avait été de signaler que le cheval avait été volé et que, par conséquent, pendant un laps de temps, il n'avait plus été en sa possession, ce qui lui permettrait de se dédouaner au moment où Odell piquerait une crise en découvrant l'état de son cheval. Les gens étaient de vrais ignares en ce qui concernait les animaux. Ils voulaient des résultats, mais n'avaient pas le cran d'envisager les moyens pour y parvenir.

En rentrant chez lui, Ras vaqua à ses occupations habituelles et mangea ce qu'il y avait dans l'assiette que Géraldine posa devant lui, en levant la main chaque fois qu'elle ouvrait la bouche. Il n'adressa même pas un mot à Blue.

Il retardait le moment d'appeler Odell, parce qu'il n'avait pas encore mis une stratégie au point. Il n'était pas parti à la recherche de Blade non plus, en dépit des supplications et des gnagnagna de Géraldine. Rien ne le pressait. Que ce petit salopard goûte un peu de la vie à la dure, sans rien à manger, à coucher par terre. Dans un jour ou deux, il verrait bien s'il aimait ce qu'il lui réservait.

Blade Ballenger passa l'après-midi au bord du ruisseau, à épier les enfants Lake jouant à pister des hors-la-loi. En fait, c'étaient moins les signes de piste qui les occupaient que le cheval. Ils l'emmenaient boire un peu d'eau, lui gratouillaient les oreilles et le ventre, et quand la grande bête se coucha sur l'herbe du pré, ils s'étendirent tout autour de lui en se servant d'elle comme d'un oreiller.

Blade brûlait de courir jouer avec eux, mais il n'osait pas se montrer. Il ne pensait pas que la fille irait rapporter à ses parents qu'elle l'avait vu (elle lui avait permis de dormir une fois dans son lit) mais il était moins sûr pour les garçons. En plus, ces enfants étaient bien habillés et plutôt propres, tandis qu'il n'avait sur le dos que ce qu'il portait la veille en se couchant – un tricot de corps déchiré et un caleçon, d'une saleté repoussante, avec le sang, la pisse de son frère et la terre de dessous la maison où il s'était caché après avoir sauté de sa fenêtre ce matin. Il était resté là-dessous, si terrifié qu'il osait à peine respirer, jusqu'à ce que son papa saute dans son camion, et alors il avait foncé dans les bois.

Et maintenant, il était dans de beaux draps. Il ne pouvait pas rentrer chez lui et il n'avait nulle part où se réfugier. Ne lui restait plus qu'à se tenir le plus tranquille possible et regarder ces enfants jouer avec le cheval qu'il avait sauvé. Il finirait bien par se passer quelque chose.

Mais à demeurer immobile sans bouger, il arrivait à peine à garder les yeux ouverts. Il était mort de fatigue, et son ventre était plus que creux. Il n'avait rien avalé de la journée. Il avait les yeux secs, comme s'il avait du sable dedans. Il cilla des paupières, très fort, et ce fut terminé. Une fois les paupières fermées, elles restèrent closes. Lorsqu'il les rouvrit, il faisait noir, et les enfants avaient disparu.

Blade dormit cette nuit-là dans la grange des Moses, mais pas avant de s'être glissé dans la maison et avoir mangé un morceau. À force de rôder autour de cette maison, il en connaissait la routine. Il savait quelles lumières s'éteignaient en premier, et lesquelles se rallumaient plusieurs fois avant que toutes les fenêtres deviennent noires pour la nuit.

Il savait comment traverser la pelouse sans que personne ne le voie, et comment se confondre avec les ombres quand un type sortait en titubant du Never Closes pour pisser dans les buissons.

Il savait aussi sur quelles lattes poser le pied pour éviter de faire grincer le plancher de la cuisine, et il savait où tout était rangé. Les restes de pain de maïs, à l'arrière de la cuisinière, sous un torchon. Ces derniers temps, il y avait aussi des tranches de gâteau et parfois même de tourte. Dans la glacière, il y avait d'autres restes, parfois dans des bols recouverts d'une assiette, mais le plus souvent dans des bocaux fermés. Il avait une nette préférence pour ces derniers, qu'il pouvait emporter d'un bloc, au lieu d'avoir à piocher dans les bols en espérant ne pas être entendu. Blade se doutait que les dames étaient attachées à leurs bols, et n'aimeraient pas les voir disparaître, alors que qui s'inquiéterait pour un bocal manquant?

Il savait beaucoup de choses pour un garçon de son âge, mais il ne savait pas tout. Il ne savait pas, par exemple, que Samuel Lake restait parfois assis dans la salle à manger, dans le noir, une fois tout le monde au lit, afin de faire le point sur sa situation et d'examiner les améliorations envisageables. Samuel avait vu Blade une ou deux fois repartir avec des bocaux de haricots verts et des morceaux de pain de maïs, et il le surveillait discrètement, en laissant son dessert dans son assiette sur la cuisinière après le dîner («Pour plus tard», disait-il à Willadee: au cas où il lui viendrait une petite faim pendant la nuit).

Cette nuit-là, Samuel était de nouveau dans la salle à manger et, quand Blade sortit, il le suivit. En silence. En laissant assez de distance entre eux pour ne pas se faire remarquer.

Blade s'enferma dans la grange, et consomma son dîner avec appétit. Après quoi il cacha les bocaux sous un tas de foin pourri avec les autres: il commençait à y avoir là une belle collection de bocaux vides. Puis il s'enfouit lui-même dans le foin et se roula en boule comme un renard au fond de son terrier.

Il dormit.

À un moment donné au cours de la nuit, un drap immaculé se déposa sur lui, à la manière d'un nuage, avec dessus des vêtements propres. Le drap sentait aussi bon qu'un rayon de soleil, et lorsque les lueurs de l'aube s'insinuèrent dans les fissures des vieux murs de la grange, Blade mit plusieurs secondes à se réveiller, à s'apercevoir de ce qui s'était passé, et à en déchiffrer le sens.

Cela signifiait qu'il était chez lui.

20

Au petit déjeuner, Samuel demanda à la ronde si quelqu'un avait par hasard remarqué un petit garçon aux cheveux noirs qui rôdait dans les parages comme s'il n'avait pas de domicile, et tous eurent l'air de tomber des nues, surtout Swan. Elle affirma n'avoir jamais remarqué de petit garçon aux cheveux noirs ni personne d'autre d'ailleurs, car dans le cas contraire, elle se serait empressée d'en avertir une grande personne.

Willadee prit note de l'ardeur avec laquelle avait été prononcée cette réponse, avec l'intention d'y repenser plus tard, sans doute en mettant Swan sur la sellette.

Samuel leur apprit alors qu'il avait aperçu le petit coquin à plusieurs reprises. En fait, il l'avait vu la nuit passée, en train de voler de la nourriture à la cuisine. Encore.

Grand-maman Calla regarda Samuel de travers et haussa ses sourcils si haut qu'ils se confondirent presque avec ses cheveux.

Elle répéta «Encore» tout à la fois comme si elle posait une question et comme si elle jouait à l'écho.

—Je sais, j'aurais dû en parler plus tôt, admit Samuel. Son petit manège a commencé il y a des semaines.

—Je comprends maintenant pourquoi nous sommes à court de bocaux, opina grand-maman Calla. Moi qui croyais que les mômes les cassaient et cachaient les tessons pour ne pas se faire gronder.

En règle générale, c'était typiquement le genre de remarque qui mettait Swan hors d'elle : être accusée d'une bêtise qu'elle n'avait pas commise, mais là, la règle n'était plus générale. Aussi, au lieu de se mettre en colère, elle se tint très, très tranquille et s'efforça de ne pas avoir l'air d'une gamine qui en savait plus long qu'elle ne voulait bien l'avouer.

Samuel déclara :

— Au début, je pensais qu'il avait des parents, et que la famille n'avait pas assez à manger, mais hier soir, j'ai eu des doutes.

Il leur raconta qu'il avait suivi le gamin jusqu'à la grange, où il s'était enfoui dans le foin, comme un pauvre petit chien abandonné au bord de la route.

—J'ai sorti un drap propre de l'armoire et je l'en ai couvert, précisa Samuel à Calla. J'espère que vous ne m'en voudrez pas.

Calla lui assura qu'elle ne lui en voulait pas du tout, les draps, c'était fait pour ça, couvrir les gens, sinon pourquoi on en aurait ?

Lorsque Bienville comprit que Samuel avait aussi emporté dans la grange quelques-uns de ses vêtements parce que le petit bonhomme n'avait que d'infects haillons, il parut se mettre au garde-à-vous, tant il était fier, à croire qu'on venait de lui annoncer que son grand-oncle s'appelait Abraham Lincoln.

—Je pourrais pas en vouloir au petit bonhomme de porter mes vêtements, déclama-t-il presque. À quoi sert d'avoir plus d'habits que nécessaire, si on est pas prêt à partager ?

Au bout de la table, Bernice, qui tenait la main d'oncle Toy comme la tendre épouse qu'elle était déterminée à paraître vaille que vaille, faillit s'étrangler à cause de toute cette guimauve. De son point de vue, un peu de bonté, c'était très bien, mais il ne fallait pas la laisser proliférer.

— Il doit bien avoir des parents, fit-elle observer de sa voix la plus stupide. Nous devons trouver qui ils sont.

— Ses parents ne sont peut-être pas des gens honnêtes, argua Swan. Son papa est peut-être qu'un vieux fils…

Samuel la regarda avec la sévérité appropriée en devinant l'énormité que sa fille s'apprêtait à proférer, juste à temps pour rattraper le coup.

— … *filou*, et le gamin a peur de rentrer chez lui.

Willadee rédigea mentalement une deuxième note.

Toy Moses repoussa son assiette, et alluma une cigarette.

Les familles Moses et Lake firent quelque chose qu'elles n'avaient encore jamais fait : elles s'agglutinèrent à la fenêtre après le petit déjeuner pour guetter le moindre signe de vie du côté de la grange.

— Je parie qu'il est déjà loin, commenta Noble, déçu.

Lui qui se réjouissait de rencontrer un gamin qui dormait dans les granges des autres et volait de la nourriture dans des cuisines inconnues au milieu de la nuit. Voilà un gamin qui ne pouvait manquer d'être *formidable* !

— S'il mange et dort ici, où aurait-il pu aller ? objecta Willadee.

Et Calla de souffler :

— J'avais la même impression quand j'attendais qu'une de mes vaches vêle.

Blade Ballenger n'était pas loin. Il avait passé les vêtements de Bienville. La chemise lui descendait aux genoux, ce qui était une bonne chose, car le pantalon était tellement grand pour lui qu'il n'arrêtait pas de le perdre.

Il avait honte de porter des vêtements aussi propres, alors que lui était si sale, et il n'avait aucune envie de se présenter comme ça, par crainte du ridicule. Il demeura donc dans la grange, attendant et redoutant tout à la fois le moment où quelqu'un sortirait de la maison. Ces gens-là, ils étaient gentils, forcément, seuls les gens gentils viendraient couvrir un enfant dans la nuit avec un drap qui sentait aussi bon qu'un rayon de soleil. Qui sentait l'espoir. Mais il avait quand même peur.

Au bout d'un moment, il s'aventura au-delà du seuil de la grange et s'assit par terre, en tailleur, le regard levé vers la maison. Et attendit.

Ils le virent tous en même temps, et tous se mirent à ouhouher et à ahaher comme s'ils assistaient en effet à la mise bas d'un veau. Tous sauf Toy, qui avait compris avant même que le gamin montre le bout de son nez, et Bernice, qui ne s'excitait jamais pour les mêmes raisons que tout le monde.

— Le voilà ! Le voilà ! beuglait Noble.

Et Bienville de souffler :

— Punaise…

Et Calla :

— Mais, c'est-y pas les vêtements de Bienville ?

Willadee glissa un regard à Samuel – elle était fière de lui – mais il ne le lui rendit pas. Il était trop ému pour regarder quiconque dans les yeux, même Willadee.

Swan s'élança en déclarant :

— Vaut mieux que ce soit moi qui lui parle en premier. Je sais m'y prendre avec les enfants.

Les pages du calepin virtuel de Willadee se remplissaient rapidement.

Pas un muscle de Blade ne tressaillit quand il vit Swan jaillir de la maison et traverser la pelouse ventre à terre. L'instant d'après, elle se planta devant lui.

— Fais semblant de pas me connaître ! murmura-t-elle d'une voix sifflante. Mes parents seraient furieux s'ils apprenaient que je t'ai laissé dormir dans ma chambre.

Les yeux de Blade s'arrondirent et il fit mine de se sauver : la fréquentation de parents furieux ne lui disait rien. Swan le retint par le bras.

— T'inquiète pas, le rassura-t-elle. Quand mes parents à moi sont furieux, il se passe pas grand-chose.

Blade se détendit un peu. De toute façon, il n'avait pas vraiment envie de se sauver. Ce dont il avait vraiment envie, c'était d'un petit déjeuner.

— Comment ça se fait que t'as dormi dans notre grange ? s'enquit Swan.

Blade eut un haussement d'épaules qui en disait long.

— Bon, c'est pas grave, enchaîna Swan. J'étais juste curieuse.

Blade eut un deuxième haussement d'épaules, après quoi il remonta le pantalon de Bienville sous ses aisselles.

Swan lui passa un bras autour des épaules et le regarda dans les yeux d'un air de conspirateur :

— Bien, je parie que t'as faim. Viens avec moi, ma maman va te préparer un truc, et en chemin je vais te dire ce qu'il faut que tu dises et ce qu'il faut que tu dises pas.

On n'avait jamais vu un gamin aussi petit engloutir d'aussi gigantesques quantités de nourriture que Blade Ballenger ce matin-là, et on n'avait jamais vu autant de gens communier dans une même fascination autour d'un gamin de ce genre. Swan s'était assise à côté de lui, pour pouvoir lui donner des coups de coude si jamais il déviait de sa version des faits. Sauf que personne ne lui posait de questions. On lui disait seulement des choses comme : « Tu veux plus de beurre sur tes pancakes ? » et « Tu as encore une petite place pour deux tranches de bacon ? » Auxquelles il répondait bien sûr par : « Oui. » Il ne fournit de lui-même aucune autre information. Mais Swan, si.

— Il s'appelle Blade, annonça-t-elle, comme si elle venait de le découvrir deux minutes plus tôt. Ses parents ont été emportés par la tornade. Il n'a plus personne pour s'occuper de lui, alors, qu'on le veuille ou non, il va falloir l'adopter.

Toy, à l'autre bout de la pièce, appuyé de l'épaule au chambranle de la porte, faillit perdre l'équilibre devant l'énormité du mensonge. Il en comprit toutefois la raison. Swan avait vu comment Ras Ballenger traitait le garçon le jour où ce dernier s'était arrêté devant le magasin et elle refusait l'idée de le renvoyer à cette mauvaise vie. Cette gamine avait beau être souvent dure comme une coquille de noix, elle possédait des océans de tendresse cachés.

Toy n'était pas le seul à détecter les blancs dans le récit de Swan. Samuel savait mieux que quiconque que l'enfant n'avait pas attendu l'orage pour hanter les lieux. Quant à Willadee et Calla, elles savaient que Swan mentait. Noble et Bienville n'étaient pas sûrs, mais Bernice (n'ayant ni enfants, ni instinct maternel, ni expérience des menteurs – elle-même exceptée) goba la fable, hameçon, ligne et bouchon compris.

— On ne peut pas l'adopter rien que parce que c'est un orphelin, dit-elle à Swan.

— C'est pas un « C'est », c'est un « Il », rectifia Swan. Et *Il* est un orphelin.

— Oui, bien sûr, acquiesça Bernice. *Il* est sans famille, et pour leur propre bien, quand ils sont sans famille, les petits garçons doivent être confiés aux services sociaux.

Le regard que lui jeta Blade montrait qu'il n'avait aucune idée de ce dont elle parlait, mais que ça ne lui plaisait pas du tout.

— Personne ne va livrer personne pour l'instant, intervint grand-maman Calla, d'une part, parce que ça ne lui plaisait pas non plus et, d'autre part, parce qu'elle n'aimait pas Bernice. Bonté divine ! On n'a pas encore entendu la fin de l'histoire.

Elle fit signe à Swan de continuer, comme si la vérité pouvait tout d'un coup se mettre à tomber de sa bouche comme des perles.

Swan n'avait pas prévu cette complication. Dans son esprit, Blade serait forcément invité à s'installer chez eux, et on n'en parlerait plus. Bien sûr, elle soupçonnait quelques difficultés – les parents de Blade tenteraient de le récupérer et il faudrait les convaincre que Blade était plus heureux chez des gens qui ne le battaient pas comme plâtre rien que parce qu'il se montrait amical. Mais c'étaient de ces choses auxquelles on préférait ne pas penser avant qu'elles s'imposent d'elles-mêmes.

Grand-maman Calla la fixait comme si elle attendait une réponse.

— Eh bien, il a beaucoup de chagrin à cause de la perte de ceux qu'il aimait...

Samuel l'interrompit :

— Attention, Swan, Dieu t'écoute.

Il avait enseigné à ses enfants à dire la vérité, et à avoir foi dans le Seigneur pour la suite : le moment semblait venu de mettre ce principe à l'épreuve. Mais Swan était déjà allée trop loin sur le chemin du mensonge.

— Je sais, répliqua-t-elle d'un ton solennel. Et Dieu sait comme il est déchiré...

En dépit de son amour de la vérité et de sa haine du mensonge, Samuel n'eut pas le cœur de dénoncer

Swan. Pas avec ce petit garçon qui la contemplait comme si elle était un ange de lumière. Et qui regardait Samuel comme s'il tenait sa vie entre ses mains.

Ce fut donc Samuel, et non Swan, qui fit machine arrière.

— Tu pourras nous raconter toute l'histoire une autre fois.

Swan retint un soupir de soulagement.

— Pour le moment, poursuivit Samuel, j'ai du travail, et, les mômes, je voudrais vous voir donner un coup de main à la maison.

— Oh! je n'ai pas besoin de coup de main aujourd'hui! entonna grand-maman Calla. Ils en ont tellement fait hier, je n'en suis pas encore revenue.

Une fois les enfants dehors, Bernice débarrassa la table pendant que Willadee remplissait l'évier d'une eau chaude et savonneuse.

— Je ne comprends pas pourquoi personne n'a l'air de prendre cette affaire au sérieux et ne signale ce pauvre petit orphelin aux services compétents.

— Parce que ce n'est pas un orphelin, l'informa Toy. Ses parents vivent pas loin d'ici, au bout de la petite route qui traverse les bois de lilas des Indes.

Bernice en lâcha presque sa pile d'assiettes.

— C'est le fils de *Ras Ballenger*? (Elle vivait peut-être dans un monde à elle, mais à la base, elle était du coin.)

— Qui est Ras Ballenger? s'enquit Willadee. (À la base, elle était du coin, mais elle n'y vivait plus depuis longtemps. Les Ballenger étaient arrivés dans le pays après qu'ils se furent envolés, Samuel et elle, pour la Louisiane.)

— Le beau-fils de Satan, spécifia Calla, qui s'empressa toutefois d'adoucir son propos : Du moins, c'est l'impression que j'ai quand je le croise.

— Mais enfin, cet enfant ne peut pas rester ici ! protesta Bernice d'une voix perçante. Je ne dormirai pas dans une maison où l'on cache un enfant fugueur.

Calla eut envie de lui dire que le monde était grand et qu'elle pouvait aller dormir où elle voulait, mais elle se retint.

Samuel dit :

— Je vais le déposer chez lui en chemin.

Willadee et Calla s'efforcèrent de ne pas avoir l'air anxieux, mais en leur for intérieur, elles n'en menaient pas large.

Dehors, Noble, Bienville et Swan montraient le Territoire à Blade.

— Tout là-bas, c'est les Badlands, énonça Noble en désignant le pré. Et plus loin, ajouta-t-il en tendant la main vers le ruisseau, c'est la Big River.

Blade opina avec gravité et remonta le pantalon de Bienville sous ses aisselles. Noble pointa le menton dans la direction du poulailler.

— Et là, c'est le saloon. Tu peux pas entrer, à cause du coq, il te déchiquetterait avec ses ergots, mais tu peux rester dehors et commander un verre de salsepareille.

Blade opina de nouveau. Cela faisait beaucoup de choses à retenir.

Noble montra du doigt l'enclos des veaux, où le grand cheval blanc affichait un air solitaire :

— Et là-bas, c'est le Canyon. Il sert à prendre au piège les hors-la-loi pour pouvoir leur tirer dessus à la sortie.

Blade cligna des yeux, mais ne prononça pas un mot. Swan lui passa le bras autour des épaules, comme s'ils étaient de vieux amis.

— Ce que tu ne dois jamais oublier dans le Territoire, l'informa-t-elle, c'est que les Gentils sont contre les Méchants, et que les Gentils gagnent toujours.

Blade espérait qu'il pourrait être un Gentil. D'après le peu qu'il parvenait à saisir, le statut de Gentil présentait un certain nombre d'avantages. Swan, sans le lâcher, se dirigea vers le Canyon. Noble et Bienville les escortèrent.

— Aujourd'hui, nous recherchons un gibier de potence du nom de Dawson, expliqua Swan. Il empoisonne tous nos points d'eau, tu comprends, il veut la ruine des ranchers, pour leur voler leurs terres et les revendre au chemin de fer.

Noble déclara :

— C'est moi le Shérif.

Swan enchérit :

— Et moi le Marshal des États-Unis.

Bienville amorça une série de signes métaphoriques, déclinant sa propre identité, mais comme Blade ne connaissait pas le langage des signes, il se borna à regarder Swan, puisqu'elle semblait avoir toujours réponse à tout.

— C'est l'Éclaireur indien sourd-muet, le renseigna en effet Swan. Il ne peut pas parler, et il ne t'entend pas quand tu parles, alors tu peux raconter ce qui te passe par la tête.

Noble précisa :

— Tu peux même dire qu'il est moche comme un pou et pue la bouse de vache, il croira que c'est un compliment.

Pour prouver qu'il avait raison, il se tourna vers Bienville et, avec un largissime sourire, débita :

— T'es moche comme un pou et tu pues la bouse de vache.

Bienville lui rendit son sourire, en hochant la tête de haut en bas, comme pour dire qu'il était entièrement d'accord avec lui. Blade éclata de rire. Il ne s'était jamais autant amusé.

Swan proposa :

— Bon, maintenant, on va étudier qui *toi* tu vas être.

Noble avait déjà réfléchi à la question. Il pensait que Blade serait très bien en petit Mexicain. Ils l'auraient découvert errant dans le désert à demi mort de soif et lui auraient donné à boire avec leurs gourdes et après ça il se serait mis à les suivre partout. Bienville s'y opposa, arguant qu'ils avaient besoin d'un second Indien. Swan décréta qu'un seul Indien, ça suffisait, mais qu'en revanche elle aurait l'usage d'un Adjoint.

Pendant qu'ils se chamaillaient, Blade se glissa à l'intérieur de l'enclos. En entendant la barrière grincer en s'entrouvrant, les autres tournèrent vivement la tête, juste à temps pour voir Blade s'approcher du cheval. Ils se ruèrent pour le protéger, mais il n'avait pas besoin de protection. Il leva les mains en l'air, et le cheval baissa la tête. Ce furent de belles retrouvailles.

— Tu ne devrais pas caresser un cheval que tu connais pas, le gronda Noble. Cette fois-ci, tu as eu de la chance, mais imagine si ç'avait été un étalon ombrageux?

— Mais si, je le connais, répondit Blade en frottant son bout de nez aux naseaux de Snowman. N'est-ce pas qu'on se connaît, Snowman?

Swan soupira. Pas qu'elle ait envie de contrarier son petit copain, mais il fallait remettre les pendules à l'heure.

— Tu ne peux pas rebaptiser les chevaux des gens non plus. Il s'appelle John, et il appartient à grand-maman Calla.

— Son nom est pas John, c'est Snowman, affirma Blade. Et il appartient à M. Odell Pritchett.

Noble, Bienville et Swan regardèrent Blade d'un air de se demander s'il n'était pas tombé sur la tête. Voilà sans doute pourquoi ils ne virent pas approcher oncle Toy, lequel venait chercher Blade Ballenger: Samuel allait le ramener chez lui.

21

Dès que Blade comprit le sort qui lui était réservé, il fit mine de détaler. Il faut dire qu'il ne pouvait pas aller bien loin. Pour commencer, il se trouvait à l'intérieur d'un enclos. Il s'élança pour escalader la clôture, mais Toy l'attrapa par-derrière et le tint à bout de bras pendant qu'il ruait, griffait et hurlait comme une âme en peine.

— Là, là, fiston, dit Toy d'un ton calme, paisible.

Sa voix qui, en général, avait un effet instantanément apaisant sur les gens agit cette fois de façon contraire sur le garçon. Blade redoubla de sauvagerie. Peine perdue. Toy le tenait fermement.

Noble, Bienville et Swan s'étaient mués en spectateurs horrifiés. C'était presque au-delà du supportable.

— Tu peux pas le renvoyer là-bas ! hurla Swan.

Et elle se mit à distribuer des coups de poing à ses deux jambes – l'une d'elles lui ferait forcément mal.

— Son papa est méchant, il va lui faire un truc horrible !

Toy se tourna vers elle.

— On ne peut pas le garder, Swan. C'est défendu par la loi. Si on ne savait pas à qui il était, on pourrait peut-être attendre de retrouver ses parents, mais il faudrait quand même le leur rendre tôt ou tard.

— On dirait que tu parles d'un chien ! continua-t-elle à crier. D'ailleurs c'est comme ça que son papa le traite ! Il va l'attacher à un arbre, avec une chaîne autour du cou !

Elle n'avait pas cessé d'envoyer ses poings dans les jambes de Toy, pendant que, de son côté, Blade s'obstinait à donner coups de pied et coups de griffe. Toy Moses se prenait une bonne trempe. Puis Noble et Bienville retinrent Swan et la tirèrent en arrière afin de laisser Toy retourner à la maison sans la piétiner. Swan se retourna contre eux.

En esquivant un coup, Noble s'exclama :

— Swan, ce que tu fais n'arrange rien.

La bataille était perdue d'avance, Swan ne se faisait plus d'illusions. Elle s'assit par terre et sanglota.

Toy avait déjà traversé le jardin et rejoignait Samuel, qui, debout à côté de sa voiture, attendait en tenant la portière du passager ouverte. Toy installa le gamin, fit claquer la portière et resta debout derrière pendant que Samuel faisait le tour de la voiture et se glissait au volant. Il ne s'écarta qu'au moment où la voiture démarra.

Samuel Lake savait parler aux petits enfants, comme à tout un chacun quels que fussent sa taille et son âge. En conduisant, il adressa des paroles réconfortantes au petit garçon, lui assurant que tout le monde dans sa famille l'aimait beaucoup et qu'il pourrait revenir jouer quand il le voulait, à condition d'avoir la permission de ses parents.

Samuel promit de s'arrêter quelques minutes chez ses parents, pour préparer le terrain.

— Parfois, dans une famille, il suffit de parler un peu de ce qui tracasse les uns et les autres, lui dit-il en qualité de pasteur. Quand ton papa verra combien tu as peur de lui, il va avoir beaucoup de peine et voudra te montrer combien il tient à toi.

Blade, qui avait trouvé un tout petit trou dans la banquette, y enfonça le doigt et se mit à le tordre dans tous les sens dans le rembourrage. Pas par esprit de vandalisme. Mais parce que c'était comme ça : il faut ce qu'il faut.

— Qu'en penses-tu ? demanda Samuel. Penses-tu que cela t'avancerait si je leur parlais ?

Ils approchaient de l'endroit de la route où naissait le chemin qui descendait vers la maison. Ce qui devait arriver arriva en un clin d'œil. Blade releva son doigt en crochet sous le tissu qui recouvrait le siège et tira un bon coup. L'étoffe (aussi vieille que la voiture, laquelle était plus vieille que Blade) se déchira.

Samuel accusa le choc en écrasant la pédale de frein – sans arrêter la voiture, cela la ralentit sacrément. Blade attrapa des deux mains la poignée, et tira. La portière s'ouvrit en grand. Et Blade s'envola.

Enfin, pas vraiment. Il s'éjecta d'un bond. Il se ramassa sur lui-même et sauta comme une grenouille d'un nénuphar. Un épais tapis de trèfle amortit sa chute. Samuel n'eut pas le temps de se ranger et de couper le moteur, que Blade avait déjà détalé.

Samuel descendit de voiture, regarda partout autour de lui, traversa le fossé et tenta de pénétrer dans le sous-bois, mais la végétation était si dense que seuls les lapins, et Blade Ballenger, pouvaient s'y frayer un passage. Samuel aurait tout aussi bien pu compter ses orteils.

Samuel ne pouvait pas laisser un petit garçon de huit ans livré à lui-même dans les bois. Il roula jusqu'au bout du chemin, jusqu'à la maison des Ballenger. La logique voulait qu'il aille dire à ces gens où leur fils avait passé la nuit, et ce qu'il venait de faire. Pauvres gens, ils devaient être morts d'inquiétude.

Dans la cour, des mastiffs se disputaient des restes, mais quand Samuel sortit de sa voiture, les chiens trottèrent vers lui la tête basse et la crête hérissée. Samuel devait toujours être sous la protection de Dieu. Il traversa la meute comme Moïse la mer Rouge.

Il atteignait l'escalier du perron quand une femme à l'air timide s'encadra dans la porte, un bébé sur la hanche et un tout petit accroché à sa jupe. Elle ne fit pas mine de sortir, ni d'inviter Samuel à entrer. Elle resta plantée derrière la porte-moustiquaire comme si elle avait préféré qu'il se soit abstenu de venir jusque-là.

— Les chiens, ils mordent, avertit Géraldine Ballenger.

— Oui, madame, répliqua Samuel, respectueusement, même si les chiens ne semblaient manifester aucune envie de l'attaquer.

Puis il se présenta, expliqua la raison de sa visite, lui racontant comment Blade était apparu chez eux la veille au soir, et qu'il avait bien essayé de le lui ramener tout à l'heure, mais le gamin s'était échappé, et il avait peur qu'il lui arrive du mal ou qu'il se perde tout seul dans les bois.

— Il faut envoyer quelqu'un le chercher, termina Samuel. Si vous voulez que nous vous aidions, ma famille et moi…

Géraldine leva soudainement les yeux pour fixer un point par-dessus l'épaule de Samuel, puis elle recula si vivement et disparut si vite qu'il fut à deux doigts de se demander s'il n'avait pas rêvé. Il se retourna et fut stupéfié de voir le beau-fils de Satan. Ce furent du moins les mots qui lui vinrent spontanément à l'esprit. Les mots de Calla. Et il fallait bien avouer qu'ils convenaient au personnage.

Ras Ballenger traversa la cour en roulant des mécaniques, avec dans les yeux une de ces lueurs et sur les lèvres un de ces demi-sourires. À côté de lui trottinait un petit garçon qui singeait chacun de ses gestes – en levant la tête toutes les secondes afin de vérifier s'il s'y prenait comme il faut. Il s'y prenait très bien. Tellement bien que c'en était effrayant.

Samuel avait rencontré beaucoup d'hommes dans sa vie, certains bons, certains mauvais, mais celui-ci était le premier dont la seule vue lui glaçait le sang. Il lui tendit néanmoins la main en bon gentleman. En bon pasteur.

—Je me présente : Sam Lake. Je réside en ce moment avec ma famille chez les Moses. Nous sommes en quelque sorte vos voisins.

Ras, ignorant la main tendue de Samuel, crocha ses pouces dans les passants de sa ceinture. À côté de lui, le petit garçon l'imita à la perfection.

—C'est pour me dire ça que vous vous êtes dérangé ? lança Ras.

Samuel laissa retomber sa main. Aider ces gens-là à récupérer leur fils se révélait finalement davantage un mal qu'un bien pour le petit fugitif. Peut-être aurait-il mieux valu en référer aux autorités. Mais comme il avait déjà tout raconté à la mère, il n'avait rien à gagner à pratiquer la rétention d'informations.

— Non, monsieur, répondit Samuel. Je suis venu vous informer que votre fils est quelque part au fond de ces bois et vous proposer mon assistance pour le retrouver.

Le sourire de Ballenger tout à la fois s'élargit et se pétrifia.

— C'est très charitable de votre part, je vous en remercie. Quand j'aurai besoin de votre aide, je vous sonnerai.

Il aurait tout aussi bien pu aboyer : « Fichez-moi le camp d'ici tout de suite ! »

Samuel ne se fit pas prier.

En somme, il se passait beaucoup de choses dans un périmètre réduit, dont certaines personnes connaissaient certaines parties, d'autres certaines autres, et seule l'une d'elles connaissait le tout.

Samuel, par exemple, savait que Blade Ballenger avait passé la nuit chez les Moses, et se cachait à présent dans les bois – et il savait en outre que Ras Ballenger était le père de Blade. Il ne savait pas en revanche que le grand cheval blanc venait de chez Ballenger, ni que c'était ce dernier qui l'avait mis dans cet état.

Toy Moses savait que Blade était le fils de Ras, qu'il avait passé la nuit chez les Moses et que Samuel l'avait ramené ce matin chez ses parents, sauf qu'il ne savait pas que Blade s'était éjecté de la voiture de Samuel, ni que Samuel avait tout raconté aux parents. Toy ne savait pas non plus que le cheval venait de chez Ballenger (après tout, Blade avait parlé d'un propriétaire du nom de Pritchett), de sorte qu'il ne savait pas que Ras Ballenger était l'ordure qui lui avait labouré les flancs. Il ne savait pas qui était le dénommé Pritchett. Ni comment le trouver.

Ras Ballenger savait tout ce qu'il y avait à savoir sur le cheval et sur Odell, et que son fils avait fugué. Mais il ne savait pas où Blade avait passé la nuit ni où il se trouvait à présent, pas avant que Samuel vienne le lui apprendre.

Blade, en revanche, savait tout.

Toy Moses ne parvint pas à dormir ce jour-là. Samuel n'avait pas plus tôt emmené Blade, qu'il téléphona au shérif Meeks, lequel passa quelques coups de fil à des collègues de plusieurs villes de la région. Jack Woodard, le chef de la police de Camden, lui répondit que, bien sûr, il connaissait Odell, tout le monde connaissait Odell, Odell était un membre très respecté de la communauté.

Jack téléphona donc à Odell pour lui annoncer que son cheval avait été retrouvé, et Odell à son tour téléphona à Ras pour lui demander quand son cheval avait disparu, et pourquoi n'avait-il pas été averti, nom d'un chien ? Entre-temps, Early Meeks rappela Toy pour l'informer qu'Odell avait été localisé, et Toy encouragea Bernice à rentrer seule chez eux : il valait mieux qu'il reste dans les parages. Bernice partit aussi sec.

Ras Ballenger fit irruption chez les Moses avant Odell, et pour un peu on aurait cru qu'une deuxième tornade frappait le comté de Columbia. Propulsé par la furie hors de son pick-up, il traversa la pelouse en fulminant de rage. Toy se trouvant alors sur le côté de la maison, occupé à démêler des lignes dormantes qu'il avait l'intention de poser dans l'étang de Calla la prochaine fois qu'il aurait un moment de loisir ou de repos après le travail, il le vit venir.

Sa première pensée fut un regret : celui d'avoir porté tout à l'heure de force cet enfant dans la voiture de Samuel et de l'avoir renvoyé là où la peur devait être incrustée dans les murs. Sauf qu'il n'avait pas eu le choix. Cela se serait vite su que les Moses hébergeaient un enfant (les nouvelles vont vite dans le comté de Columbia), et quelqu'un serait forcément venu le chercher. Il ne faisait aucun doute que Blade aurait fini par rentrer chez lui. Ne s'en posait pas moins la question suivante : qui allait passer des nuits blanches à se reprocher de l'avoir livré ?

Toy lâcha ses lignes de pêche et se rua juste à temps pour empêcher Ras de piétiner les pétunias à grandes fleurs doubles de Calla.

— On peut quelque chose pour vous, monsieur Ballenger ? demanda Toy.

En vérité, la seule chose que Toy aurait aimé pouvoir faire pour lui, c'était l'envoyer dans l'au-delà, mais il savait, pour l'avoir vécu, qu'à la longue ce n'était pas facile de vivre avec un meurtre sur la conscience.

— Vous vous êtes déjà approprié un cheval qui ne vous appartient pas, repartit Ras d'un ton sardonique. Vous pouvez arrêter là les frais.

Toy avait à sa disposition plusieurs remarques cinglantes, mais il se borna à un laconique :

— Le cheval est derrière la maison.

Là-dessus, il tourna les talons et se dirigea vers la grange. Ras dut trotter à côté de lui pour ne pas se laisser distancer. Il ne supportait pas de marcher derrière qui que ce soit. En arrivant à l'enclos, Ras s'appuya contre la barrière et regarda le cheval avec l'air de le voir pour la première fois. Il n'aurait pas paru plus sous le choc si l'enclos s'était envolé dans les airs.

— Je suppose que vous ne me direz pas qui a fait ça ! éructa Ras en désignant les profondes balafres sur les flancs de Snowman.

Toy secoua la tête, écœuré : certains individus poussaient très loin le bouchon de l'ignominie.

Snowman, qui, dès qu'il avait aperçu Ras, s'était détourné, avait les muscles qui tremblaient un peu. Toy pénétra dans l'enclos.

— Ne t'inquiète pas, ce n'est pas avec lui que tu vas repartir, dit-il à Snowman. Encore et plus que jamais rongé par le remords de n'avoir pas su sauver le petit garçon des griffes de cet homme.

Ras, qui avait parfaitement entendu, n'aurait pas hésité à se ruer dans l'enclos et dans le chou de Toy s'il n'avait perçu deux obstacles. Le premier étant qu'il ne se sentait pas de taille à se battre contre Toy Moses dans un combat loyal, et le deuxième étant que le cheval le piétinerait à mort s'il osait l'approcher sans son fouet – qu'il avait, pour des raisons évidentes, laissé chez lui. Aussi se contenta-t-il d'exploser intérieurement.

À cet instant, le camion et le van d'Odell Pritchett se figèrent devant la maison. Odell bondit du camion pour courir vers Ras.

237

— C'est comme ça que vous dressez les chevaux ? hurla-t-il. (Il lui avait suffi d'un coup d'œil pour constater les blessures de Snowman.)

Odell était un solide gaillard. Pas un malabar comme Toy, mais quand même beaucoup plus fort que Ballenger. Seulement, il était doté d'un tempérament mou. Cela se voyait à la façon dont il serrait et desserrait les poings. Il avait envie de frapper, mais il n'arrivait pas à s'y résoudre.

Ras bomba le torse et leva le menton, comme si c'était lui la partie offensée, comme s'il bouillait d'indignation.

— Ce cheval était en pleine forme quand quelqu'un est venu le voler chez moi ! Et je n'aime pas votre manière d'insinuer que j'aie quoi que ce soit à voir avec ce qui lui est arrivé ensuite.

— Je n'insinue rien ! riposta Odell, furieux. Je vous le dis ! (Il parlait les dents serrées, comme si on lui avait cousu ensemble les mâchoires.)

— Je vous vois venir, vous allez me dire maintenant que vous refusez de me payer pour mon travail.

Les dents d'Odell se desserrèrent d'un coup, ce qui se produit quand on reste bouche bée.

— Payer ! vociféra-t-il. (Il avait le teint naturellement rose, mais là il avait pris une couleur tomate. Même ses oreilles flamboyaient.) Ah, ça, oui, je vais payer ! Je vais payer le journal pour qu'il publie la photo de ce cheval en pleine page, afin que tout le monde l'admire, votre travail !

— Si vous faites ça, cela vous coûtera très très cher.

Ras parlait tellement bas que Toy n'entendit pas. Mais Odell n'en loupa pas une, et en fut édifié. Il recula d'un pas et se secoua des pieds à la tête, comme pour chasser un funeste pressentiment.

À un moment donné, Toy sortit de l'enclos en tenant Snowman par la bride. Ras resta planté sur son passage avec la ferme intention de ne pas bouger. Snowman hennit, se cabra et hurla comme seul un cheval en furie peut hurler. Alors Ras s'écarta à la vitesse de l'éclair. Les sabots de Snowman s'abattirent sur le carré de sol qu'il occupait l'instant d'avant. Mais Ras avait escaladé la barrière et se tenait à présent dans l'enclos, l'air d'avoir une attaque.

Swan, Noble et Bienville assistèrent à la scène de la fenêtre de la chambre de Swan, qui donnait sur l'arrière de la maison et le pré au-delà. Ils se réjouirent tous de la déconfiture bien méritée de Ras, mais le plaisir de la vengeance ne compensait pas le chagrin des pertes passées, présentes et à venir.

— Snowman a failli l'avoir, murmura Noble. (Ils ne l'appelaient plus John, puisqu'il n'appartenait finalement pas à grand-maman Calla… et de toute façon Snowman lui allait mieux à cause de la blancheur de la neige.)

— Ç'a failli saigner, enchérit Bienville.

Swan s'abstint de tout commentaire, mais elle n'en trouvait pas moins dommage que Ras Ballenger s'en soit tiré sans une égratignure. Ils regardèrent en silence Toy et Odell faire monter Snowman dans le van. Ras Ballenger s'éclipsa sans qu'ils le remarquent, mais ils suivirent des yeux le camion d'Odell jusqu'à ce qu'il disparaisse sur la route.

239

— On ne reverra plus jamais ce cheval, laissa tomber Bienville.

Swan se mordit la lèvre pour s'empêcher de pleurer. Depuis ce matin, elle se transformait régulièrement en fontaine, et voilà que cela la reprenait.

— Au moins, Snowman n'a plus rien à craindre maintenant, dit-elle d'une voix toute tremblante. Mais Blade pourrait être mort avant le coucher du soleil.

En prenant modèle sur ce que font les oiseaux et les bêtes sauvages, on parvient à survivre plus ou moins partout, car ils savent encore des choses que les êtres humains ont oubliées, comme ce qui est vénéneux et ce qui ne l'est pas, et ce que cela signifie quand survient brusquement un grand silence, et où se cacher lorsque ce silence signale un danger. Si Blade avait suivi leur exemple, il se serait régalé tout le jour de feuilles, de pousses, de baies et de fleurs, sans compter quelques insectes bien choisis, pour améliorer l'ordinaire. Il aurait écouté les bruits de la forêt, et s'ils s'étaient tous arrêtés d'un coup – s'ils étaient passés à la vitesse de l'éclair d'un joyeux tapage à un silence de mort –, il se serait blotti dans un tronc creux ou sous les branches basses de quelque arbre tutélaire. Et il aurait observé, à la manière des animaux, dans le mutisme le plus total, jusqu'à ce qu'apparaisse ce qui avait provoqué l'alerte, afin de s'assurer ne pas être la proie choisie.

Mais comme il ignorait tout cela, il fit ce que tout garçon de son âge aurait fait s'il s'était enfui de chez lui et après avoir trouvé un nouveau foyer, avait faussé compagnie à l'adulte qui le ramenait à l'endroit d'où il s'était échappé au départ. Il décida d'aller se baigner.

Le bois de lilas des Indes donnait sur une haie de pins à torches derrière laquelle s'étendait l'ancien champ de maïs de John Moses qui à cette époque n'était plus qu'une vaste friche. Blade se fraya un chemin parmi les hautes herbes et les ronces jusqu'au bord du ruisseau, qu'il suivit jusqu'au Trou des nageurs.

Quand on est dans l'eau, on a souvent l'impression que rien ne peut vous atteindre, et Blade se laissa prendre à cette illusion. Il avait déposé les vêtements de Bienville sur la berge et se sentait aussi libre que les petits poissons dans les hauts-fonds. Il plongea, il nagea, il flotta, il pensa. Il pensa à ces enfants avec qui il avait joué. Dire qu'il avait presque été l'adjoint d'un marshal des États-Unis – cela aurait été vraiment bien.

Il se disait qu'il passerait la journée dans le Trou des nageurs, puis retournerait dormir dans la grange, comme hier soir, et, demain matin, Swan reviendrait le chercher, et cette fois ne permettrait à personne de l'emmener nulle part. Elle était intelligente, cette Swan, et Blade était sûr que les grandes personnes ne pourraient la mener deux fois de suite en bateau.

Voilà les pensées qui tournaient dans sa tête quand, soudain, plus un oiseau ne chanta, plus un grillon ne fit grincer son crincrin, plus une grenouille n'appela ses amours. Le monde avait basculé trop vite dans le silence, et le temps que Blade se rende compte qu'il avait intérêt à se cacher dare-dare, il était déjà trop tard.

22

Samuel ne se doutait pas que ses enfants lui avaient réservé une froide réception ce soir-là. Ce qu'il avait fait ce matin ne lui ressemblait pas. Où était passé le défenseur des causes justes, celui qui n'hésitait pas à prendre la terre entière à rebrousse-poil ? Qu'il ait accompli ce qui, de son point de vue à lui, était son devoir à leurs yeux ne comptait pas.

Au cours de l'après-midi, les trouvant assis sur le perron, le menton dans les mains et l'air accablé, Willadee essaya pourtant de les ramener à la raison.

— Votre papa a fait ce qui devait être fait, leur déclara-t-elle. Garder ici ce petit garçon, c'était nous attirer de terribles ennuis.

Samuel ne remontait pas pour autant dans leur estime : leur père était censé être celui qui persuadait les autres de changer, et non l'inverse.

— C'est pas parce qu'il est plus pasteur qu'il doit devenir méchant comme les autres, débita Swan tout d'une haleine.

— Mais il est toujours pasteur, rectifia Willadee. (Médusée. Debout sur la véranda derrière les enfants, le regard baissé vers eux, qui gardaient obstinément le dos tourné – elle figurait sans doute elle aussi sur leur liste noire.) Qu'est-ce qui vous fait dire qu'il n'est plus pasteur ?

— Il n'a plus d'église. Où il va prêcher ?

— On ne le sait pas encore.

Les enfants lâchèrent un soupir à l'unisson. Willadee voulut se glisser entre Swan et Noble. Posant les mains sur leurs deux têtes pour ne pas perdre l'équilibre, elle s'assit entre eux sur la marche. Ils étaient serrés comme des petits pois dans leur cosse. Swan se poussa d'un cran, afin de laisser un peu de place, et pour montrer qu'elle préférait qu'on ne la touche pas.

— Alors comment il peut être pasteur ?

Willadee aurait voulu répondre que Samuel était pasteur parce que Dieu l'avait appelé à Le suivre. Ç'aurait été la réponse de Samuel. Il aurait ajouté que Dieu l'avait appelé et qu'il resterait pasteur jusqu'à ce que Dieu le rappelle à Lui. Mais ce n'était pas ainsi que Willadee voyait les choses. Selon elle, Samuel s'était appelé lui-même. Il était tombé amoureux de Dieu, et quand on est amoureux, on a besoin d'en parler aux autres, c'était aussi simple que ça.

Ce n'est pas ce qu'elle dit aux enfants. Elle se contenta d'énoncer :

— C'est comme ça.

Swan entoura ses genoux de ses bras et les serra contre sa poitrine, les yeux au loin sur la route.

— Eh bien, j'espère qu'il ne s'attend pas à ce que je continue d'aller à l'église. Parce que je ne suis pas non plus obligée de faire de bonnes actions, puisque lui s'en dispense bien.

Willadee ne put retenir un sourire. Quand un gosse émet une menace qu'il ne pourra en aucun cas exécuter, un adulte se sent tout de suite plus tranquille. Comme si la situation n'était pas aussi désespérée qu'elle ne le paraissait. Toy n'avait pas encore eu l'occasion de lui annoncer que l'homme que fuyaient le petit garçon et l'homme qui avait maltraité le cheval était une seule et même personne. Elle était donc en droit de supposer que tout se terminait bien. Le gamin s'était peut-être pris une bonne trempe pour avoir fugué, mais ses parents avaient sûrement été enchantés de le revoir. Et Samuel (étant Samuel) avait dû mettre de l'huile dans les engrenages.

— Si, tu es obligée, repartit Willadee.

— Je vois vraiment pas pourquoi.

— C'est pas nécessaire. Tu dois nous obéir, à ton papa et à moi. Sinon, tu auras affaire à nous.

Swan refusait toujours de la regarder, mais Willadee n'en avait cure. Dans son esprit, un enfant qui n'avait pas un caractère affirmé avait peu de chances de réussir dans la vie. Il lui importait néanmoins que Swan et ses frères traitent Samuel avec respect.

— Pas question de vous comporter comme ça au retour de votre papa, les avertit-elle. Il a assez de problèmes en ce moment, il n'a pas besoin que ses enfants lui fassent sentir qu'il les déçoit.

— Pourtant, c'est bien ça, on est déçus.

Et Noble d'enchérir :

— J'aurais bien voulu qu'il trouve une combine.

Bienville secoua la tête comme un vieillard se désolant de voir le monde aller à vau-l'eau.

— On est les seuls gosses sur la terre qui ont le même jour perdu un cheval et un éclaireur indien.

— Il n'était pas éclaireur, lui rappela Swan. Il était mon ami.

Samuel savait que les enfants auraient du mal à lui pardonner. Lui-même ne se pardonnait pas d'avoir ramené Blade. Sa fuite était pour lui à la fois un soulagement et un poids supplémentaire sur sa conscience. C'est ce qu'il déclara à table le soir au dîner.

Le regard de Swan, qui ne lui avait pas adressé la parole depuis qu'il était rentré, s'anima d'une lueur d'espoir.

— Tu veux dire qu'il s'est enfui pour de bon ?

— Plutôt deux fois qu'une.

— Alors son père l'a peut-être pas retrouvé.

— Peut-être pas.

Des sourires fleurirent soudain sur les visages autour de la table. Sauf sur celui de Bernice. Même Toy avait l'air content, alors qu'il n'était pas du style à afficher ses émotions.

— Il va peut-être dormir dans notre grange ce soir ! s'enthousiasma Bienville.

— Peut-être.

Personne n'ajouta que, cette fois, ils refuseraient de le rendre à sa famille. Il y avait des problèmes qui devaient être traités à mesure qu'ils se présentaient, et comment garder Blade Ballenger en faisait partie.

— Eh bien, s'il entre ici cette nuit pour chiper de quoi manger, annonça grand-maman Calla, il va trouver un grand bocal des quenelles au poulet de Willadee.

Elle se leva pour chercher sur la cuisinière le gâteau préparé par Willadee et le déposa sur la table.

— Ne me donnez pas ma part, Calla, lui dit Samuel. J'ai tellement mangé, je n'ai plus de place pour le gâteau.

— Moi aussi, je suis bourré, ajouta Noble. Je crois pas que je mangerai de gâteau ce soir. (Ce gâteau-là, avec beaucoup de beurre et de sucre et de sirop de maïs, était pourtant son préféré.)

Il se révéla que tout le monde avait trop mangé (sauf Bernice, qui ne se permettait jamais d'excès de nourriture ni un dessert, à cause de sa ligne). Le gâteau ne fut même pas coupé et fut remis entier sur la cuisinière où un petit enfant chapardant des restes ne pouvait pas manquer de l'y trouver.

— J'espère qu'il ne va pas l'engloutir d'un coup, s'inquiéta Calla tout haut. Il ne faudrait pas qu'il soit malade dans la grange tout seul.

— Oh ! il sera pas tout seul ! la rassura Swan.

Willadee n'était pas très chaude pour laisser Swan dormir dans la grange, mais Samuel estima que cela ne présentait aucun danger, puisque ses frères étaient résolus à lui tenir compagnie. Toy proposa de jeter un coup d'œil sur eux de temps en temps. De toute façon, il serait debout toute la nuit. Les enfants lui firent promettre de rester discret. Surtout ne pas effrayer Blade. Si jamais les choses avaient l'air de ne pas être comme d'habitude, il risquait de repartir sans avoir eu la chance de constater à quel point il était le bienvenu.

Willadee et Samuel chargèrent les enfants de couvertures, oreillers, torches électriques et papier-toilette, et les escortèrent jusqu'à la grange afin de veiller à ce qu'ils fussent bien installés. Entre-temps, les offrandes sur la cuisinière s'étaient étoffées. Un gâteau entier, le reste du pain de maïs, un sucre d'orge rapporté de l'épicerie par Calla, un paquet de chewing-gums dont Willadee s'était rappelé l'existence au fond de son sac à main. Noble avait ajouté des cartes de base-ball, et Bienville un *National Geographic* avec des cartes pliantes de l'Amérique du Sud. Par-dessus, Samuel se disant que tout petit garçon devait posséder sa propre bible, posa un exemplaire de poche du Nouveau Testament. Toy s'abstint de toute contribution devant les autres, mais on ne sait quand, pendant la nuit, une fronde fit son apparition sur la cuisinière, et il y avait peu de chances pour que ce soit Bernice qui l'ait placée là.

Swan n'avait aucune intention de dormir. Ni maintenant ni plus tard. Pas tant que Blade ne s'était pas manifesté. Willadee et Samuel tendirent des couvertures sur le foin, et les enfants se glissèrent entre elles, la tête orientée vers la porte de la grange. Couchés sur le ventre, ils se dressèrent sur leurs coudes pour regarder leurs parents regagner la maison – Willadee et Samuel, parlant et riant, leurs voix aux registres tout à la fois aigus et graves, soyeux et puissants – riches de contrastes et d'harmonies : la plus belle musique du monde.

S'y mêlait une autre musique, provenant du Never Closes, pas tellement belle celle-là. Swan et les garçons écoutèrent de toutes leurs oreilles jusqu'à ce que les voix de Samuel et Willadee s'estompent, et regardèrent de tous leurs yeux jusqu'à ce qu'ils aient disparu tous les deux à l'intérieur de la maison. Après quoi, ils ne pensèrent plus qu'à guetter Blade.

Dans sa chambre défraîchie, Calla Moses se tenait elle aussi sur le qui-vive. Elle avait tiré son fauteuil à bascule devant la fenêtre et ouvert les rideaux pour dégager la vue. À un moment ou à un autre, un petit gamin allait montrer le bout de son nez, et elle ne voulait pas manquer ça. Elle tenait à voir sa surprise émerveillée quand il entrerait dans la grange et trouverait le petit comité d'accueil. De sa fenêtre, elle n'en verrait pas grand-chose, mais le peu qu'elle en apercevrait lui permettrait d'imaginer le reste.

Toute sa vie, elle avait été une adepte du pragmatisme le plus strict. La fantaisie n'était pas dans les cordes de grand-maman Calla. Pourtant, ces temps derniers, quelque chose se relâchait en son for intérieur. Peut-être à cause de tous ces mômes à la maison. De tous leurs jeux et inventions absurdes. À moins que ce soit le cheval… Il avait fait irruption dans sa vie sans crier gare, ce cheval si beau – hormis les balafres sur ses flancs – qu'il semblait sortir d'un livre d'images. Et maintenant ce petit gars aux yeux noirs qui s'était introduit clandestinement chez eux et les avait tous charmés.

Quel que fût le facteur déclenchant, l'imagination de Calla s'était réveillée après un long sommeil, et elle se prenait de plus en plus souvent à agiter des pensées qui n'avaient rien de pratique.

Willadee et Samuel s'installèrent dans le séjour pour mieux observer. Ils auraient préféré rester dans leur chambre, mais leur fenêtre donnait du mauvais côté. Tout ce qu'ils auraient vu, c'était le ballet des voitures qui se garaient devant le Never Closes. Ils ne pouvaient pas non plus guetter depuis la cuisine, puisque c'était là qu'ils espéraient que Blade Ballenger se rendrait dès son arrivée.

S'il arrivait.

Pendant qu'ils attendaient, ils débattirent d'autres sujets. Les clients de Samuel n'effectuaient pas leurs versements hebdomadaires comme prévu, la rentrée scolaire allait démarrer avant qu'ils aient eu le temps de se retourner, les enfants n'avaient plus rien à se mettre. Heureusement, Willadee savait coudre et avec l'aide de patrons dessinés sur du papier journal, elle leur taillerait des vêtements tout aussi corrects que ceux du commerce. Les robes qu'elle avait confectionnées pour Swan avaient toujours été plus jolies que les prêtes à porter. Elle était sûrement capable de coudre une chemise de garçon tout aussi facilement, et en moins de temps, parce qu'il y avait moins de points – si vous voulez pourrir la vie de votre fils, envoyez-le à l'école avec une chemise à smocks.

À un moment donné au cours de la nuit, ils s'endormirent, sur le petit canapé de Calla, tout habillés mais sans leurs chaussures, et l'esprit moins tranquille qu'ils auraient voulu l'admettre.

Bernice ne veilla pas pour Blade, mais elle s'observa dans la glace pendant un bon bout de temps. Assise devant la coiffeuse de sa chambre, elle brossa ses cheveux sur ses épaules nues, et scruta ses pommettes et le creux à la base de son cou. Elle se leva, tendit les bras, contempla le reflet de son corps, et se retint de pousser un cri de douleur devant tant de perfection gaspillée pour rien.

Toy Moses, cette nuit-là, effectua un grand nombre d'allées et venues, laissant les habitués se servir eux-mêmes selon le système dit «de l'honneur». Chaque fois qu'un client se versait un verre, il ajoutait un petit quelque chose dans le vieux calepin de John dont Toy avait conservé l'usage. Personne ne lui demanda pourquoi il sortait à tout bout de champ et se cachait dans les coins obscurs du jardin. Toy n'offrit de son côté aucune explication. Les deux principales qualités du Never Closes, c'était que, primo, personne ne devait d'explication à personne, et, deuzio, tout le monde protégeait tout le monde.

Une demi-douzaine de fois, Toy fit le tour de la maison en surveillant la grange et les enfants. Tout allait bien, mais, lors de sa dernière ronde, juste avant le point du jour, ils n'étaient toujours que trois.

Blade n'avait jamais beaucoup pensé aux souris, mais à présent il y était bien obligé. Pour la bonne raison que son papa lui avait dit que la pièce en était pleine, et que si elles étaient capables de manger un mur, elles n'auraient aucun mal à manger un petit garçon.

Car Blade se trouvait dans une pièce au sol en terre battue, et cela depuis des heures et des heures. Il ne savait pas combien.

Il y faisait plus noir que la couleur noire. Un noir sans fin. Un noir dense. Si épais qu'il ne pouvait y pénétrer, même en rampant. Le noir se refermait sur lui, le serrait, à l'étouffer. Ce que Ras Ballenger construisait, c'était du solide, et ne laissait pas passer l'air. Pas une craquelure ni une fissure nulle part, rien qui permît à la lumière de s'infiltrer, si tant est qu'il y eût de la lumière dehors, ce qui n'était pas sûr, Blade ignorant si c'était la nuit ou le jour. Il pensait que ce devait être la nuit, parce qu'il n'entendait pas le parler bébé de Blue. Ni la voix de son papa qui lui répondait. Ni les aboiements des chiens. Ni rien du tout.

Il était nu. Aussi nu qu'il l'avait été dans le Trou des nageurs, quand il s'était produit un brusque plouf et qu'il avait vu une gerbe jaillir à côté de lui comme quand quelqu'un vient de sauter. À la vue de cette gerbe, son cœur avait fait un bond dans sa poitrine, à cause de ce qu'elle signifiait. De ce qu'il pensait qu'elle signifiait. Il s'était aussitôt mis à nager pour gagner la berge, mais il se sentait aussi liquéfié que l'eau autour de lui, et tout d'un coup, quelque chose était remonté du fond et lui avait attrapé le pied, et l'avait tiré vers le bas, et l'avait gardé sous la surface pendant une éternité.

Il s'était débattu. Pour ce que cela lui avait servi. L'eau profonde du Trou des nageurs était limpide, et il voyait la tête de son papa qui flottait dans le vert pâle. Son papa lui souriait comme si c'était un jeu, et qu'il était en train de gagner.

Blade avait un jour vu son papa pêcher un poisson-chat à mains nues. Il était rapide. Et c'est comme ça que Blade se sentait. Comme un poisson-chat. Sans espoir.

L'instant d'après, c'était fini. Son papa l'avait traîné hors du Trou des nageurs, l'avait jeté par terre, lui avait passé un nœud coulant autour du cou pendant qu'il gisait là, tétant l'air et crachant ses poumons. Le nœud coulant d'une corde. Comme un cheval qu'il s'apprêtait à conduire dans le box de contention. Ras laissa l'autre extrémité de la corde sur le sol le temps de se rhabiller (il avait ôté ses vêtements avant de plonger dans le trou), et Blade tenta de s'en dégager, mais Ras se rua sur la corde et tira, fort, très fort, Blade eut la sensation que sa tête allait se séparer de son corps. Après quoi, il ne fit pas d'autre tentative. Il se borna à rester tranquille et à guetter une occasion.

Mais aucune occasion ne se présenta. Ras le poussa devant lui à travers bois, sans prendre la peine de ramasser les vêtements de Bienville qui restèrent sur la berge du ruisseau.

Et maintenant, il était dans ce réduit.

Il était frigorifié. On était au milieu de l'été, pourtant même roulé en boule, il tremblait de froid. Il avait envie de dessiner par terre avec ses doigts, ce qui le réconfortait toujours, mais il était trop terrifié pour bouger. Terrifié de ce qu'il pourrait frôler, des milliers de bestioles à fourrure qui pourraient sortir de leurs cachettes. Grouillantes, affamées. Il se demanda si les souris faisaient du bruit en mangeant, ou si ses cris seraient les seuls sons qui sortiraient d'ici, et si sa mère les entendrait et viendrait à son secours.

Elle n'était pas encore venue, pourtant ce n'était pas faute d'avoir crié. Il avait crié et tapé contre les murs jusqu'à ne plus avoir de voix et les poings en sang. Il ne voyait pas le sang, mais il en reconnaissait le goût quand il léchait sa main afin de diminuer la douleur. C'était salé.

Il n'avait rien entendu depuis très très longtemps, et voilà que le cri d'un colin de Virginie perça soudain le silence : c'était peut-être le matin. Il s'assit. Il avait mal. Partout. Aux mains, aux bras, aux jambes, au cou. À la peau, aux muscles, aux os. Il tendit l'oreille, guettant un second cri, et il vint en effet, ce qui était une victoire en soi, rien que de l'entendre. C'était comme un point de repère. Il pouvait appeler ce moment : le lever du jour.

S'ensuivirent d'autres sons. D'autres oiseaux, qui saluaient le matin. Et puis les aboiements des mastiffs, ou plutôt leurs plaintes.

Une porte claqua. Blade était sûr que c'était une porte. Sa poitrine se gonfla tout à la fois d'espoir et de peur. Il avait raison. La voix de son papa résonna à travers la cour, s'adressant aux chiens, leur criant de fermer leurs gueules et de se coucher.

Blade se prépara. C'était bel et bien le matin.

23

Swan s'était assigné pour mission de sauver Blade Ballenger. Cela faisait trois jours maintenant, et c'en était assez.

Depuis qu'ils s'étaient réveillés pour trouver leurs offrandes intactes sur la cuisinière, ils vivaient tous dans l'anxiété. Les grandes personnes discutaient entre elles (en chuchotant, quand les enfants, soi-disant, n'écoutaient pas) de ce qui avait bien pu arriver au petit garçon, et de leurs regrets de ne pas pouvoir lui venir en aide, car il était certain que la loi et Ras Ballenger leur tomberaient dessus à bras raccourcis si jamais ils tentaient quoi que ce soit, d'ailleurs elles n'évoquèrent même pas la possibilité de monter une expédition pour le reprendre par la force.

Swan avait rappelé à son père la bataille de Jéricho, en lui faisant remarquer que si Dieu avait donné un coup de main à Josué, Il bénirait sûrement leurs efforts pour sauver Blade. Et Josué et son équipe ambitionnaient d'écrouler le mur d'une ville fortifiée. Alors qu'eux voulaient seulement faire assez peur à un minable homme-serpent pour qu'il ait une crise cardiaque. Ou le distraire assez pour lui soustraire son fils. Comme ils ne possédaient pas de trompettes, ajouta-t-elle, ils pourraient se servir de cloches de vache. Il y en avait un tas de vieilles toutes rouillées dans la grange. Quand on les agitait très fort, ça cassait les oreilles.

Samuel lui expliqua que c'était pas la peine d'essayer de reproduire les miracles des temps bibliques, et elle lui rétorqua que bien sûr que si, puisque tout était possible quand on avait la foi comme une graine de moutarde. C'était un thème qu'il abordait souvent dans ses prédications : comment une petite graine de foi pouvait produire une moisson entière.

— Tu dis toujours, argua Swan, que si nous montrons notre foi à Dieu, Il nous accordera Sa grâce.

— Mais je ne pense pas que cerner la maison des Ballenger de cloches de vache soit une méthode très efficace, observa Samuel.

Néanmoins, comme il ne proposait rien de mieux, et les autres non plus, Swan décida de prendre les choses en main. Le problème, c'est qu'elle n'en avait que deux, et qu'il en fallait bien plus. Elle savait où en trouver quatre.

Noble et Bienville en restèrent comme deux ronds de flan.

— Ce type va nous tuer, allégua Noble.

— Pas s'il ne nous attrape pas, riposta Swan. Pour commencer, il faut se garantir qu'on a Dieu de notre côté. Pour ça, y a rien de mieux que le jeûne et la prière.

— Il faut jeûner combien de temps ? voulut savoir Bienville.

Il ne connaissait pas le menu du dîner, mais en passant par la cuisine tout à l'heure il avait aperçu leur maman en train de préparer un pudding à la banane.

Swan estimait que vingt-quatre heures, c'était suffisant. Pas aussi long que les périodes de jeûne et de prière de la Bible, mais voilà : la situation était urgente ! Avec la perspective d'un pudding à la banane, elle rogna encore quelques heures. Il lui semblait que s'ils se passaient de déjeuner (sûrement des sandwichs au beurre de cacahouète) et passaient un bon moment à genoux devant le Trône de grâce, cela devrait faire l'affaire. Dans son esprit, ils iraient sauver Blade et seraient de retour à la maison à l'heure pour le dîner.

Swan savait comment se rendre chez les Ballenger par la route, mais elle se disait que la meilleure façon de pénétrer en territoire ennemi sans être repéré consistait à rester hors de vue. Il devait y avoir un moyen d'arriver par l'arrière, étant donné que s'il y avait un devant il y avait forcément un derrière, et il lui paraissait logique que, s'ils suivaient la berge du ruisseau, ils finiraient par tomber sur ce qu'ils cherchaient. Après tout, Blade et son papa s'étaient tous les deux retrouvés sur la berge le jour où elle avait exploré les environs pour baptiser Lovey ; ils avaient sûrement emprunté un sentier.

Quand on se prépare à secourir une victime, une des précautions indispensables est de s'assurer qu'aucun adulte ne vous appellera pile au moment où vous êtes sur le point de lancer l'opération de sauvetage. (Ne pas se présenter à table pour un repas revenant à tirer la sonnette d'alarme et à lancer immédiatement les grandes personnes sur la piste des petites.) Swan et ses frères contournèrent cette difficulté en mettant leur mère au parfum d'une partie de la vérité : ils projetaient d'entamer une période de jeûne et de prière pour le salut de Blade. Willadee proposa de se joindre à eux, mais ils lui dirent qu'elle n'avait rien à leur apprendre en matière de prière et de jeûne.

Willadee informa *sa* mère de ce que les mômes avaient en tête (de ce qu'elle supposait qu'ils avaient en tête). Grand-maman Calla eut les larmes aux yeux.

— Nous devrions peut-être prier et jeûner en même temps qu'eux, suggéra-t-elle.

Elle n'avait jamais passé un seul jour de sa vie à prier et jeûner, pour cause d'absurdité, mais, comme il a été précisé plus haut : Calla Moses était en train de changer.

— Je le leur ai déjà proposé, l'informa Willadee. Mais ils veulent que ce soit entre eux et Dieu.

Calla comprenait parfaitement. Elle avait toujours été convaincue que les relations entre soi et Dieu avaient tout à gagner à se faire le plus intimes possible.

Les enfants tinrent leur réunion de prière dans la grange, à genoux sur les couvertures qu'ils n'avaient pas encore autorisé leurs parents à ranger.

— Quand Blade viendra, expliqua Swan, il sera tellement content de trouver un endroit douillet.

L'idée qu'il puisse ne pas réapparaître lui était insupportable, ainsi qu'au reste de sa famille. Les couvertures étaient par conséquent restées dans la grange.

Noble, en qualité d'aîné, dirigea la séance, et s'en tira d'ailleurs avec maestria. Ce garçon participait à des réunions de ce type depuis la nuit des temps. Il était un as de la prière.

— Mon Dieu, entonna-t-il, Swan, Bienville et moi tous ensemble nous Te prions car Toi seul Tu es notre force.

— Amen ! fit Bienville.

— Oui, Seigneur ! chantonna Swan.

— Car Toi seul peux nous aider à libérer Blade Ballenger du Mal, continua Noble.

— À le *délivrer* du Mal, rectifia Bienville.

— Continue à prier, frère Noble, dit Swan.

Noble continua. De fait, il continua si longtemps que Swan finit par décider que Dieu en avait assez entendu : il y a un moment pour la prière et un moment pour mettre la prière en pratique.

Le plus dur, c'était d'éviter de faire sonner les cloches de vache pendant l'opération d'approche du champ de bataille. Bienville proposa judicieusement d'envelopper les battants dans des chiffons, de manière à pouvoir les déballer à la dernière seconde, juste avant de passer à l'attaque.

Où trouver des chiffons ? Ce n'était pas un problème. Grand-maman Calla en avait une grosse boîte pleine sous son comptoir à l'épicerie. Les lui soustraire promettait toutefois d'être coton. Non que grand-maman Calla y fût particulièrement attachée – elle avait une tonne de vieilles taies d'oreillers à déchirer. Mais les enfants préféraient qu'on ne leur pose pas de questions.

Swan fut chargée de retenir l'attention de grand-maman Calla pendant que les garçons « emprunte-raient » les chiffons. Le verbe « voler » était pour l'heure rayé de leur vocabulaire. Quand on est chargé d'une mission divine, est-ce qu'on *vole* ?

Swan n'était pas tombée de la dernière pluie. Et n'avait pas vécu chez grand-maman Calla depuis le premier juin sans avoir compris comment s'y prendre pour la distraire. Elle passa la tête dans l'entrebâille-ment de la porte de l'épicerie, en affichant cette mine coupable que sa grand-mère trouvait naturelle chez tous les enfants. En fait, depuis quelque temps, Calla y pensait moins, ou du moins avait cessé d'en parler.

— Je crois que j'ai peut-être écrasé une ou deux de tes fleurs sans le faire exprès, annonça Swan lorsque grand-maman Calla l'aperçut sur le seuil de son magasin. (Mentir était peut-être aussi mal que voler, et risquait tout autant de compromettre le caractère sacré de leur mission, sauf que Swan ne mentait pas vraiment : elle avait précisé « peut-être ».)

— Je pensais que vous étiez occupés à prier et à jeûner.

— Exactement. Mais on avait oublié quelque chose dans la maison, et je n'ai pas bien regardé où je mettais les pieds.

— J'ai beaucoup de fleurs, repartit grand-maman Calla, gentiment. J'en ai tellement qu'on ne peut pas mettre le pied dehors sans en écraser quelques-unes. Quelles fleurs tu crois avoir *peut-être écrasées sans faire exprès en ne regardant pas où tu mettais les pieds* ?

Swan marqua un temps d'hésitation : elle devait avoir l'air d'avouer à contrecœur.

259

— Tes pavots, murmura-t-elle, bourrelée de remords.

Calla jaillit de derrière son comptoir et se rua dehors en moins de temps qu'il faut pour cligner des yeux. On n'aurait jamais cru qu'une femme aussi âgée pût se déplacer aussi vite. Depuis dix ans elle tentait de faire fleurir des pavots dans son jardin, sans résultat. Jusqu'à cette année. Cette année, ils avaient fleuri et ils étaient splendides. Chaque matin, avant d'entamer quoi que ce soit, Calla sortait les admirer. Elle avait même demandé à Toy de tirer la balancelle devant ses fleurs, pour pouvoir prendre son café sans perdre une miette du spectacle offert par leurs splendides coloris. Elle n'adressa pas un mot à Swan en passant devant elle – on trouve difficilement ses mots quand on est au bord de l'apoplexie.

Swan attendit que Calla ait disparu au coin de la maison avant d'émettre un discret sifflement. Ses frères surgirent de leur cachette et se glissèrent dans l'épicerie. Swan courut après sa grand-mère.

En tournant le coin de la maison, elle la vit affalée dans la balancelle comme une femme qui vient de se rendre compte que ce qui l'oppresse n'est pas une attaque mais une bouffée de chaleur.

— Mais ces pavots n'ont strictement rien, déclara grand-maman Calla.

— Alors c'est peut-être les lis tigrés.

— Un lis tigré, ça ne se déchire pas, l'informa grand-maman Calla. C'est coriace comme tout. Tu les vois qui poussent encore dans des jardins cinquante ans après que les gens qui les ont plantés sont partis ou morts.

Et après une pause, elle ajouta :

— En plus, un lis tigré, ça ne peut pas se confondre avec un pavot.

En prononçant ces mots, elle fronça le nez. Cela lui donna une expression soupçonneuse.

— Où est la boîte de chiffons que tu gardes toujours là-dessous ? s'enquit un peu plus tard Willadee auprès de Calla.

Toutes deux appuyées au comptoir, mastiquant des sandwichs au beurre de cacahouète (Swan ne s'était pas trompée au sujet du menu du déjeuner), et Willadee avait pour principe que tant qu'à manger debout, autant en profiter pour faire quelque chose d'utile en même temps.

Calla se baissa et constata la disparition de sa boîte.

— C'était donc ça, dit-elle. Je savais bien que Swan Lake connaissait la différence entre les lis tigrés et les pavots.

Devant l'étonnement de Willadee, Calla rétorqua qu'elle n'était pas sûre, mais qu'au moins ils n'avaient pas à se tracasser. Entre prier, jeûner, mentir et voler, les mômes étaient sans doute trop occupés pour se mettre dans le pétrin.

Pendant que Noble et Bienville enveloppaient de chiffons les battants des cloches, Swan, qui voyait toujours plus loin que le bout de son nez, avait «emprunté» trois appeaux à canard qu'elle avait un jour remarqués en fouillant dans la remise à outils. Les cloches de vache, c'était très bien pour le grand tapage, mais ça ne ressemblait pas du tout à des trompettes, et Swan estimait que l'opération serait plus authentique s'ils avaient des instruments dans lesquels souffler. Ils coincèrent les appeaux à l'intérieur des cloches, dans les replis des chiffons.

La traversée du pré se déroula plus ou moins comme d'habitude, sauf que, cette fois, ils marchaient sur des œufs. La gravité de la situation les accablait de plus en plus. Pourtant, pas question de revenir en arrière. Blade Ballenger avait besoin d'être sauvé, et ils étaient les seuls sur qui il pouvait compter.

En arrivant au bord du ruisseau, ils s'accroupirent pour boire au creux de leurs mains, comme l'avaient fait au temps jadis les enfants hébreux. En buvant, ils redoublèrent de vigilance, conscients que tout ce qu'ils avaient entrepris jusqu'à ce jour n'avait jamais présenté de véritable danger. Cette fois, c'était différent.

Bienville aurait bien voulu prier encore un petit peu avant de repartir, mais Swan lui dit qu'il pouvait prier tout en marchant.

— C'est ce qui est écrit dans la Bible : « Priez sans cesse », expliqua-t-elle. Cela signifie que tu dois continuer à avancer même si tu pries.

Ils ne ralentirent qu'en atteignant le haut talus au-dessus du Trou des nageurs. Alors ils se figèrent, tous les trois saisis par la même vision d'horreur.

— Oh, nooooooon, souffla Swan.

Noble et Bienville se contentèrent d'ouvrir de grands yeux.

Ce qui les avait stoppés net dans leur élan était la vue de vêtements éparpillés sur le sol. Les vêtements de Bienville. Ceux que Blade portait la dernière fois qu'ils l'avaient vu. Mais où était le garçon ? Il n'était pas en train de nager dans le trou, et il n'y avait aucune raison pour qu'il erre dans les bois en habit d'Adam.

— Tu crois qu'il s'est fait *manger* ? glapit Bienville.

Noble émit un reniflement de dégoût.

— Et la bête qui l'aurait mangé l'aurait aussi déshabillé ? Et s'il avait été attaqué, ses vêtements seraient tout déchirés et couverts de sang.

Les vêtements étaient impeccables. C'était déjà un bon point.

Swan les ramassa et les tint serrés contre son cœur. Ses frères étudièrent le terrain en quête de signes de lutte. Aucune trace d'aucune sorte.

— Si quelqu'un s'est emparé de lui, il ne s'est pas débattu, pensa tout haut Noble.

Cette remarque ne contribua pas à rassurer Swan. Elle se rappelait avec quelle vigueur Blade avait gigoté l'autre jour pour se libérer de la poigne d'oncle Toy : pourtant sa lutte n'avait laissé aucune trace dans l'enclos des veaux. Quand un enfant est tenu suspendu en l'air par un adulte haut plusieurs fois comme lui, le sol se trouve trop éloigné pour garder des souvenirs de ce dont il a été témoin.

Malgré le sentiment d'urgence qui les taraudait, ils n'en restèrent pas moins prudents – avançant à pas de loup, dans le plus grand silence. Ils approchaient du domaine Ballenger et donc du moment de vérité de leur stratagème miraculeux.

Il y a des moments dans la vie où les choses vous arrivent en pleine figure, des moments que l'on n'aurait pas pu prévoir, et pour lesquels non seulement on n'est pas préparé mais encore qu'il aurait mieux valu éviter à tout prix : c'était un de ces moments que les enfants Lake étaient sur le point de connaître.

D'après le plan élaboré par Swan, dès qu'ils auraient débusqué l'Ennemi, ils devaient faire plusieurs fois le tour de son repaire, à l'imitation des prêtres lors de la prise de Jéricho. Ils ne devaient ni parler ni faire le moindre bruit jusqu'à ce qu'ils aient effectué sept tours. Après quoi, ils déballeraient les battants des cloches et – au signal de Swan – agiteraient les mêmes cloches et souffleraient dans les appeaux à canard. Si sept trompettes avaient réussi à abattre les murs de Jéricho, trois cloches de vache et trois appeaux à canard se révéleraient sûrement suffisants pour scier les jambes de Ras Ballenger. Ce serait ensuite à Dieu tout-puissant de le garder à terre assez longtemps pour qu'ils trouvent Blade et l'emmènent en lieu sûr.

Hélas ! ils n'eurent pas même la possibilité de mettre à exécution leur plan. Ils venaient de ramper sous des barbelés, qui, d'après leurs calculs (justes), marquaient la frontière entre la ferme de grand-maman Calla et la propriété des Ballenger, quand ils entendirent une voix. Les garçons, sans jamais l'avoir entendue, devinèrent à qui elle appartenait. Swan n'eut pas besoin de deviner. Elle savait.

— Oups ! disait Ras Ballenger. (Railleur.) Où est-ce que tu crois que tu vas ? Non. Pas par là.

Puis :

— Pas par là, non plus.

Swan et ses frères se pétrifièrent instantanément. Retinrent leur souffle. Puis, tout doucement, ils se dirigèrent vers la voix, qui provenait de l'autre côté de la haie de saules pleureurs.

Ils se frayèrent un passage dans l'épais rideau de rameaux enchevêtrés, en prenant garde de ne froisser ni les feuilles de l'arbre ni celles qui tapissaient le sol. Alors qu'ils étaient près de déboucher de l'autre côté, ils aperçurent une clairière : un grand espace dégagé par la chute de deux pins gigantesques, sans doute déracinés par la récente tornade. Les pins étant tombés en se frottant l'un à l'autre, des branches avaient été arrachées. Et jonchaient le sol.

Là, au milieu de ce fouillis, il y avait Blade. À moins de cent mètres d'eux. Il avait sur le dos des vêtements crottés, et lui-même était sale à faire peur : ses jolis cheveux collaient à son crâne comme de l'étoupe noire. Il ramassait du bois. Courant de-ci, de-là, de plus en plus vite, tandis que son père faisait claquer son terrible fouet et aboyait des ordres.

— T'en as loupé un ! grogna Ballenger en conduisant l'enfant à coups de fouet. Qu'est-ce que t'as ? T'es qu'un bon à rien ou quoi ?

Swan fut tellement saisie qu'elle empoigna le bras de Noble pour ne pas perdre l'équilibre. Bienville, de l'autre côté de Noble, attrapa l'arrière de la chemise de son grand frère. Noble, qui tenait lieu de pilier, vacillait sur ses pieds.

C'est alors que cela arriva. Blade ne fut pas assez preste pour esquiver la mèche du fouet : il eut le visage labouré. Avec un petit bêlement, il cessa à l'instant de bouger. Totalement immobile et figé.

Swan et ses frères contemplèrent avec épouvante le visage stupéfait de leur ami. Du sang suintait de là où s'était trouvé son œil. Quant à ce dernier, il pendait de son orbite.

Swan perdit connaissance.

Noble sentit la main de sa sœur glisser sur son bras, et parvint à la rattraper de justesse. Il la coucha tout doucement, pour éviter qu'elle ne se blesse dans sa chute, ou n'atterrisse avec un bruit mat qui trahirait leur présence. Bienville avait entre-temps lâché la chemise de Noble et se tenait tout droit et raide, les paupières serrées très fort et les lèvres pincées. Noble fut ainsi le seul à assister à ce qui se passa ensuite.

Ras Ballenger, comprenant ce qu'il avait fait, eut un hochement de tête qui manifestait plus d'agacement que de remords. Sans lâcher son fouet qu'il garda dans sa main droite, il s'approcha de Blade, le souleva de terre et le coinça sous son bras gauche comme un fermier transportant un cochonnet récalcitrant. Et il sortit de la clairière. Hors de vue.

Parti.

24

Willadee vit leurs petites silhouettes se profiler à l'autre bout du pré, sur la légère montée avant la vaste étendue plane qui s'étendait jusqu'à la maison. Ils suivaient le même ancien sentier des vaches où elle les avait aperçus des douzaines de fois, mais jamais encore elle n'avait senti son cœur se serrer comme aujourd'hui.

Assise dehors, derrière la maison, elle écossait des haricots violets, les pouces et les doigts parés de pourpre, une terrine à moitié pleine sur les genoux. Elle posa la terrine à côté d'elle et se leva pour mieux observer les enfants. Quelque chose n'allait pas. Pour commencer, Swan ne marchait pas en tête. Ensuite, elle tenait la main de Noble.

Bienville était à la traîne. En soi, rien d'inhabituel. Mais ces épaules voûtées… et il n'arrêtait pas de s'essuyer les joues sur sa manche de chemise.

— Toy ! hurla Willadee. Toy ! Vite ! Il est arrivé quelque chose aux enfants !

Toy se trouvait au Never Closes quand il entendit Willadee l'appeler à tue-tête. Ce n'était pas encore l'heure d'ouvrir. Ce n'était même pas encore l'heure du dîner. Bernice et lui venaient de débarquer quelques minutes plus tôt, et il profitait de ce moment pour faire un peu de ménage. Il sortit en coup de vent pour voir Willadee courir à travers le pré. Le temps qu'il la rattrape, elle jetait ses bras autour de ses trois enfants à la fois.

— C'est horrible, soufflait Noble en frémissant.

Bienville pleurait ; vert, sur le point de vomir.

— Son œil pendait, articula-t-il péniblement, il pendait du trou dans son visage.

Swan serra les poings et s'assena de grands coups sur les cuisses en sanglotant :

— On l'a laissé tomber ! On était là, on a tout vu, et on n'a rien fait ! On l'a laissé tomber !

— Vous n'avez laissé tomber personne, décréta grand-maman Calla d'un ton catégorique.

Ils étaient tous réunis dans la salle de séjour. Calla, qui, flairant un drame familial, avait planté là l'épicerie ; Samuel, rentré de sa journée de travail au beau milieu du récit des enfants ; Bernice, qui dès le départ avait pressenti une catastrophe ; Toy, Willadee et les enfants. Calla, sur son fauteuil à bascule, tenait Swan dans ses bras. Bienville était sur les genoux de Willadee, le visage enfoui au creux de son épaule. Noble se cramponnait des deux mains au pouf sur lequel il était assis.

— On l'a laissé tomber, répéta Swan d'une voix noyée de pleurs. On n'a même pas déballé les cloches.

— Quelles cloches ? s'enquit Willadee.

— On voulait faire peur à M. Ballenger en agitant des cloches de vache et en soufflant dans des appeaux à canard, expliqua Noble. (Manifestement gêné. Après tout, au titre d'aîné, il aurait dû incarner la raison.)

Au mot «cloches de vache», Samuel pencha tristement la tête de côté.

— Comme les prêtres avec leurs trompettes pendant la bataille de Jéricho, continua Noble. On les avait emballées dans des chiffons pour ne pas faire de bruit avant d'être prêts.

Au mot «chiffons», Willadee et Calla penchèrent aussi la tête de côté. Les pièces du puzzle s'assemblaient et le tableau qui se formait aurait été magnifique, si seulement les choses n'avaient pas si mal tourné.

— Et pile quand Blade avait le plus besoin de moi, j'ai perdu les pédales, se lamenta Swan. Si on avait exécuté le plan, on aurait pu le sauver.

Willadee intervint :

— Vous ne l'auriez pas sauvé, ma chérie. Vous vous seriez tous fait tuer.

— Les forces du Mal existent, hélas ! déclara grand-maman Calla aux enfants en les enveloppant dans un seul regard. Autant que vous le sachiez. Il y a des gens maléfiques et vous n'y êtes strictement pour rien.

— Il faut que quelqu'un l'arrête ! s'éleva Noble.

S'ensuivit un moment de silence : les enfants attendant qu'une grande personne s'engage à veiller à ce que l'on arrête Ras Ballenger ; les grandes personnes conscientes de ne pouvoir faire une promesse pareille.

Samuel se leva sans un mot et sortit de la maison. Peu après, on l'entendit élever la voix vers le Seigneur.

Toy Moses, ayant peu de pratique de la prière et doutant de son efficacité, ne se donna pas la peine d'implorer Dieu. Il souleva le combiné du téléphone et appela la police.

Plus tard dans la soirée, deux adjoints firent un saut au Never Closes afin de mettre au courant Toy des détails de l'enquête. En effet, le fils Ballenger avait perdu un œil cet après-midi, mais le père jurait que l'enfant s'était blessé en tombant sur une branche pendant qu'il ramassait du bois pour le feu ; et la mère confirmait cette version des faits.

— La mère ne se trouvait pas sur place, fit remarquer Toy.

— Et vous ? rétorqua un des adjoints du tac au tac.

Cet adjoint-là, Bobby Spikes[1], était nouveau dans la région (il n'y habitait que depuis huit ou neuf ans). Il se trouvait en outre être un des seuls policiers à ne jamais avoir levé le coude au Never Closes.

— Si mes enfants disent qu'elle n'était pas là, c'est qu'elle n'y était pas, argua Toy.

— *Vos* enfants ?

Le deuxième adjoint, un gars du nom de Dutch Hollensworth, connaissait Toy Moses depuis Mathusalem, et il n'appréciait guère le ton employé par son collègue Spikes pour s'adresser à un homme qu'il respectait personnellement et à qui il devait quantité de verres à l'œil.

---

1. *Spikes* signifie « pointes », « piquants ».

— Ce sont ses neveux, expliqua Dutch au nommé Spikes. Et ce sont des Moses.

— C'est vrai. Et un Moses ne ment jamais, récita Spikes, sèchement.

Au moins il connaissait l'adage, même s'il n'avait pas l'air de lui accorder beaucoup de crédit.

— Quoi qu'il en soit, poursuivit le dénommé Spikes, le fils Ballenger n'a pas desserré les dents. Ses parents, comme n'importe quels bons parents, l'ont amené à l'hôpital, et les docteurs ont conclu à un accident. Dans un cas tel que celui-ci, la loi est obligée de s'incliner.

— Pas dans le comté de Columbia, si? s'éleva Toy Moses. (Il regrettait d'avoir formulé sa remarque ainsi, mais ce Spikes lui mettait les nerfs en boule.)

Ledit Spikes lui jeta un long regard et se passa le bout de la langue à la commissure des lèvres.

— Il est vrai que par ici, une fois de temps en temps, un crime reste impuni.

Jamais personne n'avait été aussi près d'accuser ouvertement Toy Moses d'avoir commis un meurtre pour lequel il n'avait pas été poursuivi. Mais, après le départ des adjoints du shérif, ce n'est pas cette pensée qui tracassa Toy. Ce qui le laissait perplexe et aurait le don de l'étonner pendant des jours et des jours, c'était d'avoir dit « mes enfants ».

Deux semaines s'écoulèrent.

Les enfants faisaient des cauchemars. Noble fut réveillé une nuit par Bienville qui se glissait dans son lit, tremblant comme une feuille.

— Toi aussi? prononça Noble.

— Tu veux dire que je suis pas le seul? s'étonna Bienville.

Quant à Swan, elle prit l'habitude de dormir dans un fauteuil. De cette manière, quand elle était réveillée en sursaut par le visage de Ras Ballenger qui l'avait effrayée au détour d'un rêve, au moins elle ne se retrouvait pas entortillée dans ses couvertures, et dans l'impossibilité de s'échapper.

Pendant la journée, les garçons ne s'éloignaient pas de la maison. Swan restait le plus possible seule. Willadee tenta de les réunir à la cuisine autour de la préparation de cookies au beurre de cacahouète, et Calla leur offrit de partager son activité la plus précieuse : s'occuper de ses fleurs. Samuel leur proposa de les emmener en ville manger une glace. Calla en stockait dans la glacière de l'épicerie, mais une glace est toujours bien meilleure quand on a fait quelques kilomètres pour la savourer.

Rien ne marchait. Les enfants, ignorant ce qu'était devenu leur ami, se cramponnaient à leur chagrin. Ils avaient l'impression que le moindre relâchement de leur part reviendrait à abandonner Blade à son sort. Pour l'éternité.

— Tu ne peux pas continuer comme ça, dit un jour Willadee à Swan qu'elle avait surprise à se morfondre dans sa chambre – une fois de plus.

Swan qui trouvait en général les « Tu ne peux pas » difficiles à avaler et ne manquait pas de les contester, demeura muette comme une carpe.

— Je sais combien tu es inquiète pour Blade, continua Willadee. Nous le sommes tous. Mais nous ne pouvons pas nous recroqueviller dans notre coquille et fermer notre porte au reste du monde. Ce n'est pas une vie.

Swan se détourna.

Willadee s'approcha de sa fille assise sur son lit. Elle n'essaya pas de la prendre dans ses bras. Elle n'essaya pas de la serrer contre elle. Swan ne supportait plus qu'on la touche, ce que Willadee pouvait comprendre. Quand on est profondément affecté par une perte douloureuse, on a tendance à repousser tous les gestes de réconfort de la part des autres, parce que, nous semble-t-il, leurs gestes minimisent justement la douleur de la perte.

— Tiens, voilà une liste de choses à faire, ajouta-t-elle en posant un morceau de papier sur le rebord de la fenêtre. (Elle en avait deux autres dans la poche de tablier : une pour chacun des garçons.) Quand tu auras terminé, tu pourras remonter ici et te replonger dans ta tristesse jusqu'au dîner.

Les enfants n'avaient pris en charge aucune corvée ménagère depuis le jour de l'arrivée de Snowman, et Willadee se disait que cela pourrait constituer une bonne thérapie. Au fond, elle aurait voulu que chaque jour de leur vie d'enfant soit comme un éternel été. Une suite sans fin de jeux, de rêveries, de magie. Hélas ! cet été-ci se révélait interminable d'une autre manière. Les enfants ne cessaient de revoir dans leur esprit une seule et unique scène d'horreur. Ils étaient prisonniers d'un cercle vicieux que rien ni personne ne parvenait à briser. Au moins ces quelques corvées les obligeraient à penser un temps à autre chose. Elle l'espérait, du moins.

273

Ainsi chaque enfant avait un programme à suivre. Pour quelques jours. Et pendant qu'ils travaillaient, ils pensaient à Blade Ballenger.

Trouvant un soir Swan assise seule dans la balancelle de Calla, Samuel lui dit combien il était désolé de n'avoir pas été plus attentif le jour où elle lui avait confié son idée des cloches de vache. L'aurait-il prise au sérieux, et comprenant la gravité de la situation, il aurait peut-être évité qu'elle n'ait été témoin d'un événement aussi tragique.

— C'est pas parce que je n'aurais pas été témoin que cela ne serait pas arrivé, raisonna Swan. On avait besoin d'un miracle, et on l'a pas eu.

Samuel, soupçonnant un sous-entendu, lui demanda si elle estimait que ce qui était arrivé à Blade, c'était la faute de Dieu. Swan réfléchit longuement. Manifestement, c'était une question qui la préoccupait.

— Non, laissa-t-elle finalement tomber. C'est moi qui ai raccourci le jeûne pour pas qu'on loupe le pudding à la banane.

Le vendredi matin, un autre cheval fit son apparition, celui-ci à bord du van de M. Odell Pritchett, et payé au comptant par Toy Moses. Odell avait téléphoné à Toy pour lui dire qu'il voulait faire un geste afin de le remercier de s'être occupé de Snowman, et Toy lui avait répondu qu'il n'avait pas à le remercier, mais en revanche s'il voulait bien lui indiquer un endroit où acheter un cheval pour les enfants ? Un cheval dépourvu de mauvaises habitudes, et de goût pour le grand galop.

— J'ai justement ce qu'il vous faut, repartit Odell. Une jument qui s'appelle Lady.

Ils marchandèrent un peu (Odell souhaitant offrir la jument, et Toy refusant un pareil cadeau) et, au bout du compte, trouvèrent un compromis. Dont ils étaient seuls à connaître les clauses. En réalité, ils étaient les seuls à savoir qu'un cheval avait changé de mains.

Vers le milieu de la matinée, les enfants, ayant terminé leurs corvées ménagères, étaient en train de reprendre leurs activités coutumières, ce qui se résumait à pas grand-chose. Noble et Bienville couchés sur un carré de terre battue essayaient de persuader des cloportes de sortir de leurs trous. Comment s'y prenaient ces chenapans ? Avec une brindille : ils l'introduisaient dans la cavité, et ils touillaient.

— Cloporte, cloporte, y a ta maison qui brûle[1] !

Soi-disant les mots magiques. Ils dépensaient de la salive pour rien, autant aujourd'hui que les autres fois, mais au moins ils étaient occupés.

Derrière la maison, Swan avait escaladé le poulailler, pour la simple raison que c'était la meilleure méthode pour grimper dans le grand mûrier. Du toit de la maison des poules, en effet, il suffisait de s'accrocher aux branches pour se hisser dans l'arbre. Elle était donc assise à califourchon sur une branche, adossée au tronc du mûrier. Étant donné l'abondance du feuillage, elle ne voyait rien de ce qui se passait à l'extérieur, ce qui lui convenait parfaitement. Personne ne la voyait non plus, ce qui lui convenait encore mieux.

----

1. Comptine traditionnelle du Sud des États-Unis : « *Doodlebug, doodlebug, your house is on fire.* »

Lorsque Odell débarqua avec son van, Swan entendit bien un bruit métallique de camion, mais elle n'y prit pas garde – des véhicules de toutes sortes allaient et venaient toute la journée devant chez les Moses. Elle dressa toutefois l'oreille lorsque ses frères se mirent à pousser des cris d'Indiens sur le pied de guerre.

— Un cheval? hurlait Noble. Un cheval pour *nous*?

Et Bienville d'enchérir en criant tout aussi fort:

— Tu veux dire qu'on n'est pas obligés de le *rendre*?

C'est le genre de déclaration qui ne peut pas vous laisser indifférente. Surtout quand on est une gamine de douze ans. La curiosité de Swan était piquée. Elle descendit de son arbre. Sans se presser, tout de même! La possession d'un cheval ne pouvait réparer un cœur brisé, ni lui ôter son chagrin pour Blade. Mais elle était néanmoins intéressée.

Comme un cheval ne sort pas d'un van la tête en avant, mais à reculons, ce que Swan et ses frères virent en premier de l'anatomie de Lady, ce fut son arrière-train. Ce qui était déjà un magnifique début. Un arrière-train gris, avec une queue.

— Qu'elle est belle! murmura Noble.

— Oui, souffla Bienville, révérencieux.

— Quoi? Son cul? ironisa Swan qui n'allait pas se laisser aller au bonheur rien que parce qu'elle voyait le côté sud d'un cheval.

Puis vint le reste. La jument était juste de la bonne taille: ni trop petite ni trop grande. Sa robe était gris tacheté, d'un bout à l'autre. Si elle avait le dos un peu creux (ce qui était le cas), ils ne le remarquèrent pas.

Plus de la première jeunesse? Ils ne le remarquèrent pas non plus. Il ne leur échappa pourtant pas que sa crinière était assez minable. À croire qu'un enfant l'avait taillée à coups de ciseaux – c'était en effet ce qui s'était passé.

— Sa crinière repoussera, déclara Odell sur un ton d'excuse. Ma fille a cru bon de faire une petite coupe à Lady.

Les enfants acquiescèrent : ils comprenaient. Ils se fichaient bien de sa coupe de crinière.

— C'est une adorable jument, notre Lady, ajouta Odell. Elle va sur ses dix-huit ans, elle n'est plus aussi fringante qu'autrefois. Mais elle est obligeante.

Bienville qui connaissait le sens de tous les mots eut le sentiment qu'appliqué à une jument l'adjectif «obligeante» devait sous-entendre quelque chose sortant de l'ordinaire. Il posa donc la question à Odell.

— Cela signifie qu'elle se pliera à tout ce que tu voudras, rien que pour te faire plaisir, répondit Odell.

Les enfants sourirent. Tous. Même Swan. Toy Moses, lui, ne souriait pas. D'une voix bourrue à souhait, il avertit les enfants que s'ils en demandaient trop à ce cheval, ils auraient affaire à lui et à sa badine.

Ils montèrent la jument à cru. Toy avait bien une vieille selle dans la grange, mais le cuir en était tout craquelé et, de toute façon, elle était trop grande pour Lady. En plus, les enfants estimaient que si les Indiens aimaient monter sans selle, pourquoi pas eux? Toy leur montra comment lui mettre sa bride et comment tirer «en douceur» sur les rênes afin d'éviter que le mors ne lui blesse la bouche. Après quoi, à eux de se débrouiller.

Ils montèrent en duo, Swan refusant de descendre de cheval, si bien que les garçons montèrent chacun à leur tour. Autour de la grange. Puis à travers le pré. Mais pas jusqu'au ruisseau. Le ruisseau était semblable à une ligne sinueuse marquant le début de tous les dangers. Ils n'étaient pas encore prêts à braver de nouveau les périls du ruisseau.

Si vous n'avez jamais monté à cheval de votre vie, deux heures suffisent à vous révéler l'existence, avec une acuité sans précédent, des points de jonction de vos jambes avec le haut de votre corps. Au moment où Swan et ses frères décidèrent enfin qu'ils avaient assez fait de cheval pour aujourd'hui, ils se découvrirent des difficultés à marcher.

— J'ai l'impression que mes jambes vont tomber, décrivit Swan en palpant les endroits où elle avait mal.

— C'est parce que tu as *accaparé* Lady, observa Noble.

Et Bienville d'enchérir:

— Et comment!

Swan admit cette vérité, et ajouta qu'elle avait l'intention de l'*accaparer* aussi le lendemain.

Lady eut droit à un traitement royal. Carottes de la cuisine, sucres de l'épicerie, pastèques du coin du potager près de la cabane qui servait de fumoir.

— Vous allez lui flanquer la colique avec toutes ces friandises, les mit en garde grand-maman Calla quand elle les surprit en train de chaparder les pommes qu'elle avait mises de côté pour les beignets.

La colique, c'était pour les petits bébés, et ils n'avaient jamais entendu dire qu'on pouvait en mourir, pourtant Calla leur précisa que, un cheval étant incapable de roter, il fallait veiller à ce qu'il n'ait pas de ballonnements. À la suite de cet avertissement, ils cessèrent de voler pour le compte de Lady, et se concentrèrent sur le bouchonnage.

Toy leur montra comment se servir d'une brosse et d'une étrille, et comment dégager la fourchette du sabot avec un cure-pied.

— Les pieds, pour un cheval, c'est capital, leur enseigna-t-il. Un être humain peut s'arranger d'une jambe artificielle, mais un cheval doit préserver les roues que Dieu lui a données.

Les mômes éclatèrent de rire à la pensée d'un cheval avec des roues, mais la remarque de Toy les laissa quand même songeurs. C'était la première fois qu'il faisait allusion à sa jambe. La toute première. Et il y avait dans son ton dégagé, comme s'il laissait tomber cette remarque en passant, quelque chose d'intrigant. Peut-être parce qu'il les mettait ainsi dans la confidence. Il ouvrait une porte, et leur faisait signe d'entrer. Bien entendu, ils extrapolaient. Il était probable que sa langue avait fourché. Pas que ce fût son style, d'avoir la langue qui fourche, mais comme ça ne l'était pas non plus de devenir copain avec une bande de gamins qui n'étaient même pas les siens, ils préférèrent ne pas s'appesantir.

Les enfants Lake passèrent une meilleure nuit. Swan réintégra même son lit, au lieu de dormir dans le fauteuil. Mais elle alluma la veilleuse que son papa lui avait montée le jour où Blade avait été blessé. Elle n'était pas sûre de pouvoir jamais dormir sans veilleuse, tant qu'elle vivrait.

Si elle avait pu voir l'avenir, la présence ou non d'une veilleuse n'aurait fait aucune différence. Elle n'aurait pas réussi à fermer l'œil. Elle n'aurait même pas réussi à fermer ses paupières.

25

Swan dormait à poings fermés. Les minuscules bruits de quelqu'un se coulant dans sa chambre par la fenêtre ne l'atteignirent même pas, mais lorsque ce quelqu'un se glissa sous ses draps, elle se réveilla en sursaut. Elle était sur le point de crier, quand elle reconnut son visiteur, et ce fut le plus beau moment de sa vie jusqu'ici.

—Comment t'as fait? souffla-t-elle. (Folle de bonheur.)

Blade Ballenger eut un large sourire et montra du doigt la fenêtre. Il débarquait une fois de plus en «pyjama» et le pansement qui couvrait son orbite avait une vilaine teinte jaunâtre. Swan l'entoura de ses bras et le serra contre elle. Blade se détendit, posa la tête sur son épaule, le visage contre son cou.

—J'ai tout vu, lui dit Swan, se détestant de nouveau parce qu'elle n'avait rien fait pour lui porter secours.

Blade se redressa et la regarda d'un air interdit. Tant de choses lui étaient arrivées récemment qu'il ne savait pas de quoi elle parlait.

Swan expliqua:

—Dans les bois, ce jour-là. Mes frères et moi, on est venus te sauver, mais c'était trop tard.

Le bel œil noir de Blade s'ouvrit tout grand de stupéfaction et d'émerveillement tandis qu'il demeurait bouche bée : des gens avaient voulu le sauver, voilà du jamais vu !

— On voulait faire peur à mort à ton papa, mais je me suis évanouie, et j'ai gâché le miracle.

Blade afficha une expression encore plus perplexe : pour le coup, il ne savait vraiment pas de quoi elle parlait.

— Un miracle, c'est quelque chose qui ne peut pas se produire, mais quand on le demande très fort, ça vous est quand même accordé. Seulement, pour ça, il faut faire des tas de trucs qui n'ont aucun sens, et attention ! Exactement dans l'ordre. Si tu t'embrouilles : pas de miracle.

Il ne comprenait toujours pas : cela se voyait sur sa figure. Swan tapota son oreiller, pour l'inviter à s'étendre. Puis elle s'allongea à côté de lui, la tête redressée sur un coude, l'autre bras en travers de son torse à lui pour qu'il se rapproche d'elle.

— Qu'est-ce qui est arrivé à ton œil ? Le docteur l'a remis à sa place ?

Blade détourna le visage, comme s'il cachait un secret coupable et qu'elle venait de le découvrir. Il n'avait pas besoin d'en dire plus.

— Comment tu as réussi à t'enfuir ?

— J'ai attendu qu'un chat vienne.

C'était au tour de Swan de ne pas comprendre.

— Mon papa tue les chats, précisa Blade.

Il s'abstint d'expliquer que son papa adorait tellement tuer les chats qu'il était trop absorbé à ces moments-là pour penser à autre chose, mais Swan avait saisi globalement. Blade jeta un coup d'œil vers la fenêtre, comme s'il avait peur de voir surgir son père d'une seconde à l'autre.

— Personne ne pourra plus jamais nous séparer, promit Swan. Je ne sais pas encore comment je vais les en empêcher, mais ça n'arrivera pas.

Blade posa une main sur le bras de Swan et bâilla de sommeil. Tout ce que Swan disait, il y croyait dur comme fer.

Toy venait de fermer le bar et aidait sa mère à ouvrir l'épicerie, lorsque Ras figea son pick-up devant la maison et en sauta comme s'il avait le feu au cul. Calla leva les yeux des marches qu'elle était en train de balayer, et Toy les siens des deux caisses de sodas qui servaient de cale pour maintenir la porte de l'épicerie ouverte, et chez l'une comme chez l'autre, un air exaspéré refléta avec exactitude leur état d'esprit.

— Jésus Marie Joseph, que le diable m'emporte ! entonna Calla.

Ras Ballenger, qui approchait à grands pas, pila à un mètre d'eux et fixa méchamment Toy.

— Je suis venu chercher mon fils, dit-il. (Ni glacial ni tonitruant comme il était coutumier. D'une voix qui secrétait plutôt une espèce de calme létal.)

N'étant pas au courant pour Blade, Toy était sincèrement étonné, mais n'en laissa rien paraître. Il secoua la tête, sans montrer non plus combien il se réjouissait d'apprendre que le jeune Ballenger avait de nouveau réussi à s'échapper.

— On dirait bien que vous êtes venu chercher de la laine chez les chèvres, monsieur Ballenger. On n'a pas vu votre fils par ici, ça doit bien faire dans les deux semaines.

Ballenger n'en croyait pas un mot, et n'en fit pas mystère. Toy se borna à secouer pour la deuxième fois la tête en ajoutant qu'il espérait que l'enfant était sain et sauf.

— De nos jours, on ne sait jamais ce qui peut arriver, poursuivit-il lentement. C'est difficile à croire, mais il y a des gens sur cette planète qui sont assez abjects… (Il marqua un temps de pause, pour mieux appuyer ses paroles.)… assez immondes… (Nouveau temps de pause.) Des porcs qui ont un tas de boue à la place de l'âme… pour faire du mal à un enfant.

Toy alluma une cigarette, et tira deux grandes bouffées avant de poursuivre :

— Moi, je pense qu'on devrait faire à ces gens-là ce qu'ils ont fait à l'enfant. Œil pour œil, en quelque sorte.

Ras ne pouvait se méprendre sur le sens de ces paroles, et se demandait forcément comment il en savait aussi long. À croire que les adjoints du shérif venus l'interroger avaient ensuite foncé droit au Never Closes, où, devant un verre, ils avaient déblatéré à propos de choses qu'ils auraient mieux fait de garder pour eux. Ras Ballenger en bavait de rage. Tout homme est présumé innocent tant que sa culpabilité n'a pas été prouvée, et il en avait par-dessus la tête d'avoir à feindre l'innocence à propos de ce qui ne regardait personne d'autre que lui. Il repartit :

— Je ne suis pas venu écouter vos théories, je suis là pour mon fils. Vous allez me l'amener, ou faut-il que j'entre pour le reprendre de force ?

Toy jeta à Ballenger un de ces regards qui disait :
« Essaie un peu pour voir. »

Et déclara :

— Ce que je vous propose, monsieur Ballenger, c'est de remonter dans votre camion et de quitter les lieux. Vous avez cinq secondes.

Ballenger se décomposa :

— Je vais prévenir la police, vous allez voir ! Vous vous croyez au-dessus des lois, mais un homme a des droits, et je connais les miens.

— Vous avez plus que trois secondes.

Après le départ de Ballenger, Toy se rendit droit dans la grange, mais elle n'avait pas été visitée depuis longtemps. Les couvertures étaient bien étalées, avec les cadeaux pour Blade empilés au milieu, comme depuis le lendemain de la bataille de Jéricho. En fait, on ne savait pas exactement à quel moment les enfants les avaient mis là. Comme il y avait eu beaucoup de pèlerinages à la grange, cela aurait pu être n'importe quand.

De toute façon, Blade n'y était pas. Toy se rendit ensuite là où il pensait dès le départ le trouver. Dans la chambre de Swan.

Swan et Blade dormaient comme deux petits chiots de la même portée, roulés en boule tout de travers dans le lit, tournés dans des directions différentes mais leurs corps se touchant çà et là. La scène respirait l'innocence, mais Toy n'en fut pas moins indisposé quand il les vit dans cette position. Il n'était peut-être pas un père, mais il avait ce sentiment qui les étreint à propos de leurs filles : les enfants, ça grandit, et les

285

choses changent très vite, si bien que des mesures de prévention doivent parfois être prises.

Non qu'il se sentît responsable de Swan. Mais il était sur le point de prendre en charge la situation.

Il se campa au pied du lit et se racla la gorge. Swan et Blade sautèrent en l'air, et du lit. Le lit étant très haut, ils atterrirent par terre avec un grand *poum*.

Blade s'élança vers la fenêtre. En une enjambée, Toy se mit en travers de son chemin.

— Allons, allons, dit-il. Cette fois, je ne te renvoie pas chez toi.

Blade se figea et se tourna vers Swan, laquelle regardait son oncle Toy avec une soudaine vénération.

— Vraiment ? fit-elle.

— Non, je ne le renvoie pas chez lui, déclara oncle Toy d'un ton solennel. (Et Toy Moses, c'était bien connu, pouvait passer plusieurs années d'affilée sans rien prononcer d'un ton solennel.)

En laissant échapper un énorme soupir, Swan laissa tomber ses fesses sur le parquet. Blade, qui ne l'avait pas quittée des yeux, y vit un signe, et alla s'asseoir à côté d'elle. Toy les dominait de sa haute taille. Il les surplombait de toute sa hauteur et les regardait tous les deux droit dans les yeux.

À Blade, il dit :

— Je ne peux pas te garantir que la police ne s'en mêlera pas, car cela me semble inévitable. Mais je te jure que, pour ma part, tu es le bienvenu ici. Ici, tu seras en sécurité.

Il se pencha et tendit la main au garçon qui (n'ayant sans doute jamais vu proposé ce rituel de sa vie) la prit et lui donna une poignée de main virile.

Puis à Swan, Toy dit :

— Maintenant, il faut trouver un lit à ton ami. Parce qu'il ne peut pas dormir avec toi.

Ce problème réglé, Blade Ballenger pouvait rester chez eux tant que la police ne l'en empêcherait pas. Cela convenait à Swan, d'autant que la seule chose que la police semblait empêcher dans les parages, c'était qu'une goutte d'alcool se perde.

Quant à l'endroit où Blade allait dormir, la question fut réglée démocratiquement au cours d'une réunion au sommet dans la chambre de Willadee et Samuel. Une réunion qui advint quand Toy conduisit Swan et Blade de la chambre de Swan à celle de ses parents. Noble et Bienville, sans doute réveillés par l'excitation qui courait dans l'air, se glissèrent dans la chambre avant que Toy ait terminé d'expliquer que Blade était de retour et avait besoin d'un lit. De toute urgence.

— Tu dormiras avec Bienville, dit Samuel à Blade. Si tu trouves une place au milieu de ses bouquins.

La décision fut jugée assez démocratique pour recevoir l'approbation générale.

Comme Toy craignait des représailles de la part de Ras, il ne rentra pas chez lui dormir. Dans son ancienne chambre, il s'écroula auprès de Bernice. Ce qui était une façon comme une autre de l'obliger à se lever de bonne heure.

Bernice descendit à la cuisine avant que Willadee ait mis sa plaque de petits pains au four : si elle avait bien compris, le petit Ballenger était de retour ! Willadee répondit oui, n'est-ce pas merveilleux ? Bernice ne voyait vraiment pas ce qu'il y avait là de merveilleux, mais ce n'était même pas la peine de discuter : dans cette maison, ils étaient tous tombés sur la tête.

Elle était la seule à ne pas nager dans le bonheur. Les autres étaient si heureux qu'on se serait cru à Noël. Willadee passa sa journée à donner des choses à manger au petit Blade (qu'il n'explosât pas tint du miracle) et les enfants jouèrent avec lui (qu'il ne s'évanouît pas de fatigue tint du miracle) et tout le monde avait un sourire béat à la bouche.

Comme sous cette épaisse couche de bonheur pointait néanmoins la crainte d'une catastrophe, Samuel et Willadee prièrent les enfants de ne pas s'éloigner de la maison et de rester dans le champ de vision des grandes personnes.

— Vous inquiétez pas, on prendra pas la clé des champs, leur lança Swan. On vous promet qu'on sera sages, vous pouvez nous croire.

Et sages ils furent. Tous sans exception. Blade laissa Calla lui changer son pansement et lui donner le bain de sa vie. Il essaya les vêtements de Bienville que Willadee s'efforça d'ajuster à sa taille en s'y reprenant à plusieurs fois. Et pendant ce temps, ses petits camarades patientèrent sans commettre la moindre bêtise.

Un peu plus tard, alors que Samuel était parti chercher Lady au pré afin qu'ils puissent monter autour de la maison, Swan et Blade s'installèrent sur la balancelle – Blade, les genoux relevés avec dessus un bloc de papier. Calla le lui avait offert, avec quelques vieux bouts de crayon, quand elle avait remarqué qu'il dessinait dans la terre. En fait, il se révéla que ce gamin ne dessinait pas du tout comme un enfant. Ses dessins ressemblaient vraiment à quelque chose.

Swan, quand elle n'était pas en train d'admirer les gestes éclairs des mains de Blade, surveillait où en étaient Noble et Bienville de leur bras de fer sur la table à pique-nique. Noble gagnait, parce qu'il était le plus fort, mais Bienville s'ingéniait à le désarçonner en lui demandant à quoi il pensait.

— Il te vient une idée, murmurait Bienville d'une voix basse, chuchotante et mystérieuse de médium à une séance de spiritisme. Je le sens...

Et ça ne manquait pas : Noble avait une fraction de seconde de défaillance. Juste le temps de permettre à Bienville de serrer plus fort ou de déplacer un peu son coude. Il n'avait aucune chance de gagner, mais pour retarder l'échéance de sa défaite, il était champion.

En général, ça rendait Noble fou de rage, mais aujourd'hui, cela le faisait rire. Blade s'arrêta de dessiner pour joindre son rire au sien. Tout le monde était tellement gentil et relax, il y avait de quoi avoir le tournis. En tout cas, quand on avait passé sa vie avec Ras Ballenger.

— Je vais rester ici pour toujours, chuchota-t-il à Swan. (Pas un « murmure mystérieux » comme celui de Bienville, mais un de ces chuchotements que l'on emploie quand on veut confier quelque chose auquel on tient tellement que l'on n'ose pas le dire tout haut.)

— Il faudra bien que tu partes un jour, repartit Swan. C'est vrai pour nous tous. Ce n'est pas ici que nous habitons. C'est juste l'endroit où nous sommes en ce moment.

Comme Blade n'y comprenait goutte, elle lui brossa un petit tableau de la situation.

— Tu vois, quand on a un papa pasteur, on déménage souvent, sauf que cette année on n'a nulle part où aller, et grand-maman Calla se sent bien seule parce que notre grand-père (comment allait-elle tourner sa phrase?) est *mort inopinément*... Alors on est venus vivre avec elle. Mais bientôt, on aura une autre église, et il faudra déménager, et si tout s'arrange, tu viendras avec nous.

Blade était sur le flanc.

— On va habiter dans une église?

— Non pas dedans. On habite un presbytère. C'est souvent juste à côté de l'église, ou de l'autre côté de la rue. Comme ça les fidèles peuvent surveiller tout le temps tout ce que tu fais.

Blade émit un «Ohhh!» comme si, *maintenant*, il comprenait.

— Les fidèles sont des gens bizarres, continua Swan. (Un sujet qu'elle connaissait bien, et sur lequel elle ne s'interdisait pas de partager ses lumières.) Ils ne sont jamais contents, et il y a toujours une faction – c'est un groupe de gens qui vont boire le café ensemble chez l'un d'eux après le culte, quand la prédication a été trop sévère, et qu'ils se sentent attaqués personnellement – et, bon, il y a toujours une *faction* qui essaie de se débarrasser du pasteur. C'est pourquoi on déménage autant. Un jour ou l'autre, tu vois, la faction finit par gagner. Mais, *grosso modo*, les fidèles sont plutôt sympas. Même ceux de la faction sont sympas, devant vous.

— Swan, qu'est-ce que tu racontes à ce garçon?

C'était Samuel qui venait de parler. Revenant avec Lady, il avait attrapé la dernière phrase au vol. Swan leva vers lui un sourire plein de fierté.

— Je lui disais juste à quoi il faut s'attendre quand on dirige une église.

Samuel tendit la bride de Lady à Noble, et s'assit sur la balancelle.

— Bon, eh bien, personne ne peut savoir ce que nous réserve demain, leur dit-il. Ce n'est pas une bonne idée de faire des promesses que nous ne sommes pas certains de pouvoir tenir.

Blade, qui, jusque-là, avait regardé Samuel, baissa le nez et se remit à dessiner d'une main lente et machinale. Comme si c'était la seule chose sur laquelle il avait un pouvoir. S'il ne comprenait pas la moitié de ce que jacassait Swan, il saisissait parfaitement ce que son père disait. Samuel vit la douleur se peindre sur son visage – son habileté déjà à cacher cette douleur – et s'en voulut de ne pas pouvoir prononcer les mots que cet enfant brûlait d'entendre. Mais il ne le pouvait pas.

— Je crois que le mieux, reprit Samuel, c'est de profiter du temps que nous passons ensemble et de faire confiance à Dieu pour la suite. Dieu nous mène sur des chemins que nous n'aurions pas rêvé de prendre.

Blade se tourna vers Swan pour qu'elle lui traduise. Comme d'habitude.

— C'est qui, Dieu? demanda-t-il. (En chuchotant de nouveau.)

— Dieu est pas facile à expliquer, répondit Swan. Mais ne t'inquiète pas. Si t'écoutes mon papa, tu finiras par savoir sur Lui tout ce qu'il y a à savoir.

26

Toy se réveilla vers quatre heures de l'après-midi. Non qu'il ait eu son content de sommeil, mais voilà, Swan n'avait pas été assez silencieuse en lui subtilisant les gros souliers qu'il avait posés à côté de son lit. Il ouvrit les yeux pour la voir sortir de sa chambre sur la pointe des pieds. Au lieu de lui demander ce qu'elle complotait, il jugea préférable d'observer le déroulement des événements et de laisser la vérité s'imposer d'elle-même.

Ce que Swan complotait, c'était de cirer les souliers d'oncle Toy. Elle n'avait encore jamais ciré de chaussures d'homme, elle n'avait jamais même ciré les siennes. Son père était le cireur en titre de la famille Lake. Elle s'en fut donc le consulter. Samuel sortit son nécessaire à chaussures, expliqua le procédé et confia le tout à Swan. Un cadeau n'est pas un cadeau, si tout le travail est effectué par un tiers !

— Ces souliers, déclara Swan à Blade, qui l'assistait en lui présentant à mesure ce dont elle avait besoin, vont briller comme des sous neufs. Passe-moi la brosse.

Il lui tendit la brosse. Elle épousseta la terre, gonflant ses joues pour mieux en souffler les grains.

— Oncle Toy va se frotter les mains de t'avoir empêché de t'enfuir par la fenêtre, dit-elle. Il faut qu'on trouve des moyens de lui montrer que c'est génial, ce qu'il a fait.

Blade écoutait en opinant.

— Par exemple, des fleurs, pensa tout haut Swan. On pourrait lui en cueillir. Quand tu cueilles une fleur pour quelqu'un, il se sent spécial toute la journée.

Blade opina de nouveau, l'air pensif.

Swan ajouta :

— Et on pourrait lui rendre de petits services. Tu sais. Aller lui chercher des trucs, pour pas qu'il soit obligé de se lever. Ce genre de chose. Passe-moi le chiffon.

Elle lui tendit la brosse sans le regarder, s'attendant à ce que Blade la lui reprenne pour la remplacer par le chiffon, mais son assistant s'était envolé.

Le parterre de dahlias était condamné d'avance. Les bégonias plus qu'un souvenir. Les belles-de-jour ratiboisées. Blade avait déjà écumé la moitié des hortensias quand une ombre large et compacte tomba sur lui. Il leva les yeux. Quand il vit la figure de Calla Moses, il chercha désespérément une issue. Il n'y en avait pas, à moins de foncer dans le rosier rugueux, ce qui même pour lui était hors de question : il avait beau ignorer l'expression «fourré impénétrable», il savait en reconnaître un quand il en voyait un.

Calla tenait un seau à la main. Il s'attendait à ce qu'elle le lui lance à la tête. Au lieu de quoi, elle le lui tendit. Il le prit machinalement. Son poids le surprit : le seau était à moitié plein d'eau.

— Si tu cherches quelque chose où les mettre, essaie donc ça, lui dit-elle. (Elle désigna la gerbe qu'il serrait contre lui, et les fleurs éparpillées par terre.) J'avais justement l'intention de faire un bouquet pour le guéridon du séjour. Tu as lu dans mes pensées !

C'était aussi loin de la vérité qu'une Moses pouvait aller en restant tout de même une Moses. Tout à l'heure, quand elle l'avait vu à l'œuvre du seuil de l'épicerie, elle en avait presque eu une crise cardiaque. Pourtant on ne s'en serait pas douté à voir sa mine réjouie. Elle qui avait eu toutes les peines du monde à se retenir de l'écharper, comment faisait-elle pour avoir l'air si charmante ? Les veines de son cou n'étaient même plus saillantes.

Blade demeura sans voix. Une seconde plus tôt, il croyait la fin du monde arrivée, et voilà qu'elle le félicitait de sa bonne idée. Les gens, décidément, étaient étranges.

—Je les cueille pour *cet homme-là*, prononça-t-il doucement en montrant la maison d'un mouvement du menton. Cet *oncle-là*.

Calla renversa la tête en arrière et aspira une grosse quantité d'air par le nez, comme une personne qui, la gorge nouée par l'émotion, ne pourrait pas prononcer un mot même si sa vie en dépendait. « À quand remonte la dernière fois que quelqu'un a eu une attention spéciale pour Toy ? » Voilà la pensée qui la laissait sans voix. « À quand remonte la dernière fois que quelqu'un a entrepris quelque chose de beau et de désespéré pour lui faire plaisir ? » Elle ne se doutait pas que Swan projetait aussi d'offrir un cadeau spécial à Toy, ni que la vie de Toy avait changé une bonne fois pour toutes, et était sur le point de prendre encore une nouvelle tournure. Tout ce qu'elle savait, c'était que ce petit garçon faisait une gentillesse à son propre petit garçon – à l'homme qui avait été son petit garçon. Sa gratitude était sans bornes. Elle adressa à Blade Ballenger un sourire tout tremblant.

— Sais-tu que les fleurs une fois cueillies continuent à s'épanouir?

Il fit non de la tête, très grave.

— Eh bien, maintenant tu le sais. C'est comme si tu les complimentais. Elles se plient en quatre pour te faire plaisir.

— Tu es imbattable sur les fleurs, grand-maman Calla? (C'était pile la bonne question à poser.)

— Pas du tout, répliqua-t-elle vivement. Mais je parie que toi, quand tu seras grand, tu seras imbattable quand il s'agira de gagner le cœur d'une femme.

Lorsque Toy sortit de sa chambre, habillé pour le travail, ses souliers l'attendaient devant sa porte, et (comme l'avait prédit Swan) ils brillaient comme des sous neufs. Alignés contre le mur se succédaient des bouquets impressionnants, dans un assortiment de vases – allant du plus beau que possédât Calla à des bocaux en verre et des petits pots à confiture. Un véritable monceau de fleurs! Toy pencha la tête de côté et cligna des yeux, se demandant si celui qui les avait cueillies était encore de ce monde, ou si sa mère avait caché le corps et appelé le shérif pour se dénoncer.

À table pendant le dîner, Swan veilla à ce que le verre de thé glacé de Toy restât plein, et Blade lui passa le beurre à chaque fois qu'il se resservait une tranche de pain de maïs. Tous regardaient Toy en souriant, comme s'ils détenaient un secret qui les gratouillait, les démangeait... Et, comme d'habitude, Bernice faisait exception à la règle.

Finalement, Toy déclara :

— Je tiens à remercier celui ou celle qui a troqué cet après-midi mes vieilles godasses contre des neuves.

Swan n'en pouvait plus.

— C'est pas des nouvelles godasses ! s'esclaffa-t-elle. Elles ont juste l'air neuves parce que je les ai cirées !

Toy lui jeta un regard comme s'il ne la croyait pas.

— Vraiment ? J'aurais juré qu'elles étaient neuves. Elles ne sont pas du tout comme les anciennes.

Swan se tenait les côtes. Auprès d'elle, Blade était comme sur des charbons ardents : son cadeau à lui allait-il être mentionné ? Il n'eut pas longtemps à attendre. Toy ajouta :

— Et la personne qui m'a apporté des fleurs... qu'elle vienne ici que je lui fasse un gros câlin.

Tout en prononçant ces mots, il regardait Swan. Aussi fut-il très étonné et peut-être un peu déçu lorsque Blade descendit de sa chaise et s'avança. Au milieu du cercle de famille, le petit garçon se tint devant lui, immobile et muet. Toy le contempla longuement.

— Tu as fait ça pour moi ?

Blade esquissa un hochement de tête timide comme un soupir. Il attendait toujours. Toy recula un peu sa chaise, prit Blade sur ses genoux et lui fit un vrai gros câlin. Blade n'osa pas le lui rendre, mais il était heureux comme un pape.

—Je me suis toujours demandé comment c'était d'être roi, reprit Toy, mais maintenant, je crois que je sais.

Calla Moses était radieuse ; elle rayonnait littéralement.

Il paraît que rien ne peut jamais durer éternellement. Deux heures plus tard, la police fit une descente au Never Closes en la personne de l'adjoint Dutch Hollensworth, dépêché par le shérif Early Meeks, lequel avait reçu une (nouvelle) visite de Ras Ballenger, incarnant la figure de la dignité offensée. De son côté, Blade avait sauté un pas qu'aucun enfant Lake n'avait jamais même essayé de sauter : il avait suivi Toy dans le bar après le dîner.

Au début, Toy lui avait ordonné de sortir, en lui précisant que les enfants n'avaient pas le droit d'entrer dans le bar, mais Blade s'était aussitôt mis à ramasser à toute allure les cendriers de la veille et à les vider dans la poubelle derrière le comptoir. Toy conclut que, bon, les cendriers avaient besoin d'être vidés, et il lui laissa terminer ce petit pensum, mais avant qu'il se soit rappelé de lui redire de sortir, le gamin s'était emparé d'un balai et avait entrepris de balayer le plancher. C'était à cette tâche qu'il s'adonnait avec passion lorsque les habitués commencèrent à se pointer et à s'attendrir sur l'adorable chenapan avec son pansement sur l'œil qui travaillait, travaillait, une vraie petite abeille.

— Ce garçon ressemble à un pirate, confia Bootsie Phillips à Toy. Dommage que son bandeau ne soit pas de la bonne couleur. Il devrait être noir.

Toy se taisait, ce dont il n'était pas coutumier, mais aujourd'hui le bavardage des clients compensait amplement son silence. L'un d'eux déclara à Blade qu'il espérait qu'il ne les forcerait pas à marcher sur la planche, un deuxième lui demanda où était son perroquet, à quoi Bootsie Phillips ajouta, le perroquet, rien à foutre, ce qu'il voulait savoir, c'était où était le tas d'or. Tout content de se sentir au centre de l'attention, ce qui ne lui était jamais arrivé de sa vie, Blade balayait de plus en plus vite, en agrémentant de quelques pas de danse le va-et-vient de son balai. Les hommes se mirent bientôt à lancer de la menue monnaie en pluie par terre, en lui disant qu'il pouvait garder tout ce qu'il balayait. Ses poches cliquetaient joliment à l'heure où Dutch Hollensworth fit son apparition.

En voyant la silhouette massive de Dutch s'encadrer dans la porte, le cœur de Toy chavira. Ce moment était peut-être inévitable, mais il aurait préféré qu'il n'arrive pas si vite. Et, tout d'un coup, il n'était plus du tout sûr de vouloir le laisser arriver. Il fit signe à Blade de filer par la porte du fond, mais Blade était trop occupé à divertir la clientèle.

Dutch n'avait pas l'œil dans sa poche. Il vit le signe de Toy, il vit le garçon, et il ne le lâcha plus du regard tandis qu'il traversait la salle. Il s'appuya au comptoir de manière à pouvoir courir après l'enfant si jamais celui-ci cherchait à s'échapper. Toy décapsula une bière et la fourra dans la main de Dutch. Dutch leva la bouteille glacée contre sa joue.

— Je prendrais volontiers un bain dans le baquet d'où est sortie cette bouteille, fit-il observer avant de passer du coq à l'âne : Le shérif m'a donné l'ordre, si

298

jamais je voyais ce gamin quelque part, de le ramasser et de le ramener chez lui, que ça me plaise ou non.

Toy cligna des yeux, comme s'il ne savait pas de quoi Dutch parlait.

— Quel gamin?

— Le fils à Ras Ballenger, pardi! répondit Dutch en montrant Blade du doigt. Ce gamin-*là*. (Il le voyait de ses propres yeux, que diable!)

Toy suivit la direction de l'index de Dutch et se gratta la tête, affichant une mine désemparée. Comme s'il tentait de résoudre une énigme.

— Dites donc, les mecs! entonna-t-il d'une voix forte. Y aurait un de vous qu'aurait vu un petit garçon?

À ces mots, Blade comprit ce qui se passait et devint aussi immobile qu'une statue. Son cœur battait soudain si fort, si fort, que sa poitrine tressautait sous sa chemise.

Les habitués ayant eu vent des mauvais traitements que Ras Ballenger infligeait à son fils saisirent tout de suite où Toy Moses voulait en venir. Ils eurent alors comme une révélation: ce qu'ils disaient comptait peut-être pour du beurre dans le grand monde, mais aujourd'hui, pour une fois… y avait pas à chier! Cette fois on allait les écouter! Regardant tour à tour Blade et le policier… ils secouèrent la tête en affectant des expressions affligées.

— T'as la vue qui baisse, peut-être bien, Dutch, suggéra Bootsie Phillips.

Et Nate Ramsey d'enchérir:

— T'as pas abusé de ce truc que ma maman disait que ça rendait aveugle, hein, Dutch?

Un petit ricanement fusa, puis un rire nasal, accompagné d'un reniflement tonitruant, un bruit tellement absurde qu'il déclencha un éclat de rire général. Dutch regarda d'un air résigné cette petite bande d'imbéciles qui débitait des gaudrioles : il n'y aurait donc pas moyen d'emmener l'enfant de là. C'était typiquement le genre de situation où un insigne de flic n'a aucun poids à moins de l'appuyer de l'usage du pistolet ; mais il n'avait aucune intention de menacer ses amis de son arme… Pas à cause d'un gamin qui préférait ne pas vivre sous le même toit qu'un homme qui lui avait déjà crevé l'œil avec la mèche de son fouet.

— Vous êtes tous sûrs et certains que vous le voyez pas ? insista quand même Dutch, pour la forme (« Une fois, deux fois, trois fois, adjugé » : si personne ne levait le doigt, les enchères étaient terminées).

Ils secouèrent de nouveau la tête. Dutch vida sa bière, rota et s'essuya la bouche sur le dos de sa main.

— Bon, alors, j'ai dû avoir des visions.

L'incident était clos. Pour le moment. Les habitués se congratulèrent, quelqu'un s'avança pour donner une grande claque dans le dos de Dutch, en le traitant de brave mec, et plusieurs personnes, en dépit de ses protestations, lui offrirent des bières. Quant à Blade, son cœur cessa de lui sauter dans la gorge comme s'il cherchait à s'échapper. Quand Toy lui fit signe de sortir, il se coula dans la cuisine par la porte du fond, aussi rapide qu'un lézard.

Les autres enfants, assis autour de la table, les yeux fixés sur le battant de la porte, l'attendaient de pied ferme.

— C'est comment là-dedans ? lui lança Bienville. *Les délices de Capoue ?* (Bienville avait remis le nez dans ses bouquins.)

Blade ne savait trop à quoi il acquiesçait, mais il lui confirma qu'en effet, il y avait là-dedans bien des délices.

Noble l'interrogea :

— Une voiture de police est garée devant. Le flic t'a vu ?

Blade se percha sur la chaise à côté de Swan et sortit de sa poche des pièces de cinq cents qu'il empila sur la table devant lui. Onze en tout.

— Il a cru me voir, répondit Blade. Puis il a changé d'avis. Dites, les gars, vous trouvez que je ressemble à un pirate ?

Lorsque Ras Ballenger apprit que son fils était chez les Moses et que la police ainsi qu'une part importante de la communauté conspiraient pour qu'il y reste, il devint fou à lier. Il allait tuer Toy Moses, voilà ce qu'il allait faire. Il allait entrer dans le bar de ce fils de pute et lui flanquer une balle entre les deux yeux.

— Tu finiras sur la chaise, l'avertit sa femme la dixième fois qu'elle l'entendit répéter cette même menace. (Et elle ne se baissa même pas pour esquiver un coup.)

— Te réjouis pas trop vite, ricana-t-il.

Cela dit, elle n'avait pas tort. Si vous tuez quelqu'un de sang-froid, surtout dans un lieu public, il y aura un prix à payer. Car sur le chapitre de l'homicide avec circonstances atténuantes, la loi n'adopte pas forcément la même optique que celui qui tue alors qu'il se sent dans son bon droit.

Ras passa chaque minute de la semaine à chercher un moyen de se venger de Toy et du clan Moses au complet. En vérité, comme la planète entière était au courant de l'animosité entre les deux familles, Ras se verrait accuser de tout ce qui pourrait arriver là-bas. Que la maison brûle, et il serait arrêté pour avoir déclenché l'incendie. Que quelqu'un tombe d'une échelle, et on l'accuserait d'avoir scié les barreaux.

Finalement, il tomba sur un plan d'une beauté et d'une simplicité telles qu'il se demanda pourquoi il n'y avait pas pensé plus tôt. Ce stratagème lui était apparu alors qu'il était assis dans la cour derrière chez lui, sur une chaise. Assis là à regarder les dépendances et le labyrinthe de box et d'enclos, pendant que Géraldine lui coupait les cheveux. Jusqu'à cette minute, il avait été une boule de nerfs, tout noué et furieux à l'intérieur, mais une fois qu'il sut ce qu'il avait à faire, il se détendit complètement ; en fait, il n'avait pas goûté pareil bien-être depuis un bout de temps.

Son plan n'était pas du style à pouvoir être exécuté en un jour, pas s'il voulait bien faire les choses, et sur ce point il ne tergiverserait pas, il devait s'armer de patience, et en attendant, ses arrogants voisins pouvaient patauger dans les suppositions. À eux les insomnies, la torture mentale, à se demander pourquoi Ras n'avait pas levé le petit doigt pour récupérer son fils, et ce qui allait leur tomber dessus quand il se déciderait à passer à l'action. À la réflexion, cela valait le coup d'attendre, sachant qu'ils auraient beaucoup de mal à fermer l'œil.

Géraldine termina son travail par quelques petits coups de ciseaux sur le duvet de sa nuque, et Ras se leva de sa chaise avec la sensation d'être un homme neuf. Ceci à dix heures du matin. Le temps que viennent le soir et la tombée du jour, il avait nettoyé le box de contention, curé les sabots de tous ses chevaux et planté les piquets d'un nouveau paddock.

27

Le temps s'écoulait cahin-caha.

La famille Moses et la famille Lake avaient sans cesse à l'esprit la crainte qu'il arrive-quelque-chose-de-terrible, mais à mesure que les jours s'égrenaient, cette peur perdit de sa réalité, du moins pour les mômes. Swan, Blade, Noble et Bienville passèrent le reste de l'été à monter Lady, à jouer aux pirates et à creuser des trous dans l'espoir de trouver un trésor. Parfois, ils rampaient sous la maison et se livraient à une activité que leur avait enseignée Blade. Couchés sur le ventre, ils dessinaient avec leurs doigts dans la terre meuble. Certains jours, ils commençaient sous la véranda et ne s'arrêtaient pas avant d'avoir couvert chaque centimètre carré de sol jusqu'à l'autre côté de la maison.

Les grandes personnes regardaient les enfants jouer et souriaient de les voir si heureux, émerveillés par la vitesse à laquelle ils grandissaient – surtout Blade. Ce garçon se remplumait comme un petit taureau mis au pré, que c'en était un plaisir de voir ça.

Toy faisait tourner le bar, Calla l'épicerie et Willadee la maison. Bernice faisait tourner dans sa tête des pensées dont personne n'avait la moindre idée.

Samuel consacrait ses journées à un labeur pour lequel il n'avait pas été appelé, et qui se révélait moins rémunérateur que prévu. Ses nuits étaient encore pires. Il s'efforçait de ne pas trahir le désespoir qui rongeait sa vie intérieure, mais la musique et les rires du Never Closes le propulsaient souvent dans sa chambre, où il écoutait « L'heure de la Bible » à la radio et priait Dieu de lui envoyer une réponse. Parfois, il partait en quête d'un culte n'importe où. Il assistait à des réunions de prière. À des réunions de renouveau de la foi. Si les églises « blanches » de la région étaient vides, il se rendait dans les noires, où la musique spirituelle élevait son âme vers le divin – et il faisait de son mieux pour la maintenir dans cet état d'élévation, le temps que l'haleine vienne à lui manquer.

Alors qu'il allait et venait, Bernice s'ingéniait à se placer constamment sur son chemin. Elle avait besoin ce soir de se rendre au culte. Cela le dérangerait-il si elle venait avec lui ? Il ne pouvait décemment pas dire non, mais il demandait toujours à Willadee de les accompagner. Willadee était déjà très occupée, entre les enfants, la maison et la mise en conserve du potager, mais elle trouvait quand même le temps. Elle n'avait pas l'habitude de fréquenter autant l'église, et au bout d'un moment, elle finit par se sentir lasse.

— On n'a qu'à rester à la maison en famille, dit-elle un soir à Samuel alors qu'il s'apprêtait à se rendre à une réunion de prière à Emerson.

Elle était censée se changer pour partir, mais elle avait dans cette seule journée mis en bocaux douze kilos de haricots verts et autant de poires, sans compter la lessive, le ménage et la préparation des repas. Elle était fatiguée. Elle ajouta:

— Je pense que rester dans le jardin à regarder les mômes attraper des lucioles est une aussi bonne façon de rendre gloire au Seigneur… et puis une fois n'est pas coutume.

Samuel répliqua qu'elle n'était pas obligée de venir si elle n'en avait pas envie, mais que, pour sa part, il était déterminé à tanner Dieu tant qu'il n'avait pas obtenu de Lui de réponse à ses questions.

— La réponse est peut-être que nous devrions manger une tranche de pastèque en laissant le jus nous couler sur le menton, fit-elle observer.

Ce qui incita Samuel à penser qu'elle prenait la chose à la légère, ce qui n'était pourtant pas le cas. Autant qu'elle sache, Dieu avait créé la pastèque pour que les gens puissent se rafraîchir par temps de canicule, et Il avait créé les êtres humains pour qu'ils s'aiment entre eux et profitent de la vie. Il lui semblait que lorsque vous étiez perpétuellement en quête du Seigneur, vous risquiez de passer à côté de l'essentiel.

Mais elle s'habilla, et ils s'en furent. Et Bernice avec eux.

Août progressait, chaud comme la braise, sec comme la paille. Les revenus déjà maigres de Samuel s'amenuisaient encore tandis que les moissons cuisaient dans les champs et que les quelques braves gens qui jusque-là avaient payé leur crédit pas si facile ne voyaient plus pourquoi ils continueraient. Certains ne voyaient pas non plus pourquoi ils devaient ouvrir la porte à Samuel quand celui-ci passait collecter.

Samuel, qui détestait réclamer de l'argent à des gens qui n'en avaient pas, ne trouva pas le courage de se servir des techniques d'intimidation que M. Lindale Stroud avait entrepris de lui enseigner. Pour lui, un vol était un vol, que vous vous serviez d'un pistolet ou d'insultes. Il n'abandonnait pas l'espoir que Dieu lui indiquerait une nouvelle source de revenus, même si les intentions du Seigneur se révélaient plus compliquées que ça. Samuel avait beau déposer son *curriculum vitæ* à droite et à gauche en ville, aucun autre emploi ne se présentait. Et de ses frères ministres du culte qu'il contactait, tout ce qu'il tirait, c'étaient de bonnes paroles : dès qu'ils avaient besoin d'un remplaçant, promis, ils lui téléphoneraient.

Mais personne ne téléphonait, et l'été se terminait.

Avec la perspective de la rentrée scolaire, Samuel et Willadee emmenèrent les quatre enfants à Magnolia, et leur achetèrent des chaussures neuves. Swan voulait des chaussures de golf bicolores noir et blanc, mais sa mère lui fit remarquer qu'elle se lasserait du noir et blanc avant qu'elles ne s'usent ou deviennent trop petites pour elle – ce qui était du pareil au même. Elles jetèrent donc leur dévolu sur des mocassins classiques.

Les garçons eurent des chaussures de tennis et deux jeans chacun. D'ordinaire, Samuel les aurait ensuite emmenés acheter des chemises pendant que Willadee et Swan musardaient au rayon des tissus. Swan se réjouissait d'avance. C'était tellement plus amusant de se figurer ce que l'on pouvait fabriquer avec tel bout de tissu et tel ruban, par exemple, que de passer en revue des rangées de robes toutes semblables avec leurs sempiternelles rayures ou leurs sempiternels carreaux, leurs boutons de pacotille et leurs nœuds de mauvais goût.

Cette année, Samuel ne parla même pas d'emmener les garçons acheter des chemises, et ils passèrent devant le rayon des tissus sans même ralentir le pas.

— Qu'est-ce que tu veux dire, choisir ce que j'aime? demanda Swan.

Sa mère venait de la convoquer dans la salle de séjour, où deux douzaines de coupons étaient étalés sur le canapé, les fauteuils et les guéridons.

— Je veux dire, ceux que tu trouves les plus jolis, précisa Willadee. Ma préférence va aux petits imprimés.

Swan ferma un œil, et de l'autre étudia les morceaux de tissu. Il y en avait de couleurs vives et de couleurs pâles, avec des motifs forts et des motifs délicats, et ils avaient tous un point commun: c'étaient d'anciens sacs à grains. Grand-maman Calla devait les accumuler depuis un bon bout de temps!

— Grand-maman Calla et toi, vous allez faire un quilt? s'enquit-elle.

Elle connaissait d'avance la réponse. On n'est pas la fille d'une mère qui a passé la Grande Dépression dans une ferme sans savoir que la toile à sac a de multiples usages.

— Ta grand-mère possède plus de quilts que de gens pour dormir dessous, dit Willadee. On va coudre des robes adorables.

Swan n'avait encore jamais entendu ce vocable, «adorable», dans la bouche de sa mère. Elle ouvrit son œil fermé, et ferma son œil ouvert. Pendant une longue seconde, elle resta la bouche ouverte et en apnée.

—Je croyais que les gens avaient plus ou moins arrêté de faire ce genre de chose, finit-elle par énoncer.

— C'est que les gens n'en ont plus besoin. (Willadee avait le ton enjoué attaché à son rôle : celui d'une vendeuse qui tente de fourguer à une cliente quelque chose qu'elle ne veut pas.) Mais toi tu as besoin de robes, et les garçons de chemises. Je t'ai réservé la primeur du choix.

Swan avait envie de rétorquer que si cela ne tenait qu'à elle, elle retournerait en ville et choisirait une cotonnade lustrée et peut-être une indienne, mais quelque chose dans le sourire résolu de sa mère l'en empêcha. Elle respira un grand coup, et examina de nouveau l'exposition de tissus. Après mûre réflexion, elle annonça :

— Tu ne laisserais jamais les garçons porter du rose ou du lavande, alors je les prends. Ils n'ont qu'à avoir les bleus et les verts.

Willadee poussa un soupir de soulagement. Elle avait misé sur l'intelligence de Swan, et elle avait gagné.

— Ça veut dire qu'on est vraiment pauvres, hein ? reprit sa fille.

— Pas vraiment pauvres. Les gens qui sont vraiment pauvres n'ont rien à manger, et n'ont pas les moyens de voir le médecin quand ils sont malades. Il y a une différence entre la pauvreté et la prudence.

Swan soupira :

— Je suppose qu'on ne peut pas savoir pendant combien de temps on va rester prudents ? Ce serait pas drôle si on était encore prudents à Noël.

— Si on est encore prudents à Noël, promit Willadee, on trouvera des moyens de compenser.

Septembre se présenta à l'heure dite, et dura un mois entier. La rentrée avait toujours été un grand jour pour Swan. Cette année, elle avait des sentiments partagés. Du côté positif, il y avait Blade, assis à son côté dans le car scolaire, tout en regards admiratifs pour elle, et si excité qu'il avait du mal à tenir en place. Oncle Toy lui avait procuré un bandeau noir acheté par correspondance sur catalogue, et désormais il avait vraiment l'air d'un pirate – un petit pirate farceur. À vivre dans un lieu libéré de l'empire de la peur, il se révélait à lui-même et aux autres. Mutin. Insouciant. Vous ne trouviez plus aucune trace du petit garçon taciturne qu'il avait été à son arrivée, même si vous le suiviez avec une baguette de sourcier !

Willadee avait confectionné ses chemises à partir des chutes des vêtements des autres enfants (de *tous* les autres), et ce matin, Blade avait insisté pour porter celle qui allait avec la robe de Swan – rose, avec de minuscules fleurs jaunes. Bienville avait poussé un grognement, et Noble lui avait dit que les autres garçons allaient le traiter de fille. Blade s'en fichait.

— Je suis pas une fille ! repartit-il joyeusement. Je suis juste joli.

Et il l'était, en effet.

Du côté négatif, il y avait l'autocar. Elle était toujours allée à l'école à pied, et n'avait même jamais réfléchi à ce que pouvait être un trajet dans un de ces engins cahotants, entassés à je ne sais combien avec des petites brutes, des fils de fermier qui avaient l'air de s'être roulés par terre avec des bouvillons avant le petit déjeuner. Blade entrait cette année en CE2, il avait une longue expérience du bus. Il lui dit que ce n'était pas compliqué : si jamais un grand essaie de s'asseoir sur ta figure, tu te pousses très vite. Comme si elle avait besoin de ce souci en plus.

L'école se trouvait à Emerson, ce qui était une autre façon de dire qu'elle était nulle part. Toutes les villes où la famille Lake avait séjourné présentaient une grande rue avec au moins deux rues transversales. Emerson avait à peine la taille d'un hameau. À peine.

Bon, la taille de l'école (une seule classe du CP à la terminale) ne la gênait pas. Ce qui la gênait, en revanche, c'était de ne plus savoir qui elle était. Être la nouvelle, ce n'était pas un problème quand votre famille n'avait pas de position dans la communauté. Swan ne savait même pas ce qu'elle devait inscrire sur la feuille d'admission à côté de « Métier du père ». Elle laissa un blanc. Son père avait perdu son identité. Elle avait perdu la sienne. Celle de fille de pasteur avait peut-être eu des inconvénients, mais au moins c'était quelque chose. Désormais elle n'était plus personne. Au moins elle n'aurait pas à se dire que sa robe en toile de sac allait attirer les moqueries. Aucune robe en vue ne rivalisait en beauté avec la confection de Willadee.

Bienville s'en tirait mieux que Swan. Il était là pour les livres, un point c'est tout. Si nul ne faisait attention à lui, tant mieux. Ça lui laissait plus de temps pour lire. Et s'il y en avait qui s'avisaient de venir l'embêter? Il leur poserait des questions auxquelles ils seraient incapables de répondre sur des sujets dont ils n'avaient même jamais entendu parler, jusqu'à ce que de deux choses l'une : soit ils le laisseraient en paix, soit ils se mettraient à lui poser à lui des questions auxquelles il pouvait répondre, auquel cas, il leur offrirait une explication. De A à Z.

Noble s'en tirait le plus mal de tous. C'était peut-être à cause des lunettes épaisses. Ou de cette façon qu'il avait de se donner des allures de costaud qu'il n'était pas. Toujours est-il qu'il n'était pas de taille face aux petits gars de la campagne – et faire-l'arbre ne se révéla pas la bonne tactique. Pendant la récréation de midi, deux brutes le jetèrent par terre et le traînèrent par les pieds dans toute la cour. Il rentra chez Calla avec un œil au beurre noir et les deux bras éraflés.

— Ce qu'on fait, quand on est un homme, lui conseilla Samuel pendant le dîner, on s'éloigne dès qu'on sent qu'il y a de la bagarre dans l'air.

Noble ne leva même pas les yeux. Il avait passé l'après-midi dans sa chambre, trop honteux pour paraître devant qui que ce fût.

— Tu peux pas t'éloigner quand quelqu'un te traîne par terre par les pieds, fit observer Swan. (Elle bouillait intérieurement.)

— L'idée, c'est de désamorcer le conflit et d'éviter la bagarre, continua Samuel. Il se trouve toujours quelqu'un pour la chercher. Si on s'abaisse à leur niveau, on devient comme eux. Et ce n'est pas ce que tu veux, n'est-ce pas, Noble?

Noble baissa encore plus la tête, le nez dans son assiette. Willadee, qui se mangeait les lèvres, fit mine de dire quelque chose, puis se ravisa. Grand-maman Calla donna à Noble une autre tranche de rôti et une louche de purée, et arrosa le tout d'une généreuse dose de jus.

— Mange! lui dit-elle. Fais-toi donc des muscles. Les brutes ne s'en prennent jamais à quelqu'un qui pourrait se servir d'eux comme d'une serpillière.

— Allons, Calla, ce n'est pas la solution, intervint Samuel. Si fort qu'il soit, il se trouvera toujours quelqu'un de plus fort que lui.

Et au bénéfice de Noble, il ajouta:

— Tu vois, mon fils, ta force, tu dois l'avoir à l'intérieur.

Noble agrippa sa fourchette et la planta violemment dans la tranche de rôti.

— Je ne crois pas qu'être fort à l'intérieur va les empêcher de me casser la gueule. Ils ont décidé de m'avoir, ils m'auront.

Samuel n'en démordait pas. Comme son point de vue sur le monde fonctionnait dans son cas particulier, il était convaincu qu'il était valable pour le reste de l'humanité.

— J'imagine qu'ils se sont bien défoulés aujourd'hui, dit-il. Maintenant, tu dois chercher ce qu'il y a de bon en eux. Cela ne te paraît peut-être pas possible, mais si tu cherches bien, tu trouveras. Et une fois que tu auras trouvé, je te promets que leur attitude ne sera plus la même.

Toy repoussa son assiette devant lui, repoussa sa chaise derrière lui, et se leva. Afin de ne pas avoir l'air de quitter la table parce qu'il n'était pas d'accord avec Samuel (il n'était pas d'accord, et c'est pour cette raison qu'il quittait la table), il se frotta le ventre en déclarant à Willadee que son dîner était extra, et qu'il espérait ne pas s'être rendu malade en mangeant trop. Au moment où il passa derrière Noble, il posa la main sur l'épaule du garçon et la serra vigoureusement.

— Si t'as un moment un après-midi de la semaine, je dois démonter le moteur du camion de ton grand-père, et j'aurai bien besoin d'un coup de main. (Il ne pouvait pas se permettre de dire à Samuel comment élever son fils, mais il avait le droit de traiter ce garçon comme un homme.)

Noble leva enfin les yeux.

— Oui, dit-il. J'aurai le temps.

Toy sortit sans ajouter un mot. Pas la peine d'en faire trop.

Ils n'eurent jamais l'occasion de démonter ce moteur, parce que, le lendemain, Noble rentra avec le nez cassé, après quoi, les événements se précipitèrent.

28

Toy bricolait le camion quand le bus scolaire se figea devant la maison et que les enfants en descendirent, si bien qu'il fut le premier à constater les dégâts. Qui étaient impressionnants. Noble avait le visage gonflé à en être méconnaissable, le nez bleu et de travers, le devant de sa chemise maculé de croûtes de sang séché. Et vu sa façon de marcher, la tête basse, les épaules voûtées, il était évident que son moral en avait pris lui aussi un sacré coup, voire avait encore plus souffert que le reste. Toy se sentit dans un premier temps écœuré, puis dans un second furieux. Il intercepta les enfants avant qu'ils entrent dans la maison.

— Swan, entonna-t-il d'une voix égale en se dirigeant vers eux à grands pas, prends le sac de Noble et dis à ta maman qu'on arrive tout de suite. Bienville, Blade… Allez faire vos devoirs, et si vous n'en avez pas, inventez-en. Noble, toi, tu viens avec moi.

Personne ne discuta. Ils ne posèrent pas non plus de questions, alors que ça leur démangeait sacrément le bout de la langue. Toy prit le chemin de la grange, d'une démarche encore plus raide que de coutume, parce qu'il se déplaçait à plus vive allure, avec Noble trottant sur ses talons. Une fois dans la grange, Toy ferma derrière eux les immenses battants de bois délavés par le temps.

Swan, Bienville et Blade, qui n'avaient pas encore atteint le seuil de la maison, s'arrêtèrent pour regarder la grange.

— Tu crois qu'il va lui fiche une trempe pour s'être laissé battre encore une fois ? demanda Bienville à Swan.

— Je sais pas. C'est vrai qu'il avait l'air furibard.

Blade intervint :

— Je parie qu'il lui fait dire qui a fait ça, pour aller leur rendre la monnaie de leur pièce… À mon avis, il est dans notre camp.

Swan et Bienville avaient aussi l'impression que leur oncle était dans leur camp, mais ils étaient quand même perplexes. L'instant d'après, grand-maman Calla sortait de l'épicerie, Willadee de la maison, et toutes les deux posèrent la même question en même temps :

— Où est Noble ?

— Dans la grange, répondit Swan.

— Avec oncle Toy, précisa Bienville.

— Noble a le nez cassé, ajouta Blade.

Calla et Willadee échangèrent un regard : elles étaient toutes les deux angoissées à la pensée de ce qu'allait devenir Noble, si cela continuait comme ça. Willadee voulait aller tout de suite voir son fils dans la grange, mais Calla refusait d'en entendre parler.

— Laisse ces deux-là tranquilles, Willadee, écoute-moi. Il y a des choses dont seul un homme peut se charger.

Calla ne spécifia pas que la raison pour laquelle Toy s'en chargeait était que celui qui aurait dû s'en occuper ne le faisait pas. Ce n'était pas nécessaire.

Dans la grange, Noble était perché sur le siège métallique du vieux tracteur. Oncle Toy, appuyé au garde-boue, tenait le visage levé vers le sien.

— Bon, eh bien, ces gamins t'ont flanqué une raclée pour la deuxième fois. Je n'étais pas là, mais je peux te dire ceci. À chaque fois, tu l'as cherché.

— Oh ! mais là, pas du tout, merde ! protesta Noble. (Swan n'était pas la seule à ne pas hésiter à dire des gros mots devant Toy.) Je faisais que m'occuper de mes oignons.

Toy n'allait pas le laisser s'en tirer aussi facilement.

— On récolte toujours ce qu'on a semé. D'une façon ou d'une autre, on le cherche. Et d'une façon ou d'une autre, on le trouve.

La colère de Noble explosa.

— Alors, t'as cherché à avoir la jambe arrachée !

Il se détesta et se sentit minable d'avoir dit ce qu'il venait de dire, mais la vie et Toy Moses l'avaient poussé au-delà des limites.

— Et comment ! rétorqua Toy du tac au tac. Et je le referai. Il y a beaucoup de choses dans ma vie qui vont de travers, mais pour chacune d'elles je ne peux m'en prendre qu'à moi. Une fois que tu t'engages dans une voie, il faut en accepter les conséquences.

Toy alluma une cigarette et fuma un moment en silence, le regard perdu dans le vague. Comme s'il ruminait les paroles qu'il venait de prononcer. Puis il leva de nouveau son visage vers Noble.

— Tu vas t'engager dans quelle voie ? Autant décider tout de suite. Qu'est-ce que tu veux, Noble Lake ?

Noble répondit d'abord qu'il ne voulait plus se faire casser la figure. Toy émit un petit rire qui ressemblait à un grognement, et hocha la tête.

— T'es pas très exigeant.

Alors Noble ajouta qu'il voulait pouvoir casser la figure à toute personne qui menaçait de lui faire sa fête.

— Tu ne demandes pas grand-chose.

Noble descendit d'un bond du siège du tracteur et se planta face à son oncle, les poings serrés et les yeux lançant des éclairs.

— Alors, quoi ? Qu'est-ce qu'il faut que je demande ? hurla-t-il.

Toy se fendit d'un large sourire.

— Nom d'une pipe, mon petit bonhomme, demande un truc énorme !

Cela cloua le bec de Noble. Et le fit réfléchir. Finalement, serrant les mâchoires, il regarda Toy Moses droit dans les yeux et émit le vœu qui était l'ambition secrète de toute sa vie :

— Je veux… être *formidable* !

— Ah, voilà, on tient enfin quelque chose.

En sortant de la grange une heure plus tard, l'oncle et le neveu avaient l'air de bonne humeur, détendus. Ils riaient ensemble. Personne ne s'enquit de ce qui s'était passé, et, de leur côté, ils se montrèrent plutôt avares en informations.

À table, ce soir-là, Noble mangea comme s'il avait fait les foins, et garda la tête haute. Son père, atterré par l'état de cette pauvre tête justement, lui demanda ce qui lui était arrivé.

— Je suis rentré dans quelque chose, répondit Noble en lui adressant un sourire qui devait être sacrément douloureux.

— Les mêmes garçons ?

— Oui, papa.

Samuel laissa échapper un soupir sonore :

— Je crois que je vais aller parler au directeur.

— Non, papa. Ce ne sera pas nécessaire.

Samuel dévisagea un long moment Noble. Manifestement, il se sentait en partie responsable.

— Tu es sûr ? On dirait qu'ils mettent un point d'honneur à t'amocher.

— Sûr, opina Noble. Je cherchais pas assez fort ce qu'il y a de bon chez ces garçons.

Après cela, « ces garçons » laissèrent Noble tranquille, pour des raisons qu'ils ne comprenaient sans doute pas eux-mêmes. Mais Noble, lui, n'était pas dupe. Il y pensait à chaque seconde. Avant, ils l'avaient battu parce qu'ils avaient l'impression qu'ils pouvaient se le permettre, et à présent, il y avait quelque chose en lui qui leur signalait qu'ils ne pourraient sans doute plus s'en tirer aussi facilement s'ils s'attaquaient à lui. Un jour ou l'autre, poussés par la curiosité et leur orgueil, ils ne résisteraient pas à le mettre à l'épreuve, rien que pour s'assurer qu'ils étaient encore des loups dans la bergerie. C'est en tout cas ce qu'avait prédit Toy, et Noble le croyait volontiers. À vrai dire, il se réjouissait à la perspective de cette confrontation. Il espérait seulement qu'elle ne se produirait pas avant qu'il soit prêt.

Toy attendait chaque après-midi de pied ferme le passage du bus scolaire. Noble et lui disparaissaient tout de suite dans la grange. Une heure plus tard, ils en ressortaient, en sueur et claudiquant. Tous les deux. À deux reprises, Samuel rentra plus tôt que prévu, alors que la séance de la grange n'était pas terminée, et, à chaque fois, les « petits » (c'était ainsi que Noble appelait désormais Blade, Bienville et Swan) se mirent aussitôt à jouer aux cow-boys et aux Indiens. Blade poussant des cris de guerre à vous percer les tympans, et les autres hurlant les mots magiques.

— Le voilà ! Voilà le grand chef ! Il arrive au galop sur son cheval !

À ces avertissements, ils mêlaient d'autres interjections, au cas où ils auraient éveillé les soupçons de Samuel :

— Hugh !... Moi ami toi !... T'as pas des *Wampum* ?

Des trucs de ce style.

La conspiration allait bon train, et Samuel ne soupçonna jamais rien. En voyant Toy et Noble sortir quelques minutes plus tard, les cheveux trempés, les vêtements collés au corps, il se disait que Toy faisait travailler son fils et que c'était bon pour lui. Il se demandait bien pour quelle raison ils travaillaient par cette chaleur avec la porte fermée, mais le moment propice de poser la question ne se présenta pas.

D'ailleurs, Noble ne rechignait plus à la besogne, surtout quand il s'agissait de transporter des objets lourds. Tout ce qui était susceptible de faire du muscle. Ce qui frappait chez lui, surtout, c'était le changement dans son maintien. Il se tenait droit tout en étant détendu. Sans jamais presser le pas, il avait l'air capable d'un instant à l'autre, sans crier gare, de foncer à fond de train. L'adolescent dégingandé et gauche se métamorphosait sous les yeux de sa famille. Et ce n'était pas seulement d'un point de vue physique. Il suivait en cela les conseils de son père : il devenait fort à l'intérieur. Sauf que ce n'était pas exactement dans le sens évoqué par Samuel.

— Qu'est-ce qui arrive à Noble ? s'étonna Samuel auprès de Willadee un soir, alors qu'ils se déshabillaient pour se mettre au lit.

— Peut-être qu'il est en train de s'épanouir, répliqua-t-elle.

Elle ne jugea pas opportun de lui raconter le reste : que Toy avait pris leur fils en main, et lui donnait des leçons de survie. Ni qu'elle bénissait son frère pour son aide. Bien entendu, elle avait conscience que ce qu'apprenait Noble comportait certains risques. Il pouvait être blessé, ou pire. Mais la même chose était susceptible de se produire s'il fuyait la bagarre. Ou même en traversant la route. Le principal, c'était que, en assimilant bien ses leçons, il devienne capable de faire face à l'adversité, quelle que soit la forme sous laquelle elle se présenterait à lui. Il n'aurait plus jamais à baisser le front, à avoir honte… Jamais plus !

L'épreuve qui guettait Noble survint six semaines plus tard, plus vite qu'il ne l'espérait, mais il se révéla tout à fait prêt. D'après le récit de Swan, le soir même au dîner, trois gaillards avaient coincé Noble derrière l'école et l'avaient informé qu'il avait le choix : soit il leur léchait les bottes, soit ils les lui faisaient manger.

— C'est ça qu'ils ont dit, babilla-t-elle, tout excitée. «Tu peux les lécher ou les manger, à toi de choisir.» Et Noble a répondu : «Vous avez du sel?»

Elle éclata d'un grand rire en tapant du poing sur la table tellement fort que la vaisselle cliqueta.

— Juré, craché! continua-t-elle, survoltée. Mot pour mot!

Elle prit ensuite une voix grave et impressionnante, comme sans doute celle de Noble au moment des faits :

— Il a dit : «Vous avez du sel?» Comme ça!

Tout le monde sauf Samuel entendait l'histoire pour la énième fois. Ils riaient quand même. Noble, lui, ne riait pas. Assis à table, il était presque aussi amoché qu'après la dernière bagarre, à ceci près que, cette fois, il buvait les compliments.

Samuel contempla les visages réjouis autour de lui et écouta sans piper mot.

— Et tout de suite après il leur est rentré dans le lard, enchaîna Bienville. (L'histoire était trop belle pour laisser Swan tirer toute la couverture à elle.)

Blade, qui ne voulait pas non plus être de reste, bondit sur ses pieds et mima Noble esquivant les coups des rudes gaillards.

— Ils arrivaient pas à le taper! exultait-il. (Il dansait. Il plongeait en avant.) Et tout ce que les autres faisaient, c'était se courir les uns après les autres.

— Dur! commenta Bienville.

— Quand ç'a été fini, s'en mêla Swan, Noble était le seul debout!

Blade interpréta le rôle du garçon de ferme s'écroulant à terre, tordu de douleur.

Samuel ordonna :

— Blade ! Retourne à table.

Blade grimpa sur sa chaise, sans se faire prier. Samuel se tourna vers Noble. Se concentra sur Noble.

— Je suppose que tu es fier de toi.

Swan intervint :

— C'est pas comme si c'était lui qui avait commencé. Ils étaient trois contre un...

Samuel leva l'index à son bénéfice, pour qu'elle se taise, sans quitter pour autant son aîné des yeux.

— Tu aurais préféré que je leur lèche les bottes ? lança Noble. (Il ne s'était jamais adressé à son père sur ce ton. Mais il y avait beaucoup d'autres choses qui ne s'étaient jamais produites dans sa vie auparavant.)

— Je pense que tu as eu tort de les provoquer.

— Ils me cherchaient, papa. Ce que je leur ai dit les a désarçonnés. Ça m'a donné un léger avantage. *Pas vrai, oncle Toy ?*

Ce qu'il ne fallait pas dire. Pile ce qu'il ne fallait pas dire. Parce que cela disait tout. Le visage de Samuel se pétrifia l'espace d'un instant, même ses yeux s'immobilisèrent. Puis il se tourna vers Toy, qui lui rendit son regard. Sans s'excuser.

— Je lui ai donné quelques tuyaux, dit-il.

Tous les yeux étaient braqués sur Samuel. Et tout le monde retenait son souffle. Il avait enfin compris. La conspiration. Ils s'étaient tous entendus pour le laisser dans l'ignorance et le dessaisir de son autorité. Même Willadee. Il se sentit tout à coup au milieu d'étrangers, et il fut obligé de faire un effort de volonté pour demeurer assis. Assis, là, envahi par un sentiment d'inanité, d'impuissance... par le sentiment d'avoir été trahi.

Il avait envie de leur dire, avec une ironie amère, qu'il était agréable de savoir que son opinion comptait. Ou bien que, désormais, il savait à quoi s'en tenir sur la place qu'il occupait parmi eux. Il était sur le point de laisser libre cours au tempérament colérique qu'il tenait en bride depuis tant d'années. Il avait envie de se lever et de partir. Mais il était muselé, car quoi qu'il fasse ou dise à cette seconde, ce serait la preuve que tout ce qu'il avait dit préalablement à Noble avait été du vent, ou du moins quantité négligeable. De sorte qu'il parvint tant bien que mal à se ressaisir.

Lorsqu'il prit finalement la parole, ce fut en s'adressant à Noble, et, parce que le silence avait été trop long, trop absolu, sa voix jaillit, trop forte, trop sonore :

— Je suis content que tu n'aies rien.

Un peu plus tard, alors que Willadee et Samuel étaient étendus côte à côte dans leur lit, elle lui dit qu'elle était désolée d'avoir contribué à lui cacher certaines choses.

— Tu as sûrement agi en ton âme et conscience, lui dit-il.

— Pour Noble, peut-être, parce que je pense qu'il faut qu'il apprenne à se défendre tout seul. Mais j'ai eu tort de te le cacher. J'aurais dû t'en parler, quitte à ce qu'on se dispute. C'est quelquefois sain au contraire, une bonne scène de ménage.

Comme il ne réagissait pas, elle ajouta :

— Je ne voulais pas te faire de la peine.

— Je sais bien. (C'est ce qu'il dit tout haut, alors qu'il rectifiait tout bas : *Tu ne voulais pas que je m'en aperçoive.*)

324

Comme il ne l'avait pas encore prise dans ses bras, elle l'entoura des siens et le serra contre elle.

— Je ne le referai pas. Je te le promets.

Il rit. Il rit. Il rit comme quelqu'un qui voit tout en noir et ne pense qu'à jeter l'éponge quand subitement il trouve quelque chose drôle.

— Tu fais tout le temps des trucs comme ça, Willadee. Tu me prends pour quoi ? Un aveugle ?

Elle rit à son tour. Elle ne savait pas de quoi il parlait, ni comment il savait, mais elle était contente de rire avec lui. Ils restèrent allongés ainsi, elle le serrant contre elle. Tous deux ébranlés, mais mieux. Du moins se sentait-elle mieux. Au bout d'un moment, il se dégagea doucement de son étreinte et se tourna. Elle embrassa son dos. Se lova tout contre lui.

— On est bien ensemble tous les deux ? demanda-t-elle. Toi et moi ?

— Tu sais combien je t'aime, Willadee.

Ce qui ne répondait pas vraiment à sa question.

Pour Sam Lake, jour après jour, la vie devenait plus dure. Il ne s'ouvrit à personne à propos de son sentiment d'échec. Ni ne laissa transparaître son désarroi devant le rapprochement qui s'opérait entre Toy et les mômes. En vérité, il était content pour Toy. Un homme sans descendance, soudain hissé au rang de héros aux yeux des enfants de Samuel. Et du fils de Ras Ballenger.

Parfois, au saut du lit, Samuel s'apercevait que Toy avait déjà réveillé les enfants et les avait emmenés pêcher dans l'étang. Parfois, en rentrant le soir, il les trouvait en train de ratisser la cour avec Toy.

Ils faisaient brûler un tas de feuilles avec Toy. Ils faisaient cuire des saucisses sur un feu de camp avec Toy. Ou sortaient des bois où ils avaient mené quelque expédition. Il voyait Toy les gronder, les houspiller, les aimer : Toy comblait un manque. Samuel devinait que Toy partageait avec ces enfants des choses qu'il avait dû garder enfouies depuis la mort de son frère cadet. Courir les bois. Pêcher. Son petit monde. Il était heureux pour Toy. C'était pour lui qu'il l'était moins. Il avait l'horrible impression de les avoir tous laissés tomber. Quand il se voyait dans la glace, il se sentait perdu.

29

Un vrai chasseur, ça se lève avant l'aube, ça s'enfonce au fond des bois et ça tue son gibier avant le point du jour. Ensuite vient le moment de reprendre le chemin de la maison.

Même si le Never Closes ne le relâchait jamais avant que le soleil n'éclabousse les frondaisons et ne répande au sol ses myriades de pièces d'or, Toy était chasseur dans l'âme.

Vers la fin octobre, il tomba une pluie inattendue, suivie d'un net refroidissement. Toy se réveilla en fin d'après-midi pour trouver le ciel dégagé et l'air cristallin. Il lui fallut rassembler tout son courage pour ouvrir le bar. C'était inhumain de rester toute la nuit enfermé dans un endroit pareil alors que des écharpes de brume flotteraient sur les champs au petit matin.

Bootsie Phillips, que cela n'aurait pas dérangé d'être enfermé dans un endroit pareil jusqu'à la fin des temps, prit une telle cuite cette nuit-là, qu'il tomba de son tabouret de bar et roula sous une table. Toy et les habitués le laissèrent là. Ce n'était pas la première fois. Vers quatre heures du matin, alors que tout le monde était parti, sauf Bootsie, Toy prit brusquement conscience que la tradition, c'était bien beau, mais qu'il ne fallait pas confondre tradition avec connerie.

Pourquoi resterait-il ici rien que pour veiller sur le sommeil de Bootsie Phillips, alors que pas un sou ne rentrait dans la caisse, et qu'il loupait une partie de chasse fabuleuse ?

Jugeant inutile de réveiller Bootsie pour le lancer sur les routes dans son état, il décrocha un vieux pardessus de son père suspendu à une patère près de la porte depuis que John l'avait mis là, un laps de temps qui, pour ce que Toy en savait, pouvait se chiffrer en années, et en couvrit le dormeur. Puis il éteignit les lumières, sortit et verrouilla la porte, enfermant Bootsie à l'intérieur.

L'espace d'un instant, il se tint sur le seuil, respirant l'air qui fleurait la terre humide et l'automne, et se demanda pourquoi les gens possédaient des maisons. Il connaissait la réponse à celle-là, bien sûr. Ils possédaient des maisons parce que les femmes en souhaitaient. Quand on réfléchissait bien, c'était peut-être la raison pour laquelle on avait tout ce qu'on avait. Lui, par exemple, se passerait volontiers de murs et le fait de ne pas en avoir autour de lui à cette seconde le remplissait d'un tel bonheur qu'il en tremblait intérieurement.

Ras Ballenger n'avait pas oublié Toy Moses et la famille Moses en général, ni la famille Lake, d'ailleurs. En fait, ils habitaient constamment ses pensées. Les affaires de Ras ayant périclité depuis que s'était ébruitée l'affaire Odell Pritchett, il disposait de plus de temps pour se livrer à ses réflexions.

Quand les gens pensent très fort à quelque chose, ils sont en général attirés par ce quelque chose, et Ras ne faisait pas exception à la règle. Il était extrêmement attiré par la ferme Moses, au point que ces derniers temps il passait devant en voiture plusieurs fois par jour, et par nuit, rien que pour surveiller ce qui s'y tramait.

De l'autre côté de la route en face de chez Calla, il y avait un champ de plus de vingt hectares appartenant à une famille du nom de Ledbetter, qui y avait planté du coton jusqu'à ce que Carl Ledbetter s'en aille et que sa veuve déménage en ville. Depuis quelques années, ce n'était plus qu'un terrain envahi de broussailles, avec une baraque de pesage enfouie sous le sumac vénéneux et une pancarte « À vendre, prix compétitif » qu'un ivrogne avait renversée un soir et que personne ne s'était donné la peine de redresser. La nuit, il arrivait à Ras de rouler dans ce champ avec son pick-up, qu'il garait derrière la baraque pour mieux épier les Moses.

Cette nuit-là, précisément, il tentait de se figurer ce qu'il éprouverait une fois qu'il les aurait fait expier. Ils l'avaient ruiné, lui avaient volé son fils et lui avaient fait perdre la face. Pour toutes ces bonnes raisons, ils allaient payer, et payer très cher.

Ce n'est pas parce que Ras n'était pas pressé qu'il avait renoncé à son plan. En vérité, il était fin prêt. Ne restait plus qu'à saisir le bon moment – et Ras était disposé à attendre le temps qu'il faudrait.

Il ne voyait pas le bar, puisque celui-ci se trouvait à l'arrière de la maison, mais les lueurs qui en émanaient éclairaient le jardin. Il suivit ainsi les allées et venues des clients jusqu'à ce qu'ils s'en fussent tous partis. Quand, au milieu de la nuit, l'électricité s'éteignit, il se demanda ce que cela signifiait. Il n'avait encore jamais vu la cour des Moses plongée dans une obscurité totale. Pas une seule fois.

Le jour n'étant pas attendu avant au moins une heure, il envisagea de traverser la route pour rôder autour de la maison. Avec un peu de chance, il pourrait cueillir son fils et le ramener chez lui. Il aurait voulu voir la tête de ces salauds quand ils se réveilleraient pour s'apercevoir que l'enfant qui ne leur appartenait pas avait disparu !

Pendant qu'il remuait ces belles pensées, une lumière clignota sur le côté de la maison. Le plafonnier du camion de Toy. L'instant d'après, le véhicule et Toy Moses se matérialisèrent dans les ténèbres. Ras vit le colosse se baisser derrière la banquette et soulever un gilet, qu'il enfila. Un gilet de chasse. La portière du camion claqua, et la cour replongea dans le noir le plus complet. Puis le faisceau tremblotant d'une torche électrique s'éloigna de la maison, et les petites cellules grises de Ras se mirent à remplir les blancs. Toy Moses se dirigeant vers le bois, son fusil sur l'épaule. *Sonfusilsonfusilsonfusil.* Ces mots bourdonnaient, chantonnaient, lalala, sous le crâne de Ras Ballenger, un vrai essaim : ça y était ! il y était ! maintenant ! le moment tant attendu ! fastoche ! du gâteau ! oh ! qu'elle était douce la saveur de la vengeance !

En coupant à travers le pré derrière chez les Moses et en suivant vers le nord les méandres du ruisseau, on entrait et on sortait de la propriété Ballenger. Tandis qu'en marchant le long de la berge vers le sud, on restait sur les terres des Moses, en faisant de temps en temps une petite incursion par chez les Hempstead, avant de revenir au détour suivant… mince serpent d'eaux vives se coulant à travers le paysage.

Toy Moses prit vers le sud, sans longer le ruisseau, mais sans le perdre de vue pour autant. Avant le lever du soleil, même un familier des lieux pouvait se perdre dans ces bois, s'il ne faisait pas attention de quel côté du cours d'eau il se déplaçait, et quel était l'amont et quel était l'aval. Il aurait évidemment fini par retrouver son chemin, mais là n'était pas la question. Ce temps dérobé à la routine, ce temps précieux, il voulait qu'il glisse comme sur du velours, lisse et sans aucune des aspérités causées par la frustration. Il voulait courir sans entraves comme les eaux fraîches du ruisseau. À l'heure où l'aurore blanchirait l'horizon, ce qui ne saurait tarder, il voulait s'en imprégner, l'absorber, boire la lumière. Il n'était pas venu ici pour chasser (qui sait pourquoi il avait pris son fusil?), mais pour recevoir le baptême – son genre de baptême, le seul auquel, personnellement, il croyait. L'immersion dans le silence et l'onction avec du gris perle. C'était tout ce qu'il demandait à la vie à cet instant. De baigner son âme de silence et de gris perle.

Au moment où Toy atteignait le premier coude du ruisseau, Ras Ballenger était de retour chez lui. Il se gara près de la maison, prit son propre fusil au râtelier et traversa la cour pour s'enfoncer dans les bois. Il n'avait aucune idée de l'endroit où pouvait se trouver Toy Moses, mais, à la chasse comme à la chasse,… on cherche des pistes, des empreintes, des

331

traces, on s'efforce de raisonner comme sa proie, et on se garde bien de faire le moindre bruit.

Il nous arrive de ne pas penser. De ne pas rêvasser. De ne rien vouloir ni souhaiter, de n'avoir besoin de rien. On est simplement pris par le bonheur d'être ici. C'est ce que ressentait Toy à l'heure gris perle. *Le bonheur d'être ici.* Accroupi au bord du ruisseau, il tenait les yeux baissés vers l'eau – vers l'eau qui, reflet ton sur ton du ciel, passait de l'obscur à la clarté. Une feuille orange flottait à sa surface. D'un orange vif, recroquevillée, rugueuse contre le fond argenté et gazouillant de l'onde. Il n'en pouvait détacher son regard. Le monde était… parfait.

Lorsqu'il tomba en avant, Toy eut l'étrange impression que la feuille volait vers lui, venait violemment à lui, en emportant l'eau avec elle. À l'instant où il se disait que c'était dingue, une feuille qui se comportait aussi bizarrement, il entendit un *crac* et comprit qu'il venait de recevoir une balle.

30

Le fond des bois abritait toutes sortes d'animaux et un plus grand nombre de serpents que Dieu n'aurait dû tolérer dans un même lieu. Millard Hempstead et son pote Scotty Dumas (qui vivait en ville, et venait deux fois par an voir Millard pour une petite partie de chasse) avaient pris le chemin des bois de bon matin. Ils étaient partis avec l'intention de se cantonner à quelques écureuils, mais Scotty, ayant aperçu un sanglier géant, ne put résister à l'envie de faire un carton – un carton sauvage, car il était trop excité pour s'accorder le plus petit instant de réflexion. Après tout, les gens de la ville n'ont pas souvent l'occasion de voir un sanglier, et encore moins de transformer celui-ci en trophée à accrocher au-dessus de la cheminée. Il ne fallait surtout pas la manquer.

Il ne manqua pas l'occasion, mais la bête, si… même s'il était trop abruti pour s'en rendre compte. Le sanglier fit volte-face et se rua dans les fourrés ; Scotty s'y rua à sa suite.

— Je l'ai eu ! hurla-t-il par-dessus son épaule, à l'adresse de Millard.

— M'enfin ! T'as de la merde entre les oreilles ! répliqua Millard en criant lui aussi. Si tu l'as touché, t'as pu faire que l'énerver. Tu peux pas tuer un sanglier avec un fusil à écureuils !

Scotty ne l'écoutait pas. Il courait après le sanglier. Millard l'appela de nouveau, ou plutôt lui ordonna de sortir de là s'il ne voulait pas finir en charpie, mais Scotty tenait absolument à sa tête de sanglier géant. Il était sûr et certain que l'animal, s'il avait bien reçu la balle, serait affaibli. Il suffisait à présent de l'achever.

Millard n'avait pas tort au sujet de ce que son ami avait entre les oreilles.

Scotty continua à courir tant bien que mal dans la direction prise par le sanglier et bientôt il arriva en vue de la berge où Toy Moses s'était tenu quelques instants auparavant. Aucun signe de la bête. Ne sachant que faire, Scotty se rapprocha du bord du ruisseau, regarda dans l'eau et sentit ses jambes se dérober sous lui.

— Millard ? hurla-t-il. Millard, viens voir ! J'ai tiré sur Toy Moses !

Ras Ballenger avait relevé la trace de Toy un peu plus loin et n'avait eu aucun mal à la suivre. La pluie de la veille avait amolli la terre et astiqué les feuilles mortes. Toy aurait tout aussi bien pu transporter un sac de maïs troué, tant sa piste était évidente. En entendant le coup de feu, Ras sut qu'il se rapprochait, supposant que Toy avait tiré sur un écureuil. Son dernier, à moins qu'il ne parvienne à s'en faire un second avant que Ras se le fasse à son tour… Ce grand salopard avait vu la der des ders de toute chose.

Bien entendu, ce qu'il entendit ensuite, ce fut le tapage infernal que fit Scotty Dumas en courant après le sanglier, puis une voix d'homme, celle de Scotty bredouillant, s'accusant d'avoir tiré sur Toy Moses. Si Ras avait obéi à son instinct, il se serait empressé de se sauver, de rebrousser chemin sans un bruit, sans que personne ne puisse jamais se douter qu'il avait été dans les bois à cette heure. Mais il raisonna ainsi : qu'est-ce que ça changerait, de toute façon ? Ce n'était pas lui qui avait appuyé sur la détente, et puis, si Toy avait vraiment été abattu dans les parages, il était en droit de voir ce qui s'était passé. Après tout, que diable, ils étaient voisins.

Il se dirigea vers la source des voix (elles étaient deux à présent) et en arrivant au ruisseau, il vit deux hommes se diriger vers la berge. L'un d'eux était Millard Hempstead, et il était blanc comme un linge.

— Bon Dieu, Scotty, disait-il. Tu l'as tué !

Scotty, lui, ne pensait pas que Toy était mort, mais Millard argua qu'avec tout le sang qu'il y avait dans l'eau, il l'était forcément, et là-dessus Ras Ballenger fit son entrée en scène et leur proposa ce que tout bon Samaritain proposerait dans un cas pareil : de les aider à transporter le malheureux chez le toubib.

Le Never Closes menaça ce soir-là de faire mentir son nom[1] pour la première fois de son histoire, puisque personne chez les Moses n'allait être en mesure d'ouvrir le bar. Tous les adultes de la famille se trouvaient à l'hôpital à Magnolia, impatients de savoir si Toy allait s'en tirer. Tous sauf tante Nicey, qui s'était portée volontaire pour garder les enfants chez

---

1. Rappel : *never closes* signifie « ne ferme jamais ».

elle. Swan, Noble, Bienville et Blade fous de chagrin, supplièrent qu'on les laisse aller à l'hôpital attendre que Toy sorte du bloc opératoire, mais Samuel ne voulut pas en entendre parler.

— Vous irez plus tard dans la semaine, promit-il. Quand l'état de Toy sera stabilisé. (Il n'avait pas dit «si», il avait dit: «quand»!)

— Mais il a besoin de savoir qu'on est là! gémit Swan. On est *son meilleur amour*!

Calla s'étonna de tant de sagesse de la part d'une enfant, mais versa néanmoins quelques larmes. Elle prit dans ses bras Swan et les trois garçons tous à la fois.

— Tu as bien raison, dit-elle.

Bernice était debout à côté d'elle, l'air aussi belle que vexée. Peu importait à Calla. D'autant qu'elle n'avait pas fini!

— Tous les hommes sur la terre ont soif d'amour, et je suppose que vous quatre, vous avez donné à votre oncle quelque chose dont il était rationné. (Bon, c'était dit!) Maintenant, filez chez tante Nicey et soyez gentils. Je dirai à Toy qu'il peut être fier de vous.

Ils se rendirent donc chez tante Nicey.

Lorsque, vers midi, Bootsie Phillips émergea, un silence de mort régnait, et alors il se demanda ce qui se passait. Il était étendu par terre sur le plancher du bar, sous un vieux pardessus moisi, avec personne en vue disposé à lui servir un petit coup pour la route.

Comme il ne voyait toujours venir personne, il se servit lui-même un verre. Puis un deuxième. Puis un troisième. Au troisième, il s'interrogea à propos de Toy, coutumier certes des petites escapades, mais là, cela faisait trop longtemps qu'il avait disparu !

Bootsie tituba jusqu'à la fenêtre et écarta le rideau. Le flot de lumière, alors qu'il s'était attendu à un paysage nocturne, manqua de l'aveugler. Il lâcha le rideau, recula d'un pas, puis le souleva de nouveau et se pencha pour mieux voir à travers le carreau. Pas un chat. Ni voitures, ni gamins, ni rien du tout.

Voilà qui méritait d'être regardé de plus près. Il se dirigea vers la porte mais quand il voulut l'ouvrir, elle lui résista. Il était enfermé à l'intérieur. Ce qui pouvait être soit la meilleure, soit la pire chose qui lui fût jamais arrivée. Il n'aurait su dire.

Reste qu'il avait envie de soulager sa vessie, et que, pour atteindre les commodités, il fallait d'abord sortir. Autrement dit, la maison était équipée de sanitaires, mais pas dans le bar même.

Bon, évidemment, certains n'auraient pas hésité à se glisser derrière le comptoir pour pisser dans l'évier, et Bootsie en aurait été tout à fait capable si cela avait été n'importe quel évier, mais voilà, c'était l'évier de ses amis. Il n'allait quand même pas pisser dans l'évier des Moses, qui avaient été si gentils avec lui toutes ces années. Il avait faim aussi. Il essaya la deuxième porte, celle qui menait directement dans la maison, et s'aperçut que celle-là n'était pas fermée à clé.

Il entra.

La salle de bains fut facile à trouver, ainsi que la nourriture. Il y avait une assiette de jambon et de biscuits sur la table, recouverte d'une serviette. Bootsie se dit que Calla ne lui en voudrait pas s'il se servait. Pendant qu'il mangeait, plusieurs voitures s'arrêtèrent devant la maison pour repartir presque aussitôt, ce qui le rendit de nouveau songeur. Son cerveau ne s'était pas encore tout à fait dégagé de l'épais brouillard qui l'empêchait de fonctionner, mais il se rendait quand même compte que quelque chose clochait. Clochait peut-être gravement.

Il partit en quête de réponses, et trouva les autres pièces aussi vides et mornes que le bar et la cuisine. Il découvrit en outre que la porte entre le séjour et l'épicerie était aussi peu fermée à clé que celle entre la cuisine et le bar.

Il entra dans l'épicerie.

Et savez-vous quoi ? Il n'était pas plus tôt là, qu'une voiture se figea à quelques mètres du seuil. Soucieux de la réputation de la famille Moses qui mettait un point d'honneur à ne jamais fermer quelles que fussent les circonstances, Bootsie déverrouilla la porte d'entrée et accueillit les clients.

Le client en question était un certain Joy Beekman, qui entra avec un plat en Pyrex en déclarant qu'il était sacrément content de trouver quelqu'un là, car ça lui aurait fait mal au cœur de laisser sa fricassée de poulet sur les marches du perron, à cause du manque de réfrigération, bien qu'il ait tenu à apporter tout de suite à la famille un témoignage d'amitié.

— Vous leur direz qu'ils sont dans nos cœurs et nos prières, ajouta-t-il. C'est tellement dur quand survient une tragédie dans une famille. Personne n'a envie de faire la popote…

Bootsie voyait confirmés ses soupçons : il y avait bien un problème, mais il en ignorait toujours la nature, et n'osait pas poser la question directement. Il biaisa donc :

— Vous avez des nouvelles ?

Joy hocha tristement la tête.

— Rien que l'on ne sache déjà. Juste que Toy a eu un horrible accident de chasse ce matin. Personne ne sait s'il va s'en tirer ou non.

Bootsie en resta pétrifié.

— Et s'il meurt, ajouta Joy, j'espère qu'ils porteront plainte contre Scotty Dumas pour homicide. Un type assez négligent pour tirer dans le dos d'un de ses semblables ne devrait pas être laissé en liberté ni autorisé à avoir un permis de chasse.

Après son départ, d'autres clients surgirent, certains pour acheter quelque chose, d'autres pour exprimer leur sollicitude, et presque tous apportèrent à manger – des gâteaux, des tartes et toutes sortes de bonnes choses, chaque femme ayant préparé sa spécialité culinaire. Bootsie ne savait où donner de la tête. Il les entassa sur le comptoir, jusqu'à ce que ces dames s'avisent de passer outre et de transporter le tout dans la cuisine.

Bootsie servait, remerciait tout le monde d'être de si bons voisins et leur promettait de dire à *Miz* Calla qu'ils étaient venus. À un moment donné, Phyllis, la femme de Millard Hempstead, entra pour proposer ses services : il allait y avoir du passage toute la soirée, et vous savez comme la vaisselle s'accumule quand chacun se sert, qui d'un bout de gâteau, qui d'une tasse de café. Elle lui apprit du même coup qu'on ne pouvait même pas pénétrer dans la salle d'attente pour obtenir les dernières nouvelles de Toy. Il y avait un peuple ! On était serrés comme des sardines !

Au crépuscule, Bootsie boucla l'épicerie et retraversa la maison en saluant du menton les gens qu'il croisait. Pour un type qui ne s'était pas lavé depuis deux jours, et avait passé la nuit sur le plancher du bar, il était un hôte avenant. Phyllis lui tendit une assiette et l'obligea à manger un morceau, en le félicitant d'être aussi serviable avec la famille Moses. Bootsie lui répondit que c'était la moindre des choses.

Comme personne ne parvenait à trouver la clé du Never Closes, Bootsie tint ouverte celle de la cuisine au moyen d'une chaise et invita les clients à boire en respectant le système dit « de l'honneur ». Des femmes qui n'avaient jamais vu l'intérieur d'un bar y jetèrent en passant des regards discrets, et plusieurs hommes prirent Bootsie au mot.

Néanmoins, personne ne déclencha le juke-box. Cette nuit-là il n'y eut au Never Closes ni danses, ni rires, ni chansons. Tout le monde parlait bas, et marchait sans bruit, en attendant les nouvelles de Toy Moses.

31

Toy n'entendit pas vraiment les anges chanter, mais à un moment donné il crut en entendre un qui criait son nom. Vu la douleur qui le mettait au supplice, si cet ange l'avait appelé à lui, il aurait obéi sans discuter.

Le trajet se déroula pour lui comme dans un brouillard rouge. Il y avait du sang partout, il imbibait ses vêtements, il lui remplissait la bouche avec chaque inspiration qu'il tentait en vain de prendre. La balle s'était logée dans un poumon. Et il perdait des litres d'hémoglobine.

Il eut vaguement conscience que des hommes l'avaient ramassé dans le ruisseau et l'avaient transporté, en courant à moitié, se bousculant, hurlant : « Mon camion est garé sur la route... On n'a qu'à l'allonger derrière et que quelqu'un reste avec lui... Ce sera un miracle si on arrive à l'hôpital avant qu'il se soit vidé de tout son sang... Merde ! Pourquoi ce putain de camion peut pas rouler plus vite... »

Ils lui avaient sauvé la vie. Millard et Scotty, et, oui, aussi incroyable que cela puisse paraître, Ras Ballenger ! Toy ne pouvait s'empêcher de penser que c'était lui, Ras, qui lui avait tiré dessus, pourtant c'était Scotty qui se confondait en excuses, du moins croyait-il reconnaître la voix de Scotty. Chaque son lui semblait provenir comme de très loin, les voix se fondant pour n'en former qu'une seule, accompagnée d'un curieux râle qu'il n'identifiait pas, jusqu'au moment où il comprit qu'il en était l'auteur. Après quoi, il eut l'impression de flotter très haut au-dessus des autres, comme s'il les voyait d'un point éloigné, et songea qu'il aurait dû leur dire de ralentir et de ne pas s'affoler comme ça. La vie est trop précieuse pour être menée à cent à l'heure.

L'intervention chirurgicale, compliquée, prit des heures. Guérir prendrait encore plus de temps. Au moins un mois d'hôpital, puis un ou deux mois de convalescence à la maison, d'après Doc Bismarck, qui se chargea de parler à la famille. Bernice Moses pleura. De joie, apparemment.

Calla retint un grand cri. Son fils allait vivre ! Ses autres fils l'embrassaient, en marmonnant que ce vieux chacal était trop coriace pour succomber à «du 22». Puis le reste de la famille l'embrassa à son tour, s'extasiant sur la bonté du Très-Haut qui avait répondu à leurs prières. Calla acquiesçait à tout.

Quand Doc Bismarck eut terminé son laïus, la famille se porta en formation serrée vers le groupe qui avait amené Toy à l'hôpital. On les remercia chaleureusement. Et on leur donna la bénédiction.

— D'après Doc, un peu plus, et il était fichu, leur déclara Clayton Moses. Quelques minutes plus tard, c'était irrattrapable.

Scotty se confondit de nouveau en excuses d'avoir tiré sur Toy, mais le clan Moses, magnanime, ne voulut pas en entendre parler. Scotty devait arrêter de se fustiger, et tous les trois devaient rentrer chez eux prendre un repos bien mérité. Les Moses conclurent en les conviant un soir à dîner. De cette invitation, ils n'exclurent même pas Ras Ballenger. Si un Moses envisagea avec un certain malaise que cet homme puisse s'asseoir à table en face de son fils fugueur, ou refuser de quitter les lieux sans lui, il chassa ce doute de son esprit. Ras devait avoir un meilleur fond qu'ils ne le supposaient. Ne venait-il pas d'ailleurs de le prouver?

Le temps que Toy remonte de la salle de réveil, et qu'on l'installe dans une chambre, la nuit était tombée. La foule qui encombrait la salle d'attente avait été appelée, non sans quantité de remerciements, à se disperser et à rentrer dans ses pénates. Certains étaient partis, en effet, d'autres s'attardaient, se serraient les mains, en se disant ce qu'on dit dans ces moments-là. «Il l'a échappé belle... On ne sait jamais ce qui peut vous arriver quand on part de chez soi le matin... Ça donne à réfléchir, quand on y pense... »

Toy avait droit à une seule visite. En qualité d'épouse, ce privilège fut attribué à Bernice. Toy avait des tuyaux partout, et pas la force de parler, mais il fit de son mieux.

— On dirait que tu vas encore avoir à me supporter, articula-t-il d'une voix éraillée par la douleur.

Bernice lui caressa le bras, lui embrassa le front et lui offrit son sourire le plus tendre.

— Dieu merci, mentit-elle, tu es en vie.

Tante Nicey était une petite femme potelée, avec des fossettes, mais sa maison était un enfer, tant elle était parfaite. Il y avait des napperons amidonnés partout, agrémentés de bibelots qu'elle avait fabriqués elle-même ; telle cette mosaïque de coq faite avec des haricots séchés, du pop-corn et des graines de pastèque, sans parler des moufles en crochet qui habillaient les poignées de porte ! Les enfants ne pouvaient comprendre que chacun doit forcément s'investir dans quelque chose et que ce quelque chose a des chances de tourner à l'obsession. Tout ce qu'ils savaient, c'était que le résultat les dérangeait.

À leur arrivée chez Nicey, ils s'étaient serrés sur le canapé tels des bonshommes bâtons désarticulés, aussi effrayés à l'idée d'arrêter de penser à Toy, de peur qu'il ne meure par manque de pensées... qu'effrayés de bouger, de peur de casser quelque chose. Nicey collectionnait de ravissantes lampes en pâte de verre, et d'adorables petits bols à bonbons en verre, disposés çà et là, sans bonbons dedans. Sa fille Lovey, qui n'était toujours pas leur personne préférée, leur ordonna de ne pas les toucher.

De toute façon, ils n'avaient envie de toucher à rien. Ils n'avaient même pas envie d'être là. Toutes les cinq minutes, ils demandaient à leur tante si elle voulait bien appeler l'hôpital pour voir où en était oncle Toy, mais elle leur répondait que si elle rendait chèvre les gens de l'hôpital, ça n'arrangerait rien pour Toy... De toute manière, ajoutait-elle, dès qu'il y aurait du nouveau, Sid téléphonerait.

Elle les installa autour de la table de la salle à manger et y coucha une sorte de grand tableau noir recouvert de feutre. (Elle en avait un autre à l'église, leur précisa-t-elle, mais elle gardait celui-ci à la maison, pour ses petits élèves, quand le catéchisme avait lieu chez elle.) Elle se préparait à leur raconter une jolie histoire qui leur changerait les idées. Swan et ses frères avaient vu tellement de ces tableaux de feutre pendant leur cursus à l'école du dimanche, qu'ils leur sortaient par les yeux, mais Blade, n'ayant pas eu ce plaisir, se déclara partant.

Blade était un bon petit gars, il avait de l'avenir, lui dit la tante avant de sortir une poignée d'images découpées de personnages bibliques et d'accessoires tout aussi bibliques (un palmier, une tente, une plaque de sable du désert, des moutons et des chameaux), les uns et les autres renforcés par un morceau de feutre collé à l'arrière. Elle laissa à Lovey le privilège de les placer sur le tableau à des endroits stratégiques (ils collaient, comme par magie), puis elle (tante Nicey) se lança dans le récit de David et Goliath. Quand elle arriva au moment où le géant écrase les petites gens et les réduit en bouillie, Blade bondit de sa chaise.

— Méchant FILS-DE-PUTE ! hurla-t-il, fou de rage.

Tante Nicey approuva, en précisant qu'en effet, le prix du péché était élevé : d'ailleurs Goliath avait fini par payer un sacré paquet.

Vers le milieu de l'après-midi, les enfants furent laissés à eux-mêmes. Tante Nicey (fatiguée de déployer toute cette gentillesse[1]) avait suggéré qu'une petite sieste serait «délicieuse». Ce projet se heurtant

---

1. *Nice* signifie «gentil».

à une forte réticence, elle leur distribua des livres, et se retira dans sa chambre, la petite Lovey sur ses talons.

Quand Sid téléphona, un peu plus tard, pour annoncer que la vie de Toy n'était plus en danger, ce fut Swan qui prit l'appel et transmit la bonne nouvelle aux garçons. Ils ouvrirent tout grand la bouche et poussèrent un discret couinement de joie, veillant à ne pas réveiller certaines personnes qu'ils jugeaient moins enquiquinantes endormies. Après cela, malgré tout, il leur fut de plus en plus difficile de rester sages. Ils redevinrent des enfants. Bienville et Noble entamèrent un match de lutte, sur le beau parquet de Nicey, et Blade se mit à taquiner Swan en lui donnant un coup puis en s'échappant. Au bout de la quatrième ou cinquième fois, Swan courut après lui et le coinça contre un guéridon surchargé de verres carnaval.

— Qu'est-ce qui te prend ? s'exclama-t-elle.

— Rien ! dit-il avant de partir d'un rire en cascade.

Puis il l'embrassa, *smack*, sur la bouche.

Il ne fut pas tant *décidé* que Willadee s'occuperait du Never Closes, qu'*attendu*. Personne d'autre n'était susceptible de prendre la relève, et la famille avait besoin de ce revenu. Lorsque Sam Lake se rendit compte de ce qui se tramait, il eut la sensation que Dieu l'écrasait.

— Tu n'es pas obligée, Willadee, lui dit-il. Dieu a jusqu'ici toujours veillé à ce que nous ne manquions de rien.

346

— Eh bien, tu me diras quand Il remettra ça, repartit-elle. (Elle aussi se sentait passablement écrasée.)

Samuel ne discuta pas. Il ne dit rien. Le jour de leur mariage, quand le pasteur lui avait demandé si elle était prête à aimer, honorer et obéir, elle avait fourni une réponse digne d'une Moses.

— Oui, oui et ça dépend, avait-elle débité tout d'une haleine, avec un large sourire.

La famille Moses avait ri, la famille Lake fait la grimace, et Sam Lake pris femme en connaissant les clauses. Jusqu'à aujourd'hui, cela n'avait jamais posé de problème.

Sur le chemin de son travail, ce jour-là, Samuel pria Dieu de lui envoyer un signe, de lui montrer le chemin.

Il se trouvait à la périphérie de Magnolia quand il articula cette prière, et, une fois en ville, il n'avait pas longé quelques blocs qu'il aperçut un cortège de véhicules. Des camions de toutes les tailles couverts de boue et de cambouis, conduits par des hommes à l'allure rude qui faisaient crier les changements de vitesse. Des images fantastiques ornaient leurs flancs. Dompteurs de lions, trapézistes, tentes de cirque. Le cirque, en route pour quelque part !

Voilà, Samuel avait son signe. Pas une seconde, il ne pensa que Dieu lui proposait de se joindre à un cirque, mais soudain résonnèrent à ses oreilles les mots : « Venez. Venez tous ! » En arrivant à la marbrerie Eternal Rock, il rendit son classeur à M. Lindale Stroud et passa un accord avec lui.

— Si vous me permettez d'effectuer quelques appels longue distance avec le téléphone du bureau, vous pourrez les déduire des commissions qui me reviennent.

En moins de quinze minutes, Samuel avait trouvé une compagnie à Shreveport disposée à lui louer une tente, des chaises pliantes et un système de haut-parleurs, et à n'exiger le paiement de la location qu'à partir du jour où il commencerait à recueillir des oboles.

Il y avait un grand nombre d'endroits où Samuel aurait pu dresser sa tente, mais le champ Ledbetter lui sembla le plus avantageux. Primo, il pouvait s'y installer gratis. Irma Ledbetter avait beau vivre en ville à présent, elle était au courant des difficultés rencontrées par ses anciens voisins. Elle serait plutôt morte que de demander un cent à Samuel. D'autant plus que Samuel allait nettoyer ce bout de terrain : une fois remis en état, son champ trouverait peut-être acheteur.

Autre avantage pour Samuel, et non des moindres, il serait placé exactement où il fallait. Le flot d'âmes perdues qui entrait et sortait du Never Closes chaque nuit ne pourrait ni aller ni venir sans voir la bannière de Samuel, sur laquelle on lirait : « CHOISISSEZ AUJOURD'HUI QUI VOUS VOULEZ SERVIR. »

Dieu et le diable prêts à se castagner.

32

— Des réunions pour le renouveau de la foi, répéta Willadee.

— Des réunions pour renouveau de la foi sous une tente, confirma Samuel.

— Juste de l'autre côté de la route.

— Pile de l'autre côté.

— Eh bien, tu vois, je trouve ça génial !

Et elle était sincère. Samuel n'avait pas eu l'air aussi heureux depuis très longtemps.

En le voyant rentrer beaucoup plus tôt que d'habitude de son travail, elle avait été étonnée, et l'avait été bien plus quand il lui avait annoncé qu'il avait rendu son tablier. Avec cette affaire de réunions pour le renouveau de la foi, cela faisait trois surprises en cinq minutes. Toutes les trois très bonnes. Au moins, à partir de maintenant, Samuel allait faire quelque chose auquel il croyait, ce qui, fallait-il espérer, apaiserait son esprit.

— Tu prévois quelle taille ? interrogea Willadee.

Assise à la table de la cuisine, elle pliait du linge pendant que Samuel se versait un verre de thé glacé.

— Aussi grande que possible.

— Je pourrais peut-être laisser les habitués se servir suivant le système de l'honneur et venir t'écouter prêcher.

— Tu pourrais peut-être amener les habitués avec toi.

Elle se leva et appuya la tête contre son dos, l'embrassant à travers l'étoffe de sa chemise.

— J'espère que tu sais que je crois en toi, prononça-t-elle.

— Et moi en toi.

— Même si je travaille pour le diable ?

Il posa son verre de thé et se retourna, un sourire peiné aux lèvres.

— Willadee, tu vas rassembler les troupes du diable pour moi, pour que je puisse les atteindre !

Après le dîner, Willadee laissa Calla mettre les enfants au lit tandis qu'elle prenait pour la première fois la direction du Never Closes. S'organiser selon son nouvel emploi du temps lui avait mangé sa journée : elle n'avait pas réussi à faire sa sieste habituelle, mais qu'à cela ne tienne… Quant à Samuel, il partit en voiture pour l'hôpital afin de relayer Bernice au chevet de Toy, et de lui permettre de rentrer rattraper un peu de sommeil.

Lorsque Willadee ferma le bar le lendemain matin et entra, titubante de fatigue, dans la cuisine, elle tomba nez à nez avec Bernice, qui arrivait tout juste de l'hôpital, fraîche comme une pâquerette. Samuel et elle avaient passé la nuit à discuter, apprit-elle à

Willadee, et aussi incroyable que cela puisse paraître, elle n'était même pas lasse…

Willadee, qui ne pensait qu'à se débarrasser de l'odeur rance du bar sous une bonne douche et à dormir douze heures d'affilée – mais qui ne le pouvait pas encore – manifesta quelque agacement bien compréhensible.

— Je croyais que Samuel passait la nuit à l'hôpital pour que tu puisses rentrer dormir.

— En effet, opina gaiement Bernice. Mais il s'est mis à me parler des réunions pour le renouveau de la foi. On a commencé à faire des plans, et on n'a pas pu s'arrêter.

— Des plans, répéta Willadee, interloquée.

— Je vais l'aider pour la musique. Tu te rappelles, nous chantions ensemble, à l'époque où on était… bref, il y a longtemps.

Willadee confirma d'un signe de tête maussade : elle ne le savait que trop bien.

Dans un placard bas, il y avait un énorme sac de farine de vingt-cinq kilos, et dans ce sac, sur la farine, une vieille terrine émaillée bleu tacheté. Willadee prit la terrine, la remplit de farine et la posa sur le plan de travail. Elle sortit le lait du réfrigérateur, et, d'un deuxième placard, celui-ci en hauteur, de la levure chimique, du sel et du saindoux. Tout en procédant à sa mise en place, elle conclut que la situation réunissait tous les éléments d'une catastrophe.

— Ne gâche pas le projet de Samuel, prononça-t-elle.

Bernice, qui était en train de sortir, se figea dans l'encadrement de la porte et regarda Willadee par-dessus son épaule, comme si elle n'en croyait pas ses oreilles.

—Willadee Moses, tu me parles de quoi, là?

Willadee creusa un cratère dans la farine avec son poing, puis versa les autres ingrédients, en vrac, sans rien peser. Cela faisait quinze ans qu'elle préparait chaque jour des biscuits, soit un total de cinq mille cinq cents fournées. Elle n'avait plus besoin de mesurer quoi que ce soit. D'une main, elle mélangeait. De l'autre, elle faisait tourner la terrine, tout doucement, afin d'incorporer petit à petit la farine du bord du cratère.

—Je suis une Lake, rectifia-t-elle. Toi, tu es une Moses. Et tu sais très bien de quoi je parle.

Elle ne s'était jamais laissée aller à rabrouer sa belle-sœur, mais ce matin son instinct lui dictait que le danger guettait, et surtout guettait Samuel, Samuel qui cherchait désespérément à réussir au moins quelque chose.

—Il y a longtemps que Samuel n'a pas eu sa chance, et ce projet est exactement ce qu'il lui faut. Les gens vont avoir l'œil sur lui, et tu peux être sûre qu'ils vont aussi l'avoir sur toi!

Ce qui était aussi vrai que le ciel était bleu, mais Bernice était butée.

—Eh bien, ça, je ne peux même pas imaginer…

—Oh! si, tu peux! s'exclama Willadee. (La moutarde lui était soudain montée au nez.) Tu as imaginé que tu allais reprendre Samuel dès le jour où tu as appris que nous revenions vivre ici. Tu es devenue pieuse parce que tu as imaginé que, comme ça, vous seriez plus souvent ensemble. Et tu as probablement imaginé que ces réunions de réveil étaient la réponse à tes prières – puisque je travaille maintenant de nuit, et que tu n'as rien de mieux à faire qu'à faire la belle, et la pieuse… Mais ce n'est pas la peine de courir après Samuel, tu pars perdante !

Bernice dévisagea Willadee sans un mot. Elle ne feignait plus l'innocence. Pendant une fraction de seconde, une lueur dangereuse fit luire ses prunelles.

— Tu pars perdante, répéta Willadee, non pas parce que je vaux mieux que toi, mais à cause de Sam, de sa bonté. Tu ne peux pas l'éloigner de moi, mais en revanche il peut tout gâcher à cause de toi, et si ça arrive… je jure, devant Dieu, que je te… quand j'en aurai fini avec toi, tu n'auras plus de cheveux !

— Ben dis donc, Willadee. Une nuit de bar, et tu t'exprimes déjà comme les habitués !

Là-dessus, elle ôta ses chaussures et se mit à déboutonner sa robe avec des gestes pleins de langueur. Elle informa Willadee qu'elle montait se coucher.

— Un peu de sommeil te ferait pas de mal non plus, lança gentiment Bernice à Willadee avant de s'éclipser. Tu as l'air d'une folle.

Lorsque, au cours de l'après-midi, Bernice reprit le chemin de l'hôpital afin de relayer Samuel au chevet de Toy, Willadee l'accompagna. Elle trouvait gentil l'idée de passer un moment avec son frère. En plus, elle se figurait que Bernice allait rapporter à Samuel la petite scène qu'elle lui avait faite le matin, et elle tenait à être là pour se défendre. Comme les enfants n'allaient pas tarder à rentrer de l'école, Willadee laissa en guise de goûter des patates douces en robe des champs sur la cuisinière, avec un mot leur rappelant de ne pas oublier leurs devoirs et surtout de ne pas s'éloigner de la maison.

Dans la voiture, les deux femmes n'avaient pas grand-chose à se dire, Willadee ayant plus ou moins vidé son sac un peu plus tôt, et Bernice cultivant des pensées qu'elle n'avait pas tellement envie de partager. En entrant dans le parking de l'hôpital, elles aperçurent Samuel debout au milieu d'un groupe de personnes âgées qui buvaient ses paroles comme du petit-lait.

En voyant la voiture, il s'empressa de serrer les mains de ses admiratrices puis il s'avança vers elles. Ayant attendu patiemment qu'il embrasse sa femme, Bernice leur demanda à tous les deux, d'une toute petite voix, s'ils voulaient bien lui accorder une minute d'attention. Willadee n'était pas (encore) étonnée.

— Nous t'écoutons, lui dit Samuel. Toy est occupé de toute façon. Les infirmières sont en train de lui faire un brin de toilette.

Comme si Bernice avait envie de penser au brin de toilette de Toy.

Le trio s'éloigna sur la pelouse, loin des oreilles indiscrètes. Une fois le bon coin trouvé, Bernice se tourna pour leur faire face, les yeux débordant de tendresse. Elle était si belle que cela faisait mal.

— Ne te sens pas obligé de m'engager dans tes réunions, dit-elle à Samuel. Je ne voudrais pas devenir un obstacle sur le chemin du salut de tous ces pauvres pécheurs.

Willadee cligna des yeux.

— Mais que nous contes-tu là ? Bien sûr que tu vas travailler pour les réunions. Où es-tu allée chercher qu'on ne voulait pas de toi ?

Bernice les regarda tour à tour, comme si elle avait peur d'avoir commis un impair.

— Eh bien, d'après ce que Willadee m'a dit ce matin...

Willadee cligna de nouveau des yeux. Samuel l'interrogea du regard, le sourcil froncé.

— Ce n'est pas ce que j'ai dit, protesta Willadee. Pas du tout !

— Tu m'as dit que les gens m'auraient à l'œil, bredouilla Bernice, les lèvres agitées soudain d'un effrayant tremblement. Tu m'as dit que tout le monde doutait de ma piété, et que si je chantais avec Samuel, les gens penseraient que je cherche à lui mettre le grappin dessus. Tu m'as dit que je ne dois pas gâcher son projet, parce que c'est la seule chance qu'il avait de se rattraper, parce que sinon il aura raté sa carrière de pasteur.

Cette fois, Willadee ne cligna pas des yeux. Ses yeux, comme sa bouche d'ailleurs, étaient grands ouverts.

— Dieu du ciel, parvint-elle seulement à articuler.

Willadee se tourna vers Samuel, dans l'espoir de lire sur son visage qu'il jugeait tout cela grotesque. Samuel était vert.

— Ce n'est pas ce que j'ai dit, rectifia-t-elle. (Mais, en bonne Moses qui ne ment jamais, elle ne put s'empêcher de préciser :) Pas exactement.

Samuel resta une minute aussi immobile et figé qu'un boxeur qui vient de prendre un coup sur la tempe. Puis il prononça :

— Bernice, je pense que Toy doit en avoir terminé avec son brin de toilette.

Bernice afficha une expression désolée.

— Ne sois pas en colère contre Willadee, supplia-t-elle à l'adresse de Samuel.

Et à Willadee, elle déclara :

— Je ne pense pas que tu parlais sérieusement en me menaçant de me faire descendre de l'estrade en me traînant par les cheveux.

— Va trouver ton mari, lui ordonna Samuel. Et si jamais tu as besoin de quelque chose, téléphone à la maison.

Bernice acquiesça, obéissante, et se dirigea sans se presser vers l'entrée de l'hôpital. Samuel retourna à la voiture. Il tint la portière à Willadee.

— Ce n'est pas ce que j'ai dit, insista-t-elle en s'asseyant.

Samuel planta son regard dans le sien et articula :

— Willadee… ne fais pas ça.

Sur le chemin du retour, Willadee essaya d'expliquer à Samuel ce qui s'était passé. Oui, elle avait parlé à Bernice. Oui, elle l'avait priée de laisser Samuel tranquille. Oui, elle lui avait dit que tout le monde les aurait à l'œil. Oui, elle avait évoqué la musique, et l'importance de ces réunions pour son bonheur à lui, Samuel. Tout ça pour lui montrer que, dans l'ensemble, Bernice racontait n'importe quoi.

— Pourquoi « dans l'ensemble » ? Tu as admis tout ce qu'elle a dit.

— Pas du tout ! (Elle compta sur ses doigts.) Je n'ai pas dit que tu avais raté ta vie de pasteur. Je ne l'ai pas accusée d'être un obstacle sur le chemin du salut des pécheurs. Je n'ai pas dit que tout le monde doutait de sa piété ! Elle a sélectionné un ou deux mots dans chacune de mes phrases, et puis elle les a tricotés avec des mensonges, ce qui change tout.

— Ça ne change pas tellement de choses pour moi, Willadee. Depuis sa conversion, Bernice…

— Elle ne s'est pas convertie.

— Tu n'as pas le droit de proférer une accusation pareille.

Willadee leva les yeux au ciel, et débita tout d'une haleine :

— C'est vrai, j'oubliais, seuls Dieu et toi savez ce qu'elle a au fond de son petit cœur.

Samuel lui jeta un regard désapprobateur, et secoua la tête.

— Cela ne te ressemble pas, Willadee. J'ai l'impression que je ne te connais plus.

Willadee le regarda d'un air sidéré. Furieux. Accablé.

— Alors, elle a réussi.

— Réussi quoi ?

— À atteindre l'objectif qu'elle s'était fixé il y a des années, le jour où tu lui as annoncé que tu étais amoureux de moi. Elle a finalement réussi à se glisser entre nous.

Samuel parlait doucement, mais ses mots étaient rudes comme une râpe.

— Ce qui s'est glissé entre nous ne s'est pas mis là il y a quelques minutes seulement, Willadee. Et je ne pense pas que Bernice ait quoi que ce soit à voir là-dedans. Car tu vois, autrefois je savais – c'était une certitude, je n'avais pas l'ombre d'un doute – que tu étais toujours de mon côté, mais voilà, ce n'est plus le cas aujourd'hui.

Willadee avait la bouche sèche. Cette conversation, elle l'avait vue venir. Tout comme elle pressentait la suite.

— Je suis toujours de ton côté ! protesta-t-elle.

— C'est pas l'impression que tu m'as donnée, répliqua-t-il d'un ton amer, l'autre soir, à dîner, avec l'histoire de Noble et de Toy. Autant que je sache, personne n'était de mon côté ce soir-là.

— Je t'ai demandé pardon. J'avais tort. Je regrette. (Elle se retenait de hurler.)

Samuel, lui, continua à déballer ce qu'il avait sur le cœur :

— Tu peux pas savoir combien je me suis senti stupide d'ignorer ce que vous tous saviez et preniez soin de me cacher. Tu as une idée de ce que ça fait ?

— Je suis désolée. (Non seulement elle l'était, sincèrement, mais en plus elle commençait à avoir peur.)

— Qu'est-ce que tu crois que tu enseignes aux enfants ? *Si ça ne plaît pas au vieux, on n'a qu'à lui mentir ?* (Il ne s'était encore jamais qualifié de « vieux ».) *Y a que la vérité qui blesse, alors pourquoi la dire ?*

— Je regrette, je regrette, répéta-t-elle, en pleurant.

À cet instant, Samuel tourna dans l'allée de chez Calla. Les silhouettes des enfants se profilaient du côté de l'enclos. Ils donnaient à manger à Lady à travers les barreaux. Samuel resta une minute assis au volant, le regard braqué d'abord sur les enfants, puis sur l'enseigne de l'épicerie : *Moses.*

— À une époque, j'adorais cet adage : « Un Moses ne ment jamais », reprit-il. Mais pour tout t'avouer, Willadee, maintenant, ça me rend malade de l'entendre. Et tu sais pourquoi ? Parce que si un Moses ne ment jamais, il ne dit pas forcément la vérité.

33

Ils ne s'étaient encore jamais querellés. Ils n'avaient même pas eu ce que les gens appellent «une dispute salutaire». Depuis le jour où ils s'étaient rencontrés, ils n'avaient cessé de vivre dans la joie de se découvrir l'un l'autre – ils allaient de l'avant sans règles ni restrictions, confiants de partager le meilleur, rien de moins. Willadee regardait les autres couples, ceux qui ne s'entendaient pas, et même ceux qui s'entendaient, et les plaignait de tout son cœur, car ils ne savaient pas – ils n'avaient aucune idée – combien l'amour est beau quand il est fort à ce point.

Bon, il était moins fort maintenant et peut-être désormais…

Samuel n'entra même pas dans la maison. Il continua jusqu'à la grange, où il se mit à bricoler le vieux tracteur de John. Willadee prépara un dîner à la va-vite, appela tout le monde à table, puis s'enferma au Never Closes, pour que personne ne la voie dans cet état.

Un peu avant l'aube, Calla entra dans le bar pour la deuxième fois de son existence. Willadee lavait les verres. Il n'y avait pas l'ombre d'un client.

— Je ne sais pas pourquoi nous mettons un point d'honneur à rester ouvert toute la nuit, dit-elle. C'est idiot de ne pas fermer une fois qu'il n'y a plus un chat.

— Le jour où Toy a essayé de fermer plus tôt, regarde ce qui lui est arrivé.

Calla éclata de rire. Pourtant ce n'était pas drôle. Puis elle demanda :

— Tu vas me dire ce qui se passe ?

— Mensonge et dissimulation, maman, prononça Willadee d'un ton las. Mensonge et dissimulation.

— Bernice, devina aussitôt Calla. Qu'est-ce qu'elle concocte encore ?

— Oh ! beaucoup de choses ! Mais il ne s'agit pas d'elle.

Une fois informée de la tournure des événements, Calla déclara :

— Si tu penses que tu as eu tort, fais amende honorable et tourne la page.

— Mais si Samuel ne veut pas ?

— Bonté divine, Willadee. Samuel ne peut t'empêcher d'avouer tes torts, et en tant que pasteur prêchant la miséricorde, il n'a pas le choix, il doit te pardonner. Ne fais surtout pas la même erreur que moi, n'attends pas que ce soit trop tard.

Willadee demeurait dubitative.

— C'est comme si le monde n'était plus enchanté. (Elle s'exprimait comme une petite fille qui vient de s'apercevoir que, sous sa tunique, le père Noël a un coussin en guise de bedaine.)

— Tu n'as qu'à y remettre de l'enchantement.

Calla traitait de l'enchantement comme si c'était une plaque de biscuits à enfourner. Comme si Bernice n'allait pas venir en douce mettre du sel dans le sucrier à la place du sucre.

— Tu es plus intelligente qu'elle, opina Calla. Déjoue ses mauvais tours.

— Je suis peut-être plus intelligente qu'elle, maman, mais elle passe de meilleures nuits que moi. Elle me dame le pion, je t'assure.

Willadee renversa le dernier verre sur l'égouttoir et vida l'eau savonneuse de l'évier. Calla ramassa l'essuie-tout mouillé et se mit à éponger le comptoir.

— Si tu permets que je te donne un bon conseil. Quel que soit le mal que Bernice t'a fait, tu la bats à plate couture. Mais si tu veux mon avis, il est grand temps que tu lui rendes la monnaie de sa pièce.

— Ah, mais je ne sais pas comment !

— Eh bien, moi, si ! conclut Calla.

Willadee ferma le bar pile à l'heure habituelle, prépara le petit déjeuner et mit les enfants dans le car scolaire. Puis elle prit un bain, et sortit en quête de son mari. Elle le trouva derrière la grange, occupé à élaguer les sureaux qui avaient poussé au milieu des pièces détachées de la faucheuse.

— Je suis venue te remercier de tout ce que tu m'as dit hier, lui déclara-t-elle de but en blanc. (Toute autre forme d'introduction n'aurait servi à rien.)

Samuel suspendit son geste, laissa glisser la cognée jusqu'au sol tête en bas, et s'appuya contre le manche. Il ne souriait pas, mais au moins il écoutait.

— Tu avais raison, continua Willadee, de ne pas croire Bernice, mais je ne suis pas là pour parler d'elle. Je suis venue te dire que je reconnais mes torts. Et le pire, c'est que, si tu ne me l'avais pas fait remarquer, je ne m'en serais pas rendu compte.

Elle se tenait à quelques pas de lui, prudente. S'approcher plus ou lui tendre les bras, c'était risquer qu'il la repousse, et s'il la repoussait, alors un mur noir se dresserait entre eux et ils ne se verraient plus du tout.

— Est-ce de la franchise à la Moses, lui demanda-t-il après ce qui lui sembla une éternité, ou bien de la franchise tout court?... Tu vois, je n'ai pas envie d'avaler quelque chose qui va me laisser un mauvais goût dans la bouche.

— Tout court. Il n'y aura pas d'autre sorte de franchise à partir d'aujourd'hui… ça ne te plaira pas toujours, mais tu vas y avoir droit.

Samuel hocha la tête, une seule fois : il acceptait.

— Maintenant, Samuel Lake, reprit-elle avec ardeur, il faut que tu saches que je suis toujours de ton côté. Tu ne me crois peut-être pas, et je n'ai sans doute pas su toujours te le montrer. Je sais, j'ai donné le mauvais exemple aux enfants. Je t'ai caché des choses. Mais je ne me posais pas la question de savoir si c'était bien ou mal. Je pensais que c'était nécessaire. Je vais leur parler, leur expliquer que je me suis trompée. Combien nous nous sommes tous trompés. Et je leur dirai qu'à partir de maintenant, tout sera différent. On va remettre les pendules à l'heure.

Samuel hocha de nouveau la tête. Puis déclara :

— Je n'ai pas changé d'avis : Bernice chantera pendant les réunions pour le renouveau de la foi. Est-ce que ça t'ira? Qu'elle chante?

— Pourquoi pas? Je n'y vois pas d'objection si tu n'en vois pas que je tienne le Never Closes.

Samuel esquissa une moue où l'on décelait pas mal de réticence.

— Tu l'as vraiment menacée de la faire descendre de l'estrade en la traînant par les cheveux ?

Willadee renversa la tête en arrière et éclata de rire.

— Oui. Ou plutôt non. C'est pas de l'estrade que je pensais l'arracher en la traînant par les cheveux !

Le dîner fut une surprise pour Samuel, et les enfants avaient aidé à le préparer. Aucun d'eux n'avait jamais touché une casserole, même pas grillé un morceau de pain, mais Willadee les avait initiés au grand art de la préparation d'un hachis parmentier. Et pendant qu'elle y était, elle tint sa promesse à Samuel.

« Il y a une différence entre ne pas mentir et dire la vérité. »

« C'était vraiment moche ce qu'on a fait à votre papa, à lui cacher des choses comme s'il n'habitait même pas sous notre toit. Ce n'est pas comme ça qu'il faut traiter la famille. »

« Votre papa nous aime plus que tout au monde, et il a besoin de sentir qu'il est aimé tout aussi fort en retour. »

« Si quelque chose est presque bien, c'est pas bien. »

Quand elle eut terminé d'expliquer ce qui distinguait la franchise «à la Moses» et la franchise tout court, et que le mieux était de toujours laisser éclater la vérité, même s'il fallait ensuite en affronter les conséquences, les enfants avaient l'air tout contrit.

— On lui a brisé le cœur, prononça Bienville, bourrelé de remords.

— C'est vrai, confirma Willadee, mais il y a un moyen de se racheter.

Elle leur raconta comment elle avait demandé pardon à leur papa, et combien elle se sentait mieux depuis. À son grand regret, elle dut taire ce qui s'était passé après, en haut dans leur chambre, alors que cela aussi lui avait fait beaucoup de bien, et à Samuel aussi.

Swan proposa :

— On n'a qu'à peindre une affiche pour lui montrer qu'on est tristes de ce qu'on a fait et qu'on ne le refera plus.

Elle avait appris à l'école du dimanche à fabriquer de la peinture à doigts à partir de fécule de maïs, d'eau et de colorants alimentaires, et elle se disait que grand-maman Calla leur permettrait de prendre un de ces grands morceaux de papier qui lui servait à emballer la viande pour les clients.

Blade se proposa de les aider, mais, pour commencer, il allait faire un bouquet pour «le papa». Les seules fleurs à cette saison étaient des chrysanthèmes, mais un bouquet était un bouquet. Cet enfant n'avait pas oublié comment quelques fleurs avaient réussi à remonter le moral d'un oncle : il n'y avait pas de raison que le procédé ne marche pas sur un papa.

Noble, en revanche, ne voyait pas pourquoi il présenterait des excuses.

— Je ne suis pas fier de toutes ces cachotteries, mais est-ce que j'avais le choix ? dit-il.

Willadee n'avait pas de réponse à cela. Elle était drôlement contente que toute cette politique de franchise tout court ait été instaurée après que Noble eut appris à se défendre.

— Tu pourrais au moins lui faire part de tes regrets, suggéra-t-elle.

— Pour écouter une leçon de morale !

— Et alors ? repartit Willadee. Tu as eu le courage d'affronter ces garçons à l'école. Tu peux supporter une petite leçon de morale. Il n'est pas question que tu adoptes le même point de vue que ton père, il s'agit seulement de lui montrer que tu l'aimes.

Noble ne promit rien, mais, le moment venu, il se conduisit en homme.

Ce soir-là, Calla prit son dîner dans sa chambre. À l'entendre, elle avait besoin d'être un peu seule. Sid était resté au chevet de Toy à l'hôpital, et Bernice passait la nuit chez Nicey. C'était la première fois depuis des mois que Samuel et Willadee prenaient un repas seuls avec leurs enfants, Blade étant désormais un des leurs.

Eh bien, Samuel s'émerveilla devant les talents culinaires de ses enfants, et adora les fleurs, et l'affiche lui plut énormément. Ce qu'ils lui dirent lui alla droit au cœur. Noble s'exprima en dernier : ses excuses ne ressemblaient guère à des excuses, mais ses paroles mirent les larmes aux yeux de Samuel.

—Je t'aime, se borna à articuler Noble.

Les enfants n'avaient pas vu oncle Toy depuis qu'il s'était fait tirer dessus, et le temps leur paraissait long. Un samedi matin, Samuel décida que la vue de quelques tuyaux sortant du corps de leur oncle ne les éprouverait pas autant que les images produites par leur imagination.

—Il est encore très faible, leur expliqua-t-il tandis que, en compagnie de Willadee, il les guidait dans les couloirs de l'hôpital. Mais il ne faut pas que vous ayez peur. Une fois remis, il sera tout comme avant, sauf qu'il faudra attendre encore un peu qu'il ait repris complètement ses forces.

—Tu es sûr qu'il va nous reconnaître ? s'enquit Bienville. (Il avait lu quelque part que les gens qui avaient frôlé la mort n'identifiaient pas toujours les êtres chers.)

—Mais oui, lui assura Samuel. Et il n'y a personne au monde qu'il n'ait plus envie de voir que vous quatre.

Samuel se sentait peut-être écrasé par Dieu, mais son âme n'en était en rien atteinte. Il était fier de pouvoir partager l'amour de ses enfants.

Bernice, avertie de leur arrivée, s'étant arrangée pour se trouver ailleurs, ils eurent Toy pour eux tout seuls. Les enfants étaient fous de joie, et Toy Moses l'homme le plus heureux de la terre. Samuel leur demanda de ne pas grimper sur leur oncle, à cause des points de suture. Ils firent preuve de beaucoup de retenue.

Bien sûr, Toy voulait leur faire à tous un gros câlin. Samuel souleva Blade et le tint à bout de bras au-dessus du lit en l'abaissant juste assez pour que Toy le serre maladroitement contre lui – Blade, couinant de rire, et Samuel le faisant voler comme Superman. Les autres s'approchèrent avec mille précautions et parvinrent à embrasser Toy sans lui faire mal.

— Voilà bien le meilleur médicament qu'on m'ait donné jusqu'ici, déclara Toy.

Les enfants furent frappés par l'aspect frêle de Toy – et le fait qu'il n'avait pas sa jambe artificielle. Sous les couvertures se dessinait la forme de son moignon, cette partie de Toy Moses qui n'allait pas jusqu'au bout.

— Où est ta jambe ? interrogea Blade.

Noble et Bienville firent la grimace. Swan donna un coup de coude à Blade.

Toy ne cilla même pas.

—Je crois qu'ils l'ont collée dans le placard, répondit-il. Je la mettrai un peu plus tard pour piquer un cent mètres. (Blade haussa les sourcils à l'idée de Toy en coureur à pied.) … Sais-tu que ton papa est un de ceux qui m'ont sauvé la vie ?

Blade était au courant, plutôt deux fois qu'une, à force de se l'entendre répéter, mais il se méfiait. De son père, il présageait toujours le pire. En enten-dant cette dernière phrase, il baissa les yeux et fit un bond en arrière, comme s'il avait vu un serpent. Toy comprit le message.

—J'ai parlé au médecin, ajouta-t-il. Ils m'ont dit qu'il existe à Little Rock un endroit où ils pourraient te fabriquer un œil qui aurait l'air aussi vrai que l'autre. Il faudra qu'on en discute une fois que je serai rentré à la maison.

Blade demeura comme frappé de stupeur.

— Est-ce que je pourrai voir avec ?

Toy fit non de la tête.

— Mais il sera joli, tu verras, tu auras toutes les filles à tes trousses.

Blade se rapprocha sur la pointe des pieds et murmura à Toy :

— Je veux pas de filles à mes trousses. Je vais me marier avec *Swan*.

Samuel et Willadee échangèrent un regard amusé. C'était tellement mignon, ce béguin de Blade pour Swan. Noble et Bienville étouffèrent quelques hoquets de rire. Swan se glissa derrière Blade et grogna dans son oreille :

— Arrête de dire ça, tête de nœud ! (C'était agaçant, à la fin !)

— Je le dis parce que c'est vrai, repartit Blade.

— Holà ! invervint Toy. Vous organiserez les noces plus tard. Jusqu'à nouvel ordre, j'exige d'être le centre de l'attention.

Tous les regards convergèrent sur lui.

Il interrogea Bienville sur sa vie à l'école, et Bienville l'informa que l'école d'Emerson était correcte, sauf qu'ils n'avaient pas une bibliothèque bien fournie : n'y figurait même pas un seul Albert Payson Terhune ! Puis Toy demanda à Swan si les élèves de cinquième montaient un spectacle pour Thanksgiving. Swan répondit par l'affirmative et qu'on lui avait imposé un rôle de femme de premier colon, mais qui voulait être une femme de premier colon? Finalement, les yeux de Toy se posèrent sur Noble.

— Alors, ta petite bande de lascars, tu la fais marcher droit?

— Quand j'arrive à en choper un, répondit Noble, décontracté, avec un large sourire.

Or, ce n'était pas parce que tout le monde était réconcilié que le mauvais temps était derrière eux, ni parce que l'hiver arrivait qu'ils étaient protégés contre les tornades. Parfois une tornade peut frapper hors saison.

34

— Combien de temps comptes-tu tenir tes réunions pour le renouveau de la foi ? demanda Calla à Samuel, une fin d'après-midi.

Au cours de la semaine, il avait remis en marche le vieux tracteur et la faucheuse, et débroussaillé le champ de coton des Ledbetter. Aujourd'hui, la société de location avait envoyé des ouvriers monter le chapiteau. Calla les avait observés de la fenêtre de l'épicerie. Dès leur départ, elle avait traversé la route pour prendre le pouls de la concurrence.

— Jusqu'à ce que Dieu me fasse signe que je dois fermer, répondit Samuel.

Calla serra son pull autour d'elle, croisa les bras sur sa poitrine et resta là à contempler le champ débroussaillé, le chapiteau qui venait de pousser de terre et la bannière où la peinture fraîche épelait : *CHOISISSEZ AUJOURD'HUI QUI VOUS VOULEZ SERVIR*. Elle ne pouvait s'empêcher de songer que si Willadee appliquait ces paroles à la lettre, certains habitués du Never Closes devraient bientôt chercher un autre endroit où lever le coude.

Samuel déclara :

— Je ne sais pas ce que vous en pensez, Calla, mais c'est quelque chose que je dois faire.

— Fichtre, Samuel, tu peux tenir tes réunions jusqu'à la fin des temps. Y a de fortes chances pour que ça nous rapporte des clients à tous les deux.

Afin de rendre son initiative acceptable aux yeux des autres pasteurs de la région, Samuel s'engagea à organiser ses réunions à des moments où les autres se reposaient. Lundi soir, mardi soir (pas mercredi soir à cause de l'ouverture des églises pour des offices divers et variés), jeudi soir, vendredi soir et samedi soir. Le dimanche, Samuel et Bernice se rendraient dans une des congrégations locales où ils chanteraient peut-être un hymne ou deux. En échange de quoi, les pasteurs pousseraient leurs ouailles à assister aux services de Samuel.

Samuel avait fait imprimer des tracts avec un en-tête en gros caractères : *POUR UN RENOUVEAU EMPLI DE SON ESPRIT ! VENEZ ET SOYEZ BÉNIS !* Sous les mots, il y avait des photos. Samuel tenant une bible ouverte. Bernice tenant un micro. Tous les deux en train de chanter, leurs têtes proches-mais-pas-trop-quand-même.

Samuel sillonna le pays pour coller ses tracts sur les barrières ou contre les vitrines des magasins et en distribuer aux gens dans la rue. Tous ceux à qui il parlait promettaient de venir. Une réunion pour le renouveau de la foi sous un chapiteau, vous pensez, c'était un événement ! Surtout si Sam Lake chantait et jouait de cinq instruments différents, avec sa jolie belle-sœur en contrepoint. Car la musique de Samuel Lake, personne ne l'avait oubliée.

La première réunion eut lieu un lundi soir. On afflua des quatre coins du pays. Des voitures pleines.

Des camions pleins. Des cars débordants de fidèles appartenant aux paroisses non seulement du comté mais aussi des comtés voisins.

Samuel s'avança tout doucement au milieu des gens afin de mieux les accueillir. «Quelle joie de vous voir! Merci d'être venus. Vous êtes prêts pour la bénédiction?» Et les hommes et les femmes de répondre: «Comment ça va, pasteur?» «Bonsoir, Samuel! J'espère que t'as apporté ton banjo!» Bernice ne quittait pas son côté (elle n'avait jamais eu l'air aussi ravissante, ni aussi vertueuse). Ni l'un ni l'autre ne s'étaient attendus à un tel succès: ils étaient soufflés! L'émotion gonflait le cœur de Samuel à le faire éclater. Il éprouvait une gratitude mêlée de joie et, surtout, une sensation qu'il n'avait pas éprouvée depuis longtemps. Celle de compter pour quelque chose dans le monde. Ces gens – tous ces braves gens – étaient venus poussés par le désir... peut-être de renouveau spirituel, peut-être de musique, peut-être seulement de se changer les idées. Mais quelles que fussent leurs raisons, ils auraient droit à une double portion.

Il faisait frais, pas froid, et ils étaient venus couverts légèrement, avec des couvertures pour improviser des matelas à l'usage des petits. Le moment venu, Samuel et Bernice montèrent sur l'estrade et accordèrent leurs instruments. L'assemblée s'assit. Les gens s'interpellaient et se parlaient, leurs voix réunies formant une rumeur sourde. Samuel repéra les quatre enfants au premier rang, deux de chaque côté d'une Calla Moses en habits du dimanche. Il leur adressa un clin d'œil, et ils lui rendirent de larges sourires. Ils avaient l'air presque aussi excités que lui. Même Eudora et LaNelle étaient là, l'une et l'autre sans leurs maris, lesquels se couchaient toujours avec les poules parce qu'ils se levaient aux aurores.

Bernice se coula tout près de Samuel.

— Tu arrives à y croire ?

— Je commence seulement, répondit-il.

Samuel donna une légère pichenette au microphone et répéta : « *1-2-3, 1-2-3.* » Dès que sa voix résonna sous le chapiteau, amplifiée par les haut-parleurs, tout le monde se tut. Il se passa d'introduction. De toute façon, tout le monde savait qui ils étaient Bernice et lui.

Après un premier accord à la guitare, il fit signe de la tête à Bernice, et tous deux attaquèrent *I Saw The Light*[1]. Samuel et Bernice, penchés vers le micro, leurs voix se mêlant, si belles qu'on aurait cru le ciel descendu sur terre. La salle ne tarda pas à taper des pieds et à frapper dans ses mains. Quelqu'un hurla : « *Glory !* » Samuel le récompensa en accélérant le tempo.

À un moment donné, alors que son regard balayait la foule, il crut distinguer, tout au fond, Ras Ballenger (un Ras au sourire bienveillant), mais quand il le chercha de nouveau des yeux, il avait disparu. Peut-être avait-il rêvé.

C'était la première fois de sa vie que Samuel se réjouissait à la pensée qu'une âme s'abstenait de fréquenter son église.

Calla ne s'était pas trompée en prédisant que les réunions de réveil et le Never Closes s'apporteraient

---

1. Chanson country de Hank Williams.

mutuellement des clients. Les personnes présentes sous le chapiteau n'étaient pas toutes venues de leur plein gré. Certaines y avaient été traînées de force par des épouses dominatrices. Et certaines ne restèrent pas là où ces dames les avaient plantées. Plusieurs maris se glissèrent ainsi discrètement vers le bar pour se jeter quelques verres derrière la cravate pendant que la patronne s'immergeait dans l'Esprit. Bien entendu, le flot se mouvait dans les deux sens. Il y avait au bar de pauvres pécheurs qui, ne pouvant s'empêcher d'entendre la musique gospel, se mettaient à réfléchir à ce qu'ils pourraient faire pour changer leurs mauvaises habitudes, et finissaient par traverser la route afin de sauver leur âme. Dieu et le diable tiraient à hue et à dia.

La réunion pour le renouveau de la foi connut un tel succès que nul n'aurait su prédire combien de temps ça allait durer. Les gens parlaient entre eux et regrettaient que la femme de Samuel travaille dans un bastringue, alors qu'il prêchait de tout son cœur. D'autres faisaient observer qu'il n'y aurait pas eu de chapiteau s'il n'avait pas été privé de ministère par la conférence méthodiste. Tout cela dans le dos de Samuel, mais s'il les avait entendus, il ne se serait pas laissé entamer. Étant donné que, tous les soirs, il voyait de nouvelles âmes venir au salut, c'était sûrement le signe que Dieu l'avait voulu ainsi.

Samuel était un pasteur heureux.

Bernice était comme un poisson dans l'eau.

Si Toy se remettait doucement, ce n'était en tout cas pas grâce à sa femme, qui ne pouvait quand même pas passer sa vie à lui tenir la main. Comment aurait-elle pu, avec tant de choses à faire ? Elle assistait Samuel aux réunions et, après, elle parlait avec Samuel de tout ce qui lui venait à l'esprit de spirituel, quand elle n'était pas en train de parcourir le pays avec lui pour imprimer des tracts et inciter le peuple à se rapprocher de la flamme de l'Esprit. Pour couronner le tout, elle devait trouver des moments pour s'occuper d'elle-même : la beauté parfaite, ça se travaille. Et puis ce n'était pas comme si les jours de Toy étaient toujours en danger. Enfin !

Willadee était tellement fatiguée, à rester debout la nuit douze heures d'affilée tout en s'efforçant pendant la journée de s'occuper des enfants et de la maison, qu'elle se traînait comme si elle avait des jambes en plomb. Elle se couchait à l'heure où Samuel se levait. Du point de vue emploi du temps, c'était John et Calla revisités.

Calla Moses aidait avec les enfants, aidait avec Toy, et promenait partout un air de vieille poule ébouriffée, parce que Bernice ne levait pas le petit doigt.

Les enfants étaient des enfants.

La fête de Thanksgiving passa aussi vite qu'elle était arrivée. Après quoi, tous les enfants devaient participer à des spectacles de Noël, et Willadee parvint à assister à chacun d'eux, sauf à celui de Noble, qui avait lieu en soirée (Calla s'y rendit à sa place). Samuel réussit tout juste à être là pour ceux de Bienville et de Blade, l'un et l'autre en matinée, le même jour, car le reste du temps, il était dans les vignes du Seigneur. Swan remarqua à peine l'absence de son père. Il était dans les vignes du Seigneur depuis qu'elle était née : elle avait l'habitude.

Ras Ballenger fit une nouvelle apparition à la réunion pour le renouveau de la foi (cette fois, Samuel était sûr que c'était lui), mais il ne fit pas d'histoires. Blade sentit sa présence, promena son regard autour de lui et le vit en effet : cela lui donna des cauchemars pendant une semaine. Samuel permit à Blade de dormir ces nuits-là avec lui (il y avait plein de place dans son lit, Willadee étant... là où elle était).

Toy rentra à la maison. Chez Calla, pas sous son propre toit. Sa solitude aurait été trop absolue là-bas alors que Bernice était par monts et par vaux avec Samuel. Et puis Willadee et Calla tenaient à garder un œil sur lui. Bernice, quant à elle, trouvait que l'hôpital l'avait relâché un peu vite.

Noël arriva, et Swan, à son grand soulagement, constata que la famille Lake avait cessé d'être prudente. Avec les frimas hivernaux, l'affluence aux réunions se tarit quelque peu, mais les offrandes avaient jusque-là été abondantes, et Samuel avait mis quelques sous de côté. Il y eut des cadeaux pour tout le monde.

Les tantes, les oncles et les cousins rappliquèrent tous pour le repas de Noël. Il y avait tellement de gens dans la maison qu'on pouvait à peine bouger, ce qui allait très bien à Calla. C'était son premier Noël sans John, et elle n'avait pas envie de passer sa journée à le regretter. N'empêche, une fois partis tous ceux qui n'habitaient pas là, elle se rendit au cimetière et se recueillit longtemps devant sa tombe, souhaitant pouvoir le ramener d'au-delà de la mort.

Ras Ballenger fit une apparition, en fin de journée, avec des cadeaux pour Blade. Calla le remercia de nouveau pour avoir secouru Toy. Blade se cacha dans la chambre de Bienville jusqu'au départ de son papa, puis refusa d'ouvrir ses paquets.

Ses cauchemars revinrent.

Janvier survint. L'assemblée se raréfiait sous le chapiteau, toutefois pas assez pour que Samuel envisage la fermeture. Moins de gens, cela signifiait des réunions plus intimes. Certains donnaient des témoignages (Bernice donnait le sien tous les soirs, touchant à chaque fois le cœur de chacun), des pécheurs s'avançaient à la conclusion de chaque réunion, et la musique devenait plus belle de jour en jour.

Swan fêta son douzième anniversaire, Noble son treizième, le tout dans la même semaine. Swan demanda un soutien-gorge et reçut une brassière commandée dans le catalogue «spécial fêtes» de Sears. Toy offrit en cadeau à Noble les clés du camion de papa John qui ne marchait toujours pas bien, faute d'avoir eu son moteur déposé et réparé. Calla avait préparé un renversé à l'ananas, le genre de gâteau sur lequel il est impossible de mettre des bougies, aussi n'y eut-il aucune petite flamme à souffler pour formuler un vœu. Cela dit, personne ne regretta les bougies, car quand on se régale d'un gâteau renversé à l'ananas, il n'y a pas grand-chose d'autre à souhaiter.

Vers la fin janvier, Toy annonça un beau matin au petit déjeuner qu'il avait l'intention de reprendre ses fonctions au Never Closes dès le surlendemain. À cette nouvelle, Willadee crut qu'elle allait mourir de joie. Bernice, en revanche, n'était pas sûre que ce soit une bonne idée : après tout, il avait été assez près des portes de la mort pour regarder de l'autre côté, et il n'avait pas encore récupéré toutes ses forces.

Ce qui l'embêtait, en fait, c'était qu'une fois Toy de nouveau à la tâche, Willadee aurait le loisir de récupérer celle qu'elle considérait désormais comme la sienne, ce qui n'était pas juste, quand on y réfléchissait bien... Dernièrement, quand elle chantait avec Samuel, il lui semblait que leurs deux cœurs ne formaient plus qu'un. Le reste suivrait forcément. Si seulement elle disposait d'un peu de temps encore. Et voilà que Willadee allait lui tirer le tapis de sous ses pieds. Cette femme s'apprêtait à tout gâcher.

Cela ne se passerait pas comme ça, foi de Bernice !

Ce soir-là, la réunion pour le renouveau de la foi fut plus que jamais chargée d'émotion. Bernice s'en félicita, les émotions de nature spirituelle étant susceptibles de mener à des émotions d'une autre nature, selon le principe que les petits ruisseaux font les grandes rivières.

Alors que tout le monde était parti, Samuel et elle étaient encore sous le charme.

Pendant qu'ils rangeaient, Samuel lui dit combien il lui était reconnaissant de ses efforts pour l'aider. Ces paroles avaient un petit côté irrévocable, comme s'il songeait que bientôt il n'aurait plus tellement besoin de sa bonne volonté.

—Je ferais n'importe quoi pour toi, Samuel. N'importe quoi !

Elle n'aurait pu être plus claire, pourtant Samuel n'eut pas l'air de voir où elle voulait en venir. Samuel continuait à être Samuel.

— Tu as apporté plus que ta part à la réussite de ces réunions, lui dit-il. Je ne sais pas comment j'aurais fait sans toi pendant toutes ces semaines.

Elle allait donc être obligée de prendre le taureau par les cornes... Le taureau s'apprêtant à fermer les lumières, la génisse devança son geste et éteignit à sa place.

— Je ne sais pas comment nous avons pu nous passer l'un de l'autre si longtemps, murmura-t-elle en s'approchant si près que des parties stratégiques de son corps frôlèrent le sien.

Samuel recula d'un bond et ralluma l'électricité. Il était tellement horrifié qu'il en avait les mains qui tremblaient.

— Qu'est-ce que tu fais ? s'écria-t-il d'une voix rauque.

Elle était un peu ébranlée, mais supposant que sa voix était cassée par la tendresse, elle détendit les muscles de son cou (qu'elle avait long, gracile, ravissant), de manière que sa tête penche suivant l'angle le plus séduisant.

— Samuel..., soupira-t-elle.

— Bernice, il est temps de regagner notre chez-nous de l'autre côté de la route. Tu as un mari qui t'y attend, et moi j'ai ma femme.

Il ne lui apprenait rien. Et c'était bien la dernière chose à laquelle elle avait envie de penser.

— Tu as les mêmes sentiments que moi, et tu le sais très bien, insista-t-elle en lui prenant les mains,

380

afin de les guider vers l'endroit où elle savait que ces mains voulaient aller.

Samuel les lui arracha en la dévisageant intensément.

— Non, dit-il. Pas du tout. Tu dérailles, Bernice, tu devrais prier le Seigneur de t'aider à reprendre tes esprits.

— Je déraille, moi? (Elle était indignée.) Je *déraille*? (Sa voix enflait, se hérissait de piquants.)

— Bernice. Je reviendrai fermer plus tard. Je vais d'abord te ramener à la maison.

Il lui prit le bras. Elle le repoussa violemment en vociférant:

— Tu ne t'en tireras pas comme ça! Tu crois que tu peux me ramener là-bas et me jeter sur les genoux de Toy, en disant: «Tiens, prends-la, j'en ai fini avec elle»?

En guise de réponse Samuel pencha la tête: il encaissait lentement.

— Eh bien, ce n'est pas fini, Samuel. Ce ne sera jamais fini. Je suis la seule qui t'ait soutenu alors que tout le monde pensait que tu n'y arriverais jamais. Je t'ai plus épaulé que ta femme, qui passe sa vie dans ce bar; d'ailleurs, à l'heure qu'il est, elle est en train de se frotter aux habitués.

Samuel secoua la tête, puis se détourna. Elle avait touché un point sensible. Elle poursuivit son avantage – ce qu'elle considérait comme son avantage.

— Il paraît que Calvin Furlough est tout le temps fourré au Never Closes depuis que c'est Willadee qui le tient, l'informa-t-elle. (Qu'il bourre sa pipe avec ça, et qu'il le fume!)

Samuel se frotta les yeux, puis éclata de rire. Son rire sonnait un peu creux, mais c'était un rire quand même. Et personne n'avait le droit de rire au nez de Bernice.

— Ne te fiche pas de moi, Sam Lake ! lui lança-t-elle d'un ton menaçant.

Il se rembrunit.

— Pardon, dit-il. Excuse-moi. De toute façon, je ne trouve pas ça drôle, mais… pathétique.

Pathétique, il la trouvait pathétique ! Bernice prit un air courroucé. Elle le détestait tout à coup. Elle le méprisait !

— C'est pathétique, répéta Samuel, parce que tu es incapable de laisser une belle chose en l'état. Tu ne peux pas supporter qu'une belle chose respire et s'épanouisse. Tu empoisonnes tout ce que tu touches.

La bouche de Bernice s'incurva lentement vers le bas en une moue dangereuse.

— Ah, oui, tu as peut-être raison, dit-elle d'une voix radoucie.

Et sur ces paroles, elle s'en fut.

35

Samuel ne fit pas la moindre allusion à l'incident devant Willadee quand elle monta se coucher le lendemain matin plus morte que vive. Ni quand elle s'effondra sur le lit auprès de lui. Il s'empara d'elle, se cramponna à elle comme un homme qui se noie. Il couvrit de baisers ses cheveux qui puaient le tabac. Il appliqua ses lèvres sur ses yeux, rouges de fatigue. Sur sa bouche, son cou, ses épaules et toutes les autres zones familières, qu'il avait eu trop tendance à négliger ces derniers temps.

Elle essaya de se dégager. Il la retint fermement.

—Je t'aime, dit-il. Willadee, je t'aime comme un oiseau aime le ciel.

—Je sens le bar, protesta-t-elle.

—Je m'en fiche, je m'en fiche.

— Qu'est-ce qui t'arrive, Samuel?

Il se mit à rire. Assez fort pour être entendu à travers la cloison, au cas où quelqu'un écouterait. Et si personne n'écoutait, peu lui importait aussi.

—J'ai eu une vision hier soir. Dieu m'a montré à quoi ressemblerait ma vie sans toi!

Le lendemain soir, Bernice ne se présenta pas à la réunion. Pas avant que Samuel ne se soit mis à la mandoline et ait terminé les deux premiers couplets de la première chanson. La congrégation vibrait en rythme avec la musique, chantant avec Samuel, frappant dans ses mains.

Ils frappèrent un peu plus fort lorsque Bernice se glissa par la portière au fond du chapiteau, tant ils étaient contents de la voir. Elle portait une chasuble dorée brillante qu'elle avait dû emprunter à une des églises en ville, et tenait ses mains modestement croisées devant elle. On aurait dit un ange.

Samuel était fort étonné, mais esquissa un sourire approbateur tout en continuant à chanter. L'instant d'après, Bernice dégrafa sa chasuble et la laissa couler jusqu'à terre.

La foule poussa un énorme soupir.

Samuel se tourna vers elle. La mandoline lui sauta presque des mains.

Bernice ne portait rien d'autre que l'habit que son Auteur lui avait donné. Enfin, pas tout à fait, puisqu'elle avait des talons aiguilles. Elle leva les bras en l'air, et tourna sur elle-même, en tortillant un peu des fesses.

Samuel recula si vivement qu'il trébucha sur sa guitare hawaïenne et bascula en arrière. Une douzaine de femmes de fermier s'empressèrent d'entourer Bernice, formant un rempart de leurs corps. Ces solides matrones poussèrent la génisse vers l'ouverture par laquelle elle avait fait son entrée.

La génisse ne se laissa pas chasser en silence.

Samuel se releva. Face à l'assemblée, il commença à dire la bénédiction. Personne n'entendit un traître mot de ce qu'il psalmodiait.

La nouvelle traversa la route comme une traînée de poudre. Déjà tout le monde au Never Closes savait que Bernice Moses «s'était montrée» sous le chapiteau, et qu'une phalange de pieuses femmes s'était chargée de la ramener auprès de son pauvre époux grabataire. Willadee ne voyait pas comment l'idée saugrenue leur était venue que le pauvre époux grabataire logeait ailleurs que dans son ancienne chambre à la ferme. Aussi supposait-elle que ces braves dames avaient ramené sa belle-sœur chez elle, puisque aucune Bernice n'était apparue chez Calla. Si Willadee n'avait été aussi désolée pour Samuel, et encore plus pour son frère, elle aurait poussé le cri de la victoire.

Elle se contenta de servir une tournée générale aux habitués, et de fermer plus tôt que d'habitude.

De son côté, Samuel s'entendit conseiller par quelques-uns de ses propres habitués qu'il ferait bien de fermer, lui aussi – et pas seulement pour la nuit. Un meeting pour le renouveau de la foi n'était pas censé durer indéfiniment, de toute façon, sans compter que, après le petit numéro de Bernice, les siennes risquaient de virer au cirque. Sans compter, se dit Samuel, que si les défections se révélaient trop nombreuses, il ne tarderait pas à contracter une dette envers la société de location, ce qui le précipiterait dans une situation encore plus éprouvante qu'au départ.

— On dirait que mes jours de prédication sous chapiteau sont terminés, confia Samuel à Willadee quand ils furent étendus côte à côte tous les deux sous les couvertures. Je t'assure, je ne sais plus ce que Dieu veut de moi.

Willadee fut bien en peine de lui répondre, mais ce qu'elle savait en revanche, c'était qu'il avait besoin de réconfort. Elle s'enroula autour de lui et le berça comme un bébé.

Dans les jours qui suivirent, Samuel restitua à la société de location la tente, les chaises pliantes et la sono, et se mit en tête de défricher les terrains de Calla. Couper les broussailles, allumer des feux. Débiter les troncs des arbres morts en bois de chauffage. Outre le plaisir que l'effort physique lui procurait, il avait tout le temps pour parler à Dieu, sauf que, à vrai dire, il ne savait plus trop quoi Lui raconter. Il estimait que c'était plutôt au tour de Dieu de lui parler.

Quant à Bernice, ses escapades ne faisaient que commencer. Éconduite par Samuel, elle se mit à mener une vie de bâton de chaise et à se jeter à la tête de tout ce qui portait pantalon. Et la discrétion ne l'étouffait pas. On murmurait d'un bout à l'autre du comté de Columbia, qu'elle donnait aux écoliers des leçons de choses non dispensées à l'école. La famille était juste un peu gênée, mais Toy, lui, était anéanti.

Une fois la vérité dévoilée au grand jour, tout ce que Toy Moses avait de plus cher disparut une bonne fois pour toutes. Sauf les enfants. Mais il avait beau les aimer, et les aimer vraiment très fort, il ne pouvait plus supporter leur compagnie. D'ailleurs il ne supportait plus personne. Il s'obligeait quand même à passer chaque nuit au Never Closes et tenait jusqu'au petit jour (il avait promis à Willadee de lui permettre de retourner à sa famille, et il n'allait pas revenir sur une promesse), mais il ne causait plus tellement avec les clients. C'était trop lui demander. En fait, il n'avait qu'une envie, c'était de se lancer lui-même dans une vie dissolue – pourquoi ne pas s'offrir le luxe de faire n'importe quoi ? – et il avait peur de ne pas pouvoir y résister.

La solitude était son seul recours. Au début, il profitait de tous les moments creux, entre travail et sommeil, pour s'évader dans les bois, au bord de l'eau, mais, curieusement, c'était encore pire. La beauté de la nature lui rappelait trop celle de la femme qu'il avait possédée, et perdue.

Le confort lui-même devenait une épreuve. Un jour, il déserta sa chambre pour la remise, où il installa un lit de camp. Il avait à peine la place de se retourner, mais peu lui importait, puisque la seule fois où il avait une raison de se retourner, c'était pour se lever en fin d'après-midi et retourner au Never Closes. Il avait toute la place qu'il lui fallait.

Willadee lui apportait ses repas, qu'elle déposait à des endroits où il était susceptible de les trouver. S'il leur arrivait par hasard de se croiser, ils discutaient quelques minutes, de tout et de rien. Toy n'avait pas le goût de la conversation, en ce moment, ce que Willadee respectait.

Les enfants étaient effondrés. Blade, de temps à autre, « dessinait une lettre à son oncle », autrement dit il se servait de dessins plutôt que de mots. Il déposait son message à la porte de la remise. Le lendemain, le papier n'était plus là, mais Toy demeurait tout aussi inatteignable.

— Cela va lui prendre un certain temps, déclara Willadee aux enfants, quand ils la tannaient à propos de l'homme qu'ils adoraient.

— Mais il ne nous aime même plus ! gémit Swan.

— Mais si. Il vous aime plus que tout. Un jour, il va sortir de cette remise, et vous avez intérêt à être prêts à recevoir tout l'amour qu'il a pour vous.

Willadee ne se doutait pas à quel point elle disait vrai.

36

Février pointa son nez, et comme Dieu n'avait pas encore montré la Voie à Samuel, celui-ci demanda à Calla si elle trouvait que c'était une bonne idée de planter des pommes de terre. Quand on a la chance d'avoir un lopin de terre, lui répondit-elle, ce serait une honte de ne pas planter quelques patates avant la Saint-Valentin. Après quoi elle lui demanda quelle quantité il envisageait.

— Un petit hectare, répondit Samuel.

Calla prit un air étonné : c'était à la fois trop et trop peu – trop pour une consommation strictement familiale et trop peu pour parler d'agriculture.

— C'est-à-dire, j'aurais volontiers utilisé deux à quatre hectares, corrigea Samuel.

Comme Calla paraissait soudain égarée, il lui expliqua qu'il l'avait observée au potager au fil des ans, et que son système, d'après lui, pourrait s'appliquer avec succès à plus grande échelle.

— Il suffit de planter n'importe quoi en sillon, ensuite vous mélangez un peu tout et vous semez quelques fleurs là où on s'y attend le moins. Voilà comment on obtient des légumes en économisant l'espace, sans insectes ni maladies. Les petites bêtes ne savent plus où donner de la tête, alors elles n'arrivent pas à se décider et boudent leur dîner.

— Ça alors, c'est exactement pour ça que je m'y prends de cette façon. Tu es bien le premier à l'avoir remarqué !

Samuel n'était pas sans savoir que l'agriculture était gourmande d'argent. Il en fallait pour les graines – mais comme Calla en mettait chaque année de côté plus qu'elle n'aurait pu en semer en dix ans, il supposait qu'il n'aurait pas besoin d'en acheter. Il en fallait pour les engrais – mais le poulailler de Calla en procurait plus que nécessaire, sans compter que le sol de l'enclos des veaux était tapissé de vieux fumier, bien mûr, et que Lady apportait elle aussi de l'eau au moulin. Donc, il ne serait pas nécessaire de se fendre de ce côté. Il en fallait pour le matériel agricole – mais Samuel n'avait aucune intention de se servir de machines qui malmèneraient la terre jusqu'à lui faire crier grâce. L'antique tracteur de John et une modeste panoplie d'outils manuels feraient aussi bien l'affaire. Samuel avait vu son père : il n'avait aucune envie de s'engager dans les sentiers battus où une fois la saison terminée, la récolte vendue et les dettes payées, on est obligé de réemprunter pour faire face à la nouvelle année. Ce que Samuel avait en tête – et envisageait avec espoir –, c'était que, en fertilisant les champs d'engrais naturels, d'entrailles de poisson et de cendres, il obtiendrait d'eux un surcroît de fertilité.

— Ne t'arrête pas aux entrailles de poisson. Là-dehors, j'enterre des reliefs de repas tout l'hiver. Au printemps, les vers de terre ont si bien fait leur boulot, qu'il ne me reste plus qu'à enfoncer mes doigts dans le sol et à déposer les graines dans les trous.

Elle lui demanda ensuite pourquoi il limitait ses ambitions à quatre hectares.

— Parce que j'espère toujours que Dieu va me donner une église.

Calla se contenta de hocher la tête. Autant elle détestait l'idée de Dieu donnant une église à Samuel, autant Samuel y aspirait de toute son âme. Si jamais cela se produisait, il partirait, en emmenant avec lui Willadee et les enfants.

— Je m'en voudrais de vous laisser sur les bras des cultures qui vous obligeraient à engager quelqu'un, continua-t-il. Car je suppose que pas un seul fermier du pays n'aura envie de s'occuper d'un champ de soucis.

— Les soucis, Samuel, ça pousse tout seul, tu n'as pas besoin de t'en occuper.

— Encore mieux !

Il planta ses pommes de terre. Une rangée ici. Une demi-rangée là. Une demi-rangée plus loin. Et plus le mercure montait au thermomètre, plus Samuel diversifiait ses plantations. Haricots, légumes verts, potirons, maïs, tomates, oignons, gombos. Et des fleurs, partout des fleurs. Il plantait de tout ce que vous pouvez imaginer, en carré, en rond, en parterre ignorant la ligne droite coutumière. Des plantations aux formes incongrues, qui, çà et là, se confondaient, s'enlaçaient, communiquaient entre elles par des sentiers tortueux que délimitaient parfois de courtes clôtures au service des plantes grimpantes. Par endroits, il ne labourait même pas. Il se bornait à étaler du foin bien sec, des feuilles de chêne ou des aiguilles de pin.

Les fermiers qui passaient en voiture sur la route, quand ils le voyaient courbé sur ces petites langues de terre, se disaient que cette fois, c'était sûr, Samuel Lake avait perdu la boule ! Ces champs ne ressemblaient à rien de ce qu'ils connaissaient. À la fin de l'hiver, ils formaient un grand labyrinthe marron ; et au printemps, un fouillis inintelligible... du moins au regard de ces cultivateurs aguerris. Car, à celui de Samuel, ces champs représentaient une terre de promesse.

Le lundi matin de la deuxième semaine de mars, Calvin Furlough (qui n'était pas fermier, mais professait une opinion sur tout) marqua une halte à l'épicerie et confia son inquiétude à propos de Samuel.

Calla riposta :

— Tu t'inquiètes à propos de Samuel, tu t'inquiètes à propos de Willadee. Pourquoi tu ne rentres pas chez toi t'inquiéter à propos de Donna ?

Donna était la femme de Calvin : de notoriété publique, il ne lui prêtait pas l'attention qu'elle méritait, et de loin.

— Donna se porte comme un charme. Je viens de lui acheter une nouvelle Chevy.

Par «nouvelle», il ne voulait pas dire «neuve». Sa spécialité, c'était de récupérer des épaves et de les retaper. Résultat : Donna conduisait toujours une nouvelle voiture, mais celle-ci avait toujours une pancarte «À vendre» scotchée sur la vitre.

— Samuel va très bien, affirma Calla. (Elle n'aimait pas beaucoup Calvin Furlough.)

— Alors, pourquoi il se conduit comme un fou ? Qu'est-ce qu'il fabrique dans ces champs ?

— Tu verras quand ce sera fait, repartit Calla. Tu es venu acheter quelque chose ?

Calvin n'était pas le seul à poser des questions. Ras Ballenger s'arrêta à l'épicerie le même jour, et demanda des nouvelles de Blade.

— C'est dur pour sa maman et moi, de le savoir ici et de ne plus l'avoir à la maison, dit-il avec presque des larmes dans la voix. Mais si c'est son souhait de rester ici, qu'à cela ne tienne. Du moment que nous sommes sûrs qu'on s'occupe bien de lui.

Calla déclara que s'occuper de Blade n'était pas un problème. Ils l'aimaient tous beaucoup. Ras se mit alors à blablater : quel soulagement, et combien il aurait honte qu'un membre de sa famille devienne un fardeau pour qui que ce soit, et quel enfant difficile pouvait parfois être Blade.

— On en était arrivés au point où on pouvait plus le garder à la maison, gémit-il. Il n'a pas essayé de fuguer ?

— Non. Il a l'air plutôt content.

Ras eut un humble hochement de tête, comme pour montrer que cette information le blessait profondément, mais qu'il l'encaissait. En partant, il lança :

— Lui dites pas que je suis passé.

« Pas de souci, je m'en garderai bien », songea Calla.

Elle n'en revenait pas : Ras Ballenger surgissant dans son épicerie en père inquiet après des mois de silence ! Elle n'aurait pas été étonnée en revanche de voir la mère, suppliant qu'on lui rende son fils. Ou même le reprenant de force. Quand ses enfants étaient petits, Calla ne les aurait pas laissés passer une nuit dehors sans permission. Mais elle ne serait pas non plus restée avec un homme qui les brutalisait. John Moses eût-il crevé l'œil d'un de leurs petits en lui donnant un coup de fouet, il se serait peut-être endormi le soir ici-bas, mais le lendemain l'aurait trouvé au ciel.

Le départ de Ras la laissa songeuse. Peut-être tentait-il d'améliorer son image dans le pays. Comme le jour où il avait aidé Millard et Scotty à sortir Toy des bois et à l'emmener aux urgences. Depuis, elle se montrait aimable avec lui. Et elle n'était pas la seule. Plein de gratitude envers Ras, personne dans la famille ne s'était posé de questions sur ses motifs.

Mais à présent, Calla s'interrogeait sérieusement.

—Je ne vois pas ce que cela pourrait cacher, déclara le soir même Willadee à Calla. Je ne lui fais pas confiance, ça, c'est sûr. On dirait que chaque fois qu'on est arrivé à l'oublier, le voilà qui ressort de sa boîte !

Elles venaient de mettre les enfants au lit et se tenaient assises dans le séjour. Willadee retournait le col d'une chemise de Samuel. Elle avait déjà défait les points et était en train de retirer les petits bouts de fil du tissu.

—À mon avis, on aurait intérêt à surveiller de nouveau Blade de près, commenta Calla. Ces derniers temps, on s'est montrés moins attentifs.

Depuis quelque temps déjà, les enfants ne se cantonnaient plus à jouer non loin de la maison. Ils ne s'aventuraient pas jusqu'au ruisseau, mais on ne les voyait plus beaucoup dans les parages, surtout quand ils montaient Lady. Dès qu'ils étaient descendus du bus scolaire, ils disparaissaient jusqu'à ce que la nuit tombe et les empêche de voir à deux pas devant eux.

Willadee inséra le pied de col retourné entre le tissu et l'entoilage, puis commença à épingler le tout.

— C'est pas mon genre de vouloir du mal à quelqu'un, tu le sais, maman, mais je ne comprends pas comment un homme pareil a le droit de vivre sur cette terre.

— S'il embête encore ce garçon, il n'y traînera pas longtemps, crois-moi !

Willadee lui coula un regard : Calla Moses ne mâchait jamais ses mots.

Ce soir-là, Ras Ballenger s'assit sur les marches de son porche, une chique toute fraîche dans la joue et un sourire paisible aux lèvres. Tout était fin prêt pour le coup de maître.

Il n'était pas entré chez Calla Moses pour obtenir des réponses à ses questions. Pas du tout. Ses apparitions aux réunions, et cette histoire de cadeaux de Noël pour Blade, ainsi que sa visite à l'épicerie ce matin, tout cela ne visait qu'un seul but et s'inscrivait dans la même stratégie qu'il pratiquait vis-à-vis de Géraldine : il adorait voir les autres souffrir.

Les réponses dont il avait besoin, il les obtenait par l'observation – ou plutôt par l'espionnage.

Un grincement de porte derrière lui interrompit le fil délectable de ses pensées. Géraldine vint s'asseoir à côté de lui. Pas assez près pour le toucher, et il savait parfaitement que la seule raison de sa présence était qu'elle n'avait personne d'autre à qui parler dont le nombre d'années dépassait le chiffre cinq. Rien que pour l'embêter un peu, il se mit à lui tripoter les plis du ventre. Instantanément, elle se raidit.

— Qu'est-ce que t'as, t'aimes pas que je caresse ton pneu ?

Elle s'écarta en lui disant :

— Bas les pattes.

— Comme tu voudras. Je vois que mes câlins te plaisent pas. (Comme s'il lui avait jamais manifesté de l'affection.) Pourtant ça devrait pas faire la difficile, une grosse vache comme toi. (Il pelota de nouveau son ventre.) Quand je t'ai épousée, t'avais pas un pli de graisse.

Avec une moue résignée, elle se laissa tripoter.

Pour l'embêter un peu plus, il ajouta :

— Je suis passé prendre des nouvelles de ton fils tout à l'heure. (C'était ainsi qu'il appelait désormais Blade, quand il s'adressait à elle.) Ton fils... Ce petit borgne de mes deux.

Géraldine détourna le regard, comme toujours quand il abordait le sujet de Blade. Ras ne parvenait pas à savoir si le garçon lui manquait, ou si elle était tout simplement soulagée qu'il fût là-bas plutôt qu'ici et qu'elle préférait qu'il ne lise pas son soulagement dans ses yeux. Peut-être estimait-elle que le mioche était plus en sécurité chez les Moses qu'à portée de main de son père. À cette pensée, il faillit laisser échapper un rire gras. Elle ignorait à quel point il avait le bras long... et rapide !

Il lui attrapa une mèche de cheveux mais ne tira pas dessus comme à son habitude : il se contenta de tirer juste assez fort pour lui immobiliser la tête.

— On dirait que t'as besoin de faire quelque chose avec cette tignasse, lui susurra-t-il. Tu ressembles à un cheval de trait.

Le mardi après-midi, à la sortie de l'école, Blade prenait des cours de dessin avec Isadora Priest, qui, formée aux beaux-arts et à la pédagogie, savait reconnaître un talent artistique quand elle en voyait un. À soixante-trois ans, Isadora ne faisait plus que des remplacements à l'école d'Emerson. La première fois qu'elle avait posé les yeux sur les productions de Blade, elle avait cru découvrir un diamant dans un champ de navets. Voilà comment cela s'était passé. Elle arpentait les travées de la classe pour vérifier si les élèves étaient bien à leur travail, quand elle s'aperçut que ce n'était pas le cas de Blade. Elle lui confisqua son cahier, et comprit tout de suite pourquoi il était aussi nul en orthographe : vu la quantité de croquis que contenait ce cahier, il n'avait pas eu le temps d'écrire vingt fois chaque mot de la dictée.

Comme Isadora avait beaucoup de temps libre et n'aimait guère bavarder au téléphone, elle s'était présentée chez Calla dès le lendemain, et avait déclaré à Willadee, très fière, que ce garçon « avait l'œil ». Puis, regrettant aussitôt ce mot malheureux, elle bafouilla qu'il avait un talent artistique exceptionnel.

— On dirait que tout ce qu'il voit, sa main le traduit en dessins, ajouta-t-elle.

Elle proposa de lui donner des cours particuliers. Elle pensait que le mardi après-midi serait un bon jour pour cela. Elle pourrait aller le chercher à l'école et le ramener chez elle à pied. La leçon durerait une heure. Willadee n'aurait qu'à passer le prendre en voiture.

Willadee posa la question du tarif, et Isadora lui confirma qu'elle y avait pensé. Les leçons seraient gratuites. Willadee discuta un peu, et en fin de compte Isadora concéda qu'une bouteille de whisky du Never Closes une fois par mois serait la bienvenue : elle n'avait jamais le courage d'en acheter, et c'était tellement utile pour tant de choses.

Bref, elles étaient parvenues à un accord.

Dès lors, chaque mardi après-midi, Blade se rendait chez Isadora et Willadee allait le chercher un peu plus tard. En fait, dès que les enfants débarquaient du bus scolaire, elle quittait la maison. Willadee restait toujours un moment à bavarder avec Isadora, mais en général elle était de retour dans les quarante-cinq minutes.

Le lendemain de la visite de Ras à l'épicerie, Willadee alla chercher Blade chez Isadora, comme d'habitude. Sur la véranda, Swan regarda la voiture s'éloigner en faisant au revoir de la main à sa mère. Samuel fit de même au milieu de ses plantations. Toy ne salua pas son départ, pour la bonne raison qu'il dormait dans la remise. Calla avait une cliente, mais quand elle vit du coin de l'œil partir Willadee, elle déclara : « C'est Willadee qui va chercher Blade. »

Ras Ballenger vit lui aussi Willadee partir depuis sa cachette : il se tenait accroupi à l'orée du bois. À la main, il tenait un sac à pommes de terre.

Il jeta un regard vers « le potager fou de Samuel », ainsi que l'avaient baptisé les gens du pays, où Samuel poussait une brouette de terreau extrait du sol de l'enclos des veaux. Ses deux fils couraient vers lui. Aucun d'eux ne se doutait qu'il les épiait.

Ras se dirigea vers le fond du jardin des Moses, en prenant garde de rester hors de vue. Il passa de buisson en buisson. De buisson en haie. De haie en dépendance. En arrivant derrière le poulailler, il ouvrit son sac et laissa échapper un chaton.

37

Willadee avait déjà mis le dîner en route avant de partir chercher Blade. Elle confia à Swan le soin de surveiller que rien ne brûle ni ne déborde. Swan baissa tous les feux (très, très bas) et sortit accomplir sa seule corvée quotidienne : donner à manger aux poules.

Swan n'aimait pas beaucoup les poules, sauf les bébés, mais pour le moment il n'y avait pas de poussins, seulement une poignée de vieilles poules grincheuses, et puis le coq, cet emmerdeur, avec ses talons pointus comme des clous. Swan se glissa dans le poulailler et se dirigea vers la cabane. Elle souleva le couvercle d'un baril métallique, remplit de grains une boîte à café. Elle s'apprêtait à lancer une poignée de grains de maïs à la volée, quand son oreille fut frappée par le bruit le plus attendrissant du monde : les pleurs d'un chaton.

Grand-maman Calla n'avait pas de chat à la maison. À l'entendre, elle avait déjà assez de soucis comme ça avec les buses et les belettes. Elle n'avait pas besoin d'un chat qui allait attraper ses poussins (quand elle en avait) et jouer avec jusqu'à ce que mort s'ensuive. Il n'y avait jamais eu de chat à la ferme.

Mais il y en avait bel et bien un maintenant. Swan l'entendait !

Elle l'entendait, mais elle avait beau regarder autour d'elle, elle ne le voyait pas. Elle chercha mieux. En dehors du poulailler (en laissant la porte ouverte). Derrière le poulailler (sans se rendre compte que les poules la suivaient, ou plutôt suivaient leur dîner).

Le chaton – ébouriffé, gris et affamé – était caché sous un tas de bois que Samuel n'avait pas encore brûlé parce qu'il y avait trop de vent en ce moment. Swan se coucha à plat ventre pour ramper vers le petit chat. Elle avait peur des serpents, mais elle était déterminée à le sortir de là.

Elle l'en sortit en effet, et était en train de le contempler d'un air émerveillé quand elle entendit de nouveau des pleurs, des pleurs de chaton.

Évidemment, se dit-elle, il ne pouvait pas y en avoir qu'un seul : quelqu'un avait dû se débarrasser de toute une portée.

Se guidant à l'oreille, Swan longea la clôture. Il était assis au beau milieu des mauvaises herbes, l'air tout malheureux. Elle le prit dans ses bras : elle en avait deux maintenant. Puis elle continua jusqu'au premier fourré : elle en avait trois. Et voilà que d'autres pleurs s'élevèrent un peu plus loin. Dans les bois.

Swan et ses frères savaient qu'ils ne devaient pas s'éloigner de la maison ; au moins rester à portée de voix. Elle se dit que, les bois, ce n'était pas si loin. Elle entendait bien les gens qui s'y trouvaient, quand ils criaient assez fort. De toute façon, elle ne se posa même pas la question, puisqu'elle n'avait aucune intention de crier, car crier ferait fuir les autres chatons.

Ce qui ne lui traversa même pas l'esprit, c'est qu'elle pourrait justement avoir besoin de crier – de crier au meurtre – et ne pas y parvenir. On ne peut guère faire de vocalises quand quelqu'un vous jette brusquement un sac à patates sur la tête et vous serre la toile autour de la bouche au moyen d'une longue bande de tissu, puis vous emporte à toute allure à travers bois alors que vous êtes convaincue que vous avez trouvé la mort.

Willadee n'était pas ravie à son retour de trouver les feux de la cuisinière si bas que les casseroles ne mijotaient même pas. Elle voulait donner son dîner à Toy avant qu'il ouvre le bar, et à Samuel dès qu'il remonterait des champs. À présent, il lui faudrait accueillir ces deux affamés en leur annonçant qu'il n'y avait rien à manger.

Elle sortit appeler Swan, et faillit heurter de plein fouet sa mère, qui chassait devant elle une douzaine de poules affolées. Calla faisait claquer le bas de son tablier en criant: «Chou! Chou!» On aurait cru entendre un train.

— Mais, maman, qu'est-ce que tu fabriques? s'exclama Willadee.

— Mes poulettes! parvint à souffler Calla. Elles étaient sur la route! Donna Furlough vient d'écraser une de mes Plymouth Rock!

Donna avait en effet roulé sur une des précieuses poules de Calla. Dès qu'elle s'en était aperçue, elle avait donné un coup de volant et arrêté sa nouvelle (pour elle) Chevy en freinant si brutalement que la pancarte «À vendre» était tombée de sa fenêtre. La voilà à présent qui courait vers Calla en se tordant les mains. Calla ne l'avait pas encore vue.

—Je ne l'ai pas fait exprès, se mit à bredouiller Donna. Je suis désolée…

Comme Calla n'aimait pas faire de la peine aux autres, surtout à une personne telle que Donna, qui était affligée d'un Calvin, elle se ressaisit et lui dit de ne pas s'inquiéter : ce n'était qu'une poule, après tout. Donna était l'image même de la contrition.

—Je ne comprends pas comment elles se sont échappées.

C'est alors que Willadee s'enquit :

— Tu as vu Swan ?

38

Swan se trouvait dans le noir. Une pièce noire, avec un sol en terre battue. Elle ne pouvait pas être sûre que la pièce était noire, parce qu'elle avait un sac en toile de jute sur la tête, et elle ne pouvait pas non plus appeler à l'aide, parce que le sac en question était toujours serré autour de sa bouche. Ses vêtements étaient déchirés et souillés, mais ils lui tenaient encore au corps. Un homme n'a pas besoin de déshabiller une petite fille pour lui faire ce que celui-là lui avait fait.

Elle savait de quel homme il s'agissait. Elle préférait penser à lui comme à «l'homme», pour ne pas avoir à admettre l'horreur.

Quelque chose se trouvait à côté d'elle. Un quelque chose qu'elle avait ramassé sous les saules, là-où-tout-s'était-passé. (Elle l'avait empoigné alors que ses deux mains agitées de soubresauts soulevaient des amas de terre et de feuilles, comme si elles essayaient de crier, ce qui était impossible pour des mains.) Sur le moment, elle ne savait pas où elle était, mais depuis, elle avait compris, à cause justement de ce que ses mains avaient trouvé.

En fait, il s'agissait de deux objets distincts, imbriqués l'un dans l'autre. Une cloche de vache au battant enveloppé d'un chiffon. Et, dans les replis du chiffon : un appeau à canard.

Elle s'était cramponnée à ces objets. L'homme n'avait sans doute rien remarqué, trop occupé par d'autres choses. Des choses dures, qui faisaient mal. La cloche de vache lui avait permis de focaliser son esprit loin de la terre rugueuse et de la douleur, loin de la voix de l'homme qui l'appelait sa « jolie môme » pendant qu'il faisait ces vilaines choses. Elle avait songé, dans le feu de l'action, à le frapper avec la cloche, mais elle n'avait pas pu. Elle était sous lui, clouée à terre, c'était insupportable. Elle n'avait pas pu s'empêcher d'essayer de crier. Elle n'avait pas trouvé la force de soulever le bras pour le taper.

De toute façon, se disait-elle, cette tentative se solderait par les pires représailles. Car si elle ratait son coup ? Et si son geste le mettait tellement en colère qu'il ferait ce qu'il avait sans doute de toute façon l'intention de faire, ce qu'elle avait une trouille bleue qu'il fasse ? *Et s'il la tuait ?*

Quand il s'arrêta (quand il s'arrêta enfin), il resta couché sur elle, secoué de râles et de soubresauts. Alors elle allongea tout doucement le bras le long de son corps. *Sa main tenant très fort la cloche... la cloche silencieuse.*

Elle n'avait pas encore pris conscience de l'atout qu'elle représentait, même quand l'homme s'était détaché d'elle avec des bruits de zip et de bouclage de ceinture, il ne la lui avait toujours pas reprise. Il n'avait pas dû la voir. Il ne l'avait sûrement pas vue !

Ce fut seulement quand ils furent en route – lui la traînant, la tirant par la main (pas celle qui tenait la cloche), elle avançant tant bien que mal, les jambes en coton, s'efforçant de marcher sans trébucher sur les racines, sans tomber dans les ornières. Rien n'aurait su l'inciter à lâcher la cloche – ce fut seulement à ce moment-là qu'elle comprit que ce qu'elle avait dans la main méritait le nom de miracle.

Quand ils furent arrivés à l'endroit où il devait la laisser, elle sut qu'il n'y verrait que du feu. Elle était sûre et certaine que Dieu ne lui permettrait pas de s'en apercevoir. Dieu l'avait rendu aveugle. C'était la seule explication.

Elle entendit une porte s'ouvrir, et il la poussa à l'intérieur. Elle tomba. Exprès. Exprès, parce que Quelque Chose lui disait qu'il allait la ligoter et que si elle tenait encore la cloche quand il lui lierait les mains, l'enchantement serait rompu. De sorte qu'elle était tombée sur la cloche, et l'avait lâchée. Ensuite, en la ligotant, l'homme n'avait rien vu. Il avait pourtant tourné çà et là dans l'espace (quel que soit cet espace) pour mieux serrer ses liens et l'attacher de tous les côtés de manière à l'immobiliser totalement : elle ne pouvait plus rien faire que rester allongée, suffoquant à moitié. Et même alors. Même alors. Il n'avait rien vu.

À présent, l'homme était parti et le miracle se trouvait auprès d'elle. Elle ignorait en quoi il pourrait lui venir en aide. Elle était incapable de dénouer les liens qui l'entravaient. Elle s'obstinait à remuer les doigts, à tenter désespérément de s'en saisir… peine perdue.

Elle avait peur que même le miracle ne puisse la sauver. Si peur qu'elle avait envie de vomir, mais elle se retenait de toutes ses forces. Car elle ne voulait pas mourir étouffée. Personne ne viendrait à son secours.

Elle ordonna à son estomac de rester tranquille et s'employa à résister à la nausée. À se cramponner à une lueur d'espoir. À n'importe quoi. La lueur était mince. Quand elle pensait à la maison, elle se sentait encore plus désemparée : et si elle n'y retournait jamais ? Quand elle pensait à sa famille, c'était encore pire : et si personne ne la retrouvait à temps ?

Moins d'une minute après qu'ils eurent constaté la disparition de Swan, tout le monde s'était mis à la chercher. Dès qu'il entendit appeler le nom de Swan, Toy sortit en trombe de sa remise et ne ralentit qu'en entrant dans les bois. Si elle se trouvait quelque part dans ces parages, il saurait la retrouver ! Willadee, Calla et les garçons fouillèrent les dépendances et passèrent le pré au peigne fin. Samuel sauta dans sa voiture. Il y avait un endroit qu'il tenait à visiter en premier. Dans son cœur, dans ses tripes, il était terrifié à l'idée que Swan pouvait s'y trouver – et tout aussi terrifié à l'idée qu'elle pourrait ne pas s'y trouver. Le pire, ce serait qu'ils ne puissent pas la localiser du tout.

Peu d'hommes ont jamais construit un paddock au-dessus d'une fosse septique, mais aussi peu d'hommes jugent nécessaire d'avoir à leur disposition un bout de terrain qu'ils peuvent creuser puis combler autant qu'ils le veulent sans éveiller les soupçons, au cas où un importun se demanderait pourquoi l'herbe ne poussait pas à cet endroit, alors qu'elle poussait en abondance partout ailleurs. Dans un paddock tel que celui-ci, il n'y a pas d'herbe, pour la simple raison que les chevaux qu'on y enferme y dévorent le moindre brin jusqu'à la racine. Et la terre, une fois piétinée par une vingtaine de sabots au cours de la nuit, n'a même pas l'air d'avoir été remuée. C'est-à-dire quand on les oblige à bouger, ces sales bêtes, car laissées à elles-mêmes, elles ont tendance à rester des heures debout au même endroit. Il faut les exciter un peu, d'ailleurs c'est à cela que servent les fouets et les chiens. Car s'il y avait une chose en quoi excellait Ras Ballenger, c'était à obtenir d'un cheval ce qu'il voulait, et il était capable de maintenir la pression une nuit entière, si nécessaire.

Il avait dégagé la fosse septique et remplacé le couvercle par une grande planche en contreplaqué. Puis il avait entassé du foin sur le tout. Voilà ce qui avait occupé son temps une fois Géraldine et les enfants déposés chez grand-maman pour la journée.

Maintenant, il ne lui restait plus qu'à patienter. L'un d'eux ne tarderait pas à se présenter, ça, c'était clair. Tout comme il était sûr qu'ils viendraient, il était sûr et certain qu'il saurait rester maître du jeu. Ils l'interrogeraient, comme si c'était forcément lui le coupable, mais ils ne trouveraient rien, parce que l'endroit où elle était à présent, jamais ils ne le découvriraient, et là où elle serait plus tard, une fois qu'il en aurait fini avec elle, jamais ils ne pourraient s'en douter. Et la prochaine fois qu'il nettoierait sa fosse, la potasse caustique aurait fait son œuvre, et il n'y aurait plus trace d'elle.

En compagnie de ses molosses et de son meilleur ami le fouet sagement enroulé autour d'un piquet de clôture, Ras s'employait à étriller deux chevaux, dans l'enclos devant la grange. Pas des chevaux de clients. Ceux-ci s'étaient faits rares. Non, ces deux-là, il les avait achetés à une vente aux enchères. Une jument et son poulain, tous deux l'air d'avoir du potentiel. Avec un petit effort, il en tirerait quelque chose. D'un point de vue financier aussi, sans parler du service qu'ils lui rendaient aujourd'hui. Ces deux-là et les quatre autres que Ras avait ramenés du pré et enfermés dans l'enclos voisin.

Il se sentait bien, Ras. Content de lui, confortable, propre. Tout à l'heure, après avoir laissé la petite, il avait respiré l'air frais et parfumé du matin et s'était aspergé le visage et rincé la tête sous le robinet.

Il avait bien l'intention d'y retourner, là où était la petite, dans un moment ; dès que sa famille aurait fini de fouiner chez lui et s'en serait retournée bredouille. C'était ce qu'il avait attendu tout ce temps, à quoi il pensait depuis la première fois où il l'avait vue, devant l'épicerie, le jour de l'enterrement du vieux John Moses. Il avait attendu, oui, qu'elle grandisse un peu. Il s'en félicitait d'ailleurs. De son point de vue, sa conduite avait été irréprochable.

En voyant approcher Samuel au volant de sa caisse bringuebalante, Ras leva la main en signe de bienvenue. Samuel bondit de sa voiture et traversa la cour précipitamment. Les mastiffs firent le gros dos puis se détendirent sans aboyer. Cela étonna

Ballenger, mais il n'en accueillit pas moins Samuel avec le sourire, et un calme olympien.

— Comment ça va, pasteur ? Y a le feu quelque part ?

— Je cherche ma fille.

Sa voix tremblait, et lui aussi. Comme une feuille. Son âme elle-même tremblait. Ras sortit de l'enclos, ferma la barrière et s'avança vers Samuel. Le front plissé, le regard perplexe.

— Votre fille joue pas par ici. Mon fils non plus, d'ailleurs. Je croyais que vous les surveilliez tous les deux.

— *Vous l'avez vue ?*

Ras fit non de la tête, se gratta le cou et souffla d'un air de regret :

— J'aimerais bien vous aider, mais je crains que vous ne soyez venu chercher de la laine chez les chèvres.

Samuel ne pouvait pas se douter que Ras répétait mot pour mot les paroles que lui avait adressées Toy Moses, mais il voyait bien que le salaud s'amusait.

— Je peux parler à votre femme ?

Ras pencha la tête de côté, juste assez pour lui faire comprendre qu'il n'appréciait pas d'être traité de menteur. Sa réponse néanmoins fut polie :

— Vous pourriez si elle était à la maison, mais elle est allée voir sa mère aujourd'hui. Elles se font des permanentes.

Samuel avait les yeux qui se promenaient dans toutes les directions. En quête d'un signe, d'une trace, d'une cachette possible. Il bouillait intérieurement. S'il s'était écouté, il aurait mis la maison sens dessus dessous.

— Ça ne vous ennuie pas si je jette un œil ?

— Bien sûr que si, répondit Ras. Mais si ça peut vous rassurer…

Il allongea le bras afin d'indiquer l'ensemble de sa propriété avant d'ajouter :

— Faites comme chez vous.

Puis, magnanime :

— Comment s'appelle votre fille ?

— Swan, dit Samuel. Son nom est Swan.

Ras mit ses mains en cornet devant sa bouche et hurla :

— SWAN ? TU ES LÀ, QUELQUE PART, SWAN ? TON PÈRE S'INQUIÈTE, SWAN !

Samuel avait joint sa voix à la sienne, forte, tonitruante :

—SWAN !!! SWAN, TU M'ENTENDS ? SWANNNNNNNNNNNNN !

Bien entendu, ces appels restèrent sans réponse.

Pourtant Swan entendit. Elle entendit leurs deux voix et se crispa dans ses liens en essayant de crier à son tour (JE SUIS ICI ! JE SUIS ICI !) mais aucun bruit ne sortit de sa bouche. Elle n'entendait que son cœur qui battait comme une chorale de gospel. Son père était venu la chercher ! Son père, qui s'efforçait toujours de marcher dans le droit chemin, et laissait le reste à la grâce de Dieu, car il était béni du Seigneur.

C'est alors qu'une horrible pensée la traversa. Il *avait été*. Il *avait été* béni du Seigneur. Dieu ne lui accordait plus tellement sa miséricorde ces temps

411

derniers, et la confiance que son père mettait en Lui n'avait pas exactement porté des fruits merveilleux.

Ras Ballenger haussa les épaules, comme si l'affaire était réglée, et retourna à ses chevaux. Samuel courait de-ci de-là, tel un forcené, en criant encore et encore le nom de sa fille à pleins poumons et en cherchant dans tous les coins le moindre indice, le plus petit signe de sa présence. Dans la grange. Dans la mangeoire. Dans la baraque à outils. Dans le paddock. Sous l'auvent de la remise. Sous la maison. Il entra même à l'intérieur, visita chaque pièce. Il n'y avait rien, rien, rien.

Son cœur était sur le point d'exploser. Il ne la trouvait pas.

Il sortit de la maison, s'arrêta dans la cour, les yeux scrutant l'orée des bois, où rien ne bougeait. Il se retourna et vit Ras Ballenger qui peignait la crinière de la jument, comme si de rien n'était. Après quoi, il regarda dans la seule direction qu'il n'avait pas encore explorée. Il regarda en l'air.

— S E I G N E U E U E U E U E U R R R ! SEIGNEUEUEUEUEUEURRR !

Il leva les mains très haut et ferma les poings, comme s'il cherchait à rabaisser le plafond des cieux, puis il poussa un rugissement qui semblait lui remonter du tréfonds des entrailles :

— TU M'ÉCOUTES, SEIGNEUR ? C'EST MOI, SAM LAKE ! TU ME CONNAIS, SEIGNEUR ! TU… ME… CONNAIS !

Ras Ballenger se retourna. Il avait ouï dire que le pasteur perdait la boule, mais là, il en avait la preuve.

«Il ne peut pas vous ennntennndre», avait-il envie de crier à ce dingue.

Dans la remise, quelqu'un entendait parfaitement. Swan. Elle entendait tout. Elle entendit son père appeler Dieu à l'aide, et elle entendit la réponse de Dieu.

Dieu répondit tout de suite mais sans faire de bruit, du moins au début, car les plus doux des frottements se multiplièrent bientôt par centaines, et se firent de plus en plus sonores. Les frottements ne tardèrent pas à l'assourdir, mais c'était pour la bonne cause. Juste ce dont elle avait besoin. Un bruit d'une douceur inimaginable. Elle avait l'impression d'être enveloppée dans un drap de velours bruissant. Un velours qui caressait sa peau, tel un baume bienfaisant.

Qui se serait douté que des souris avaient le pouvoir de devenir une telle source de jubilation?

39

Dehors, dans la cour, Samuel ne se décourageait pas. Il levait toujours les bras vers Dieu et Lui disait Ses quatre vérités :

— JE T'APPARTIENS, SEIGNEUR ! CE QUI VEUT DIRE QUE TU M'APPARTIENS AUSSI ! TU M'AS FAIT TOUTES SORTES DE PROMESSES, ET JE SUIS DEBOUT DANS L'ATTENTE ! TES PROMESSES ME FONT VIVRE ! MAINTENANT ACCOMPLIS CE QUE TU AS PROMIS !

Ras sortit de nouveau de l'enclos et hurla au bénéfice de Samuel. *Hurla à travers le vaste espace qui les séparait* :

— Rentrez chez vous, pasteur ! Elle est peut-être rentrée à cette heure. En fait, je suis prêt à parier qu'elle est chez vous…

Mais Samuel n'écoutait pas.

— J'ATTENDS ICI QUE TU TIENNES TES PROMESSES, Ô SEIGNEUR ! JE NE BOUGE PAS D'ICI ! SAM LAKE ! TOUJOURS DEBOUT ! JE SUIS LÀ, JE TIENS LE COUP ! JE RESTERAI DEBOUT TANT QUE JE N'AURAI PAS REÇU DE RÉPONSE !

À l'instant même, il entendit une cloche de vache. Une cloche de vache ! Sonnant assez fort pour réveiller les morts. Et aussi le COUAC-COUAC rauque d'un appeau à canard.

Samuel se pétrifia. Ras Ballenger aussi. Samuel sachant ce que cela signifiait. Ras Ballenger, à l'ouest!

—SWAN? cria Samuel d'un ton joyeux en cherchant des yeux d'où pouvait bien provenir ce son providentiel. Ce son glorieux!

L'espace d'une fraction de seconde, Ras resta cloué sur place, paralysé par le choc. L'instant d'après, arrachant au passage son fouet au piquet, il se rua vers Samuel. Entendant un sifflement derrière lui, Samuel pivota sur lui-même, rapide comme le vent. Aussi rapide que le fouet. Un homme ne peut se mouvoir avec une telle célérité, et pourtant c'est ce qu'il fit. Il se souleva de terre et s'élança dans les airs – *dans les airs, à travers l'espace de la cour.* Il prit son envol. Un homme, en principe, ça ne vole pas, mais c'est pourtant bien ce que fit Samuel. Par la suite, il devait se remémorer ce moment. Le fouet ne l'avait pas même frôlé, Ras ayant aussitôt tourné les talons pour se sauver. Mais Samuel avait atterri sur lui. Ils avaient roulé tous les deux par terre, Ras couinant et gigotant à plat ventre, avec Samuel à genoux sur son dos.

—Tu as intérêt à me lâcher, pasteur, le menaça Ras. (Plus aussi sûr de lui, mais voulant faire bonne figure.)

Samuel regarda autour de lui, affolé, atterré, faisant de son mieux pour se dominer, et tout ce qu'il vit, c'était une cour de ferme paisible, où patientaient des chevaux manifestement affamés, les uns dans un enclos, les autres dans un autre – piétinant le sol.

Ses yeux se posèrent sur le paddock. Il fut frappé par le contraste entre le brun et le vert à la lisière où la terre battue butait contre l'herbe touffue de l'autre côté de la barrière, et puis, tout à coup, chaque brin d'herbe parut se découper avec une netteté irréelle. Cette herbe plus sombre, plus charnue, plus dense qui poussait suivant une ligne sinueuse, depuis le paddock jusqu'aux bois…

L'herbe bien grasse qui recouvre les effluents d'une fosse septique.

Samuel battit des paupières. La lumière se faisait lentement dans son esprit. Il entendit les chevaux frapper le sol de leurs sabots, de plus en plus fort, si fort qu'il lui semblait qu'un orage approchait, et soudain, tout devint clair. Le soin pris par Ras pour préméditer son crime. Son intention de tuer Swan et de s'arranger pour qu'on ne retrouve jamais son corps. Pour qu'il n'y ait rien à retrouver.

Il ne se rendit même pas compte de ce qu'il faisait lorsqu'il empoigna de sa main droite Ras Ballenger sous le menton et lui tordit violemment la tête de côté. Ni quand sa main gauche écrasa son œsophage.

— Qu'est-ce que vous faites ? coassa Ras.

Il griffa le dos des mains de Samuel. En pure perte.

— Au nom du ciel, pasteur, parvint à articuler Ras. Vous ne pouvez pas faire ça. Vous êtes un homme de Dieu, vous venez de le dire.

Samuel remonta d'un coup sec la main qui tenait Ras Ballenger sous le menton, tout en appuyant de toutes ses forces sur celle plantée sur sa gorge, et ne suspendit ses efforts qu'au moment où il perçut des craquements et autres curieux gargouillis qui annonçaient la fin. Si Ras Ballenger avait crié, Sam n'avait rien entendu.

Il mit un certain temps à trouver le réduit. Il semblait être nulle part. Ne pas exister. Il finit par repérer un espace injustifié entre le fenil et la sellerie, une sorte d'espace mort. Mais il paraissait inaccessible. Il entra dans le fenil. La pièce était encombrée de gros sacs d'ensilage. Impossible de deviner que le mur du fond donnait sur autre chose que la sellerie.

C'était pourtant bien de là que provenaient les bruits. Le carillon de la cloche et le caquètement de l'appeau. Et à présent, voilà que la voix de Swan criait, répondait à l'appel de son nom. Samuel envoya valser les ballots de vingt-cinq kilos comme s'ils pesaient le poids d'une plume.

Il n'y avait pas de porte. L'ouverture, incluse dans la cloison, était un panneau à peine distinct, mais facile à retirer, une fois localisé. À condition d'avoir un pied-de-biche. Il en trouva un dans la sellerie, rangé discrètement parmi d'autres outils.

Samuel fit sauter le panneau et pénétra dans l'infâme réduit. Noir comme une tombe. Il ne voyait ni les bouts de corde, ni les chiffons, ni la toile de jute. Rien de toutes ces choses qui gisaient déchiquetées au sol. Il ne voyait même pas Swan, mais ils se trouvèrent néanmoins dans les ténèbres.

Elle pleurait. Il braillait.

— Il y avait des souris, lui répéta-t-elle cent fois alors qu'il la prenait dans ses bras pour la sortir de là. Il y avait des souris partout. Elles m'ont délivrée.

417

La famille l'attendait dans la cour. Tout le monde était là, sauf Toy, qui, l'ayant croisé en pick-up sur la route, avait fait demi-tour pour le suivre. Les garçons – les trois garçons – se tenaient hésitants au bord de la véranda : ils avaient peur de regarder. Calla et Willadee coururent à la rencontre de la voiture et se mirent à crier quand elles virent... et comprirent...

Samuel transporta Swan jusqu'au canapé et esquissa un pas en arrière, laissant les femmes prendre la relève. Il était mutique. Willadee tomba à genoux à côté du canapé et couvrit de baisers le visage de Swan, ses larmes creusant des sillons dans son masque de crasse. Calla téléphona à Doc Bismarck. Puis elle alla chercher à la cuisine une bassine d'eau et des serviettes en coton si usées qu'elles étaient douces comme du duvet d'oie. Elle baigna le visage et les bras de la fillette, et allait lui laver les mains quand elle vit ce qu'elles tenaient. Ce que Swan tenait comme si sa vie en dépendait : une cloche de vache et un appeau à canard.

— Qu'est-ce que c'est que ça ? demanda-t-elle, alors qu'elle le savait parfaitement.

Alors Samuel retrouva l'usage de la parole :

— Le miracle de Swan.

Samuel attendit que Doc Bismarck soit au chevet de Swan pour rapporter les événements à Willadee. Ils étaient debout dans la cuisine. Un homme et une femme debout face à face, et face à tant d'autres choses. Calla et Toy étaient montés avec les garçons dans leurs chambres, afin de les éloigner. Ils faisaient de leur mieux pour les préserver du malheur. Les garçons avaient besoin de leur aide.

À un moment donné, des pas résonnèrent dans la pièce voisine, mais ni Samuel ni Willadee n'y prêtèrent attention. Samuel continua son récit. Un peu plus tard, un bruit de pas fut suivi de celui d'une porte qui se ferme, mais ils n'y prêtèrent pas plus attention. Dehors des voitures et des camions s'arrêtaient puis redémarraient tandis que les habitués du Never Closes trouvaient, pour la première fois de son histoire, leur bar fermé. Tout ce remue-ménage avait lieu sans atteindre Samuel et Willadee.

—Je l'ai tué, Willadee, lui dit-il. Après avoir prié Dieu et obtenu Son aide. Car ce qui est arrivé est un miracle. J'ai tué cet homme maléfique, et je n'ai aucun remords.

—Je n'en aurai jamais aucun, décréta Willadee d'un ton glacial. (Puis elle envisagea l'autre côté de la médaille et ajouta :) À moins que cela ne nous sépare.

Samuel l'enlaça, l'attira contre lui et posa tendrement sa joue sur le sommet de son crâne. Ils restèrent un moment ainsi, à respirer ensemble en silence.

— Il faut avoir confiance en Dieu, finit par articuler Samuel. Je dois aller en ville. Pour me dénoncer.

—Je sais. Mais pas encore. Reste encore un moment. Pour Swan.

Toy Moses était redescendu chercher quelque chose à boire pour les garçons, mais en entendant les dernières paroles de Sam, il avait fait machine arrière et était sorti. Il avait trouvé, appuyé à son gigantesque

419

transporteur de bois, un Bootsie Phillips piaffant d'impatience. Toy n'offrit aucune explication, mais annonça à Bootsie que le Never Closes serait fermé un certain temps, lui confiant le soin d'avertir la clientèle à mesure qu'elle se présenterait.

Bootsie ne posa aucune question. Si le Never Closes fermait, c'était forcément pour une raison sérieuse. Il promit à Toy Moses de s'occuper de tout.

Toy se rendit d'abord chez Ballenger. En arrivant, il vit que les mastiffs se disputaient quelque chose par terre – il sut tout de suite quoi et songea que le monde était parfois bien fait. Sortant une torche électrique de son camion, il partit à la recherche du réduit dont il avait entendu Samuel parler à Willadee.

Il pénétra dans cet espace tout noir, cet espace mort, et n'en crut pas ses yeux.

— Que Dieu nous garde !

Et il était sincère.

Il était presque dix heures du soir quand Samuel arriva à Magnolia. Il était resté plus longtemps que prévu à la maison, assis au chevet de Swan, silencieux. Le docteur avait donné un somnifère à sa fille. Elle ignorait peut-être qu'il était là, auprès d'elle. Au bout d'un moment, il était monté parler avec les garçons, afin de leur expliquer la situation en veillant à ne pas les traumatiser. Muets de consternation, Blade et Bienville pleurèrent sans bruit. Noble pleurait aussi, mais au-dedans. Calla ne bronchait pas, solide comme un roc, sachant que si jamais elle tendait les bras vers l'un d'eux, c'en serait fini : ils s'effondreraient et se briseraient en mille morceaux que rien ni personne ne pourrait plus jamais recoller.

« La vie ne devrait pas vous jouer des tours aussi atroces », pensa Samuel en les quittant.

De la lumière brillait dans le bureau du shérif. La prison était évidemment éclairée. Elle l'était toujours. Mais Samuel s'étonna de trouver Early encore au travail. Il s'était attendu à faire sa déposition devant un de ses adjoints.

Early fit signe à Samuel de venir dans son bureau, l'invita à s'asseoir en face de lui et ne perdit pas une miette de ce qu'il lui raconta. Lorsque Samuel aborda l'épisode où il s'élançait vers Ras Ballenger et traversait la cour en volant, Early ramassa la pochette d'allumettes qui traînait sur la table et se mit à en déchirer pour les jeter une à une dans la gueule ouverte du mocassin d'eau – ou plutôt dans le cendrier fiché au fond de la spirale vipérine.

Samuel termina son récit, et attendit la réaction d'Early. Ce dernier commença par garder un bref silence. Puis il respira un grand coup et se mit debout.

— Merci d'être venu, Samuel.

Samuel l'imita, ne sachant à quoi s'attendre.

— Que se passe-t-il maintenant ? s'enquit-il.

— Maintenant, vous retournez chez vous, auprès des vôtres.

Samuel le regarda sans comprendre. Rentrer chez lui auprès des siens, c'est ce qu'il souhaitait le plus au monde, mais il ne pensait pas que ce serait aussi facile.

Il avait d'avance mis une croix sur cette possibilité. Du moins pour un certain nombre d'années.

Samuel déclara à Early qu'il appréciait cette marque de confiance, et se réjouissait de retrouver sa femme et ses enfants ; cela allait être dur pour eux aussi ; il était soulagé de disposer d'un peu de temps pour les préparer, avant d'être bouclé.

— Personne n'a l'intention de vous boucler, Samuel, lui affirma Early. Je ne peux pas avoir deux inculpés pour le même meurtre. Et la version de Toy tient beaucoup mieux la route que la vôtre.

Samuel s'agrippa au bureau d'Early. (C'est dire s'il était proche de tomber à la renverse.)

Comme il restait coi, Early ajouta :

— Et surtout n'allez pas raconter aux gens ce qui est arrivé à Swan. Le regard des autres, ça aide pas une gosse à se remettre d'un truc pareil.

Quelques minutes plus tard, Early ayant prié Bobby Spikes, l'adjoint de service, de le conduire à l'arrière du bâtiment, Samuel se trouvait en tête-à-tête avec son beau-frère. Toy, debout dans sa cellule, les bras enroulés autour des barreaux, avait l'air plus décontracté qu'il ne l'avait été depuis longtemps. Samuel, en revanche, était non seulement tendu, mais il avait aussi l'impression de perdre son âme.

— Tu ne peux pas faire ça, souffla-t-il.

— C'est déjà fait, entonna Toy.

Cette partie de la prison était mal éclairée. Le visage de Toy, noyé d'ombres, paraissait lisse, comme si les ténèbres avaient gommé les sillons et les plis creusés par les vicissitudes qu'il avait traversées.

— Mais tu n'as rien fait, argua Samuel. Le coupable, c'est moi.

Toy glissa un regard du côté de Bobby Spikes, lequel n'était pas censé écouter, mais ne s'en privait pourtant pas. L'adjoint n'était pas tourné vers eux, mais on voyait bien qu'il avait l'oreille grande ouverte.

— Tu es tout tourneboulé, Samuel, répliqua Toy sans quitter Bobby des yeux. (Espérant que Samuel comprendrait à demi-mot et jouerait le jeu. Espérant seulement.) Quand j'ai ramené Swan et que tu as vu qu'elle avait été battue, tu as dû péter un plomb.

Battue. Pas violée. Pas massacrée. Battue.

Soudain, Samuel comprit. Il comprit pourquoi Toy s'accusait, pourquoi il s'efforçait de dissimuler ce qui était réellement arrivé à Swan. Il le faisait *pour* Swan. Pour qu'elle puisse grandir sans que son père lui manque, pour que les gens ne la montrent pas du doigt ni ne parlent dans son dos. Et pourtant, dans l'optique de Samuel, pour qui l'honnêteté n'avait qu'un seul visage, tout cela n'était qu'un ramassis de mensonges dont rien de bon ne pourrait jamais sortir.

— Tu ne peux pas faire ça, insista-t-il.

— Que veux-tu d'autre ? Je suis un assassin, j'ai tué de sang-froid ; il faut bien que je paie. T'es pas d'accord, Bobby ?

Bobby lui coula alors un regard qui en disait long sur son envie de le voir frire, et déclara simplement :

— Ben, je suppose que c'est vrai ce qu'on dit par ici : un Moses ne ment jamais.

40

Calla se désolait.

Elle se désolait pour Swan – pour tout ce qu'elle avait perdu, et pour tout ce qu'elle avait découvert sur la vie que personne ne devrait jamais savoir, parce que cela ne devrait pas même exister. Elle se désolait pour Blade – pour ce qu'il était en train de perdre, lui aussi. Désormais, il ne pourrait plus se sentir chez lui sous leur toit. Il ne pourrait peut-être jamais plus se sentir chez lui nulle part. Elle se désolait pour les autres garçons, parce que leur monde était en ruine. Elle se désolait pour Samuel et Willadee, parce qu'il leur revenait de s'atteler à tout reconstruire, et elle ne voyait pas comment les choses pourraient redevenir simples.

Et elle se désolait pour Toy.

Lorsque Samuel revint de Magnolia – lorsqu'il déballa devant elle toute l'histoire (ce qui lui faisait mal au cœur, elle le voyait bien), elle resta assise sur une chaise, le dos droit, les mains croisées, et se mit à tourner son alliance sur son doigt, de droite à gauche, de gauche à droite.

—J'y retourne demain, promit Samuel. Je continuerai jusqu'à ce qu'il m'écoute.

Elle n'en doutait pas. Mais tous ces efforts, il les ferait pour rien. Personne sur cette terre ne croirait jamais que Samuel Lake avait tué un homme. Pas quand ils avaient le choix entre deux assassins : lui et Toy Moses. Une fois le choc passé, elle s'aperçut qu'elle n'était au fond pas tellement étonnée qu'il se soit accusé du crime. C'est exactement ce qu'elle aurait attendu de sa part, si elle avait osé s'aventurer dans ce genre de supputation. Ce qui ne l'empêchait pas de se désoler.

La nuit, dans sa chambre, elle sortait de vieilles photographies d'une boîte et les étalait sur son lit. Des images de ses enfants, petits puis plus grands. Quatre garçons, trois filles. Un garçon, disparu, et voilà bientôt un autre sur le départ. Finalement, elle rangea les photos, sauf une, de Toy, le jour où il avait quitté la maison pour endosser l'uniforme. Celle-là, elle la garda dans ses mains, alors que, assise dans son fauteuil, elle priait Dieu de les gratifier d'un deuxième miracle.

Elle se cramponnait à l'idée que c'était possible. Qu'un beau matin, à son réveil, elle trouverait Toy à la maison, et Early Meeks dans sa cuisine en train de boire son café en lui expliquant que son fils bénéficiait d'un non-lieu, pour la bonne raison que Ras Ballenger méritait son sort et que peu importait qui l'avait envoyé dans l'autre monde.

Mais elle n'était pas dupe. Elle avait déjà obtenu une fois un miracle. Énorme ! Et voilà qu'elle en réclamait un deuxième. Des miracles de cette ampleur, il ne pouvait y en avoir qu'un seul par pénitent.

Calla avait raison à propos de Blade. Il ne se sentait désormais plus chez lui, et le lendemain, quand ils se levèrent, il s'était envolé. Samuel et Willadee s'inquiétaient tous les deux beaucoup pour lui, et espéraient de tout leur cœur qu'il allait bien, mais Samuel savait qu'il était hors de question de pousser sa voiture jusqu'à la propriété Ballenger, et il aurait refusé de laisser Willadee y aller, même si elle avait été prête à quitter le chevet de Swan, ce qui n'était pas le cas. Noble et Bienville se proposèrent, mais ni Samuel ni Willadee ne voulurent en entendre parler.

Calla s'y rendit, elle. Personne au monde n'était en mesure de dicter sa conduite à cette femme. En plus elle refusa qu'on l'y conduise. Elle avait téléphoné au bureau du shérif, et, apprenant qu'elle ne pourrait pas voir Toy avant sa mise en accusation devant le juge, laquelle n'aurait pas lieu avant midi, elle s'en fut à pied dès le petit déjeuner terminé. Elle sortit par la porte de l'épicerie et marcha au bord de la route. Comme ça. Un pied devant l'autre.

Chez les Ballenger, elle trouva des voitures garées dans la cour. Pas des voitures de police. Celles-ci, venues au cours de la nuit, avec une ambulance, étaient reparties depuis longtemps. Calla Moses avait entendu les sirènes. Non, à présent, il n'y avait que les familles, celle de Géraldine et celle de Ras. Des gens à l'allure plutôt rude. Un homme qui devait avoir l'âge de Toy lui bloqua le passage en lui disant qu'elle n'était pas la bienvenue dans cette maison.

— Je le sais bien, répliqua-t-elle. Je ne resterai pas longtemps. Merci de me laisser passer.

Que pouvait-il faire d'autre que s'écarter ?

Elle aperçut Blade avant de monter les marches du porche. Elle le vit à travers la porte-moustiquaire. Sa mère, assise sur une chaise, tenait sur ses genoux un bébé et une boîte de Kleenex. Blade, debout à côté d'elle, tel un petit homme. Deux garçons plus jeunes étaient assis par terre, le plus grand suçant son pouce en reniflant.

En entrant dans la cuisine, les yeux de Blade se posèrent sur elle et son cœur d'enfant parut bondir dans sa poitrine. Géraldine fixa Calla de ses prunelles cernées de rouge. Apparemment, le souvenir de son mari lui paraissait plus doux que la vie avec lui. Ou était-ce à cause de ce qui lui était arrivé après sa mort? À cause de ce que les chiens avaient fait? Calla était au courant. Early lui en avait causé au téléphone. Géraldine arracha une poignée de mouchoirs en papier de la boîte et se moucha bruyamment.

— Si vous êtes venue me demander si vous pouvez faire quelque chose, dit Géraldine, vous ne pouvez pas me le ramener.

«Non, et si quelqu'un osait, je le renverrais illico là d'où il serait revenu», avait envie de rétorquer Calla. Mais tout haut, elle déclara:

— Si jamais vous ou les enfants avez besoin de quoi que ce soit, n'oubliez pas que nous sommes encore voisins.

En dépit de toute logique, Géraldine enlaça Blade d'un bras protecteur. Comme s'il avait besoin d'être protégé contre Calla Moses!

— Vous ne me reprendrez pas mon fils.

— Non. Je comprends que Blade ait envie de rester ici à votre côté. (Calla se tourna vers Blade.) Mais notre porte te sera toujours grande ouverte. Nous t'aimons tous énormément.

Il détourna les yeux. Calla pivota sur ses talons et sortit. Quand elle fut dans la cour, elle l'entendit derrière elle. Courir. Elle s'arrêta et attendit qu'il vienne se planter devant elle, face à face.

— Je vous demande pardon, murmura-t-il. (Ainsi, il était repassé au chuchotement.) Pour ce qui est arrivé à Swan.

— Blade, tu n'as rien à voir avec ce qui est arrivé à Swan. Tu ne peux pas prendre sur toi la faute des autres et la laisser te changer.

Comme il restait muet, elle lui demanda s'il allait bien, «au-dedans de lui». S'il était triste que son papa soit mort. Il secoua la tête.

— Non. (À peine audible.) Mais je devrais.

Puis il pivota sur lui-même et rentra en courant dans la maison, sans un regard en arrière.

Swan s'assoupissait de temps à autre comme pour mieux se réveiller en sursaut, et en larmes. Chaque fois qu'elle ouvrait les yeux, quelqu'un se trouvait auprès d'elle. Sa mère, son père, ses frères, sa grand-mère. Et, chaque fois, elle détournait le regard, convaincue qu'ils voyaient sur sa physionomie ce qui lui était arrivé, ce qui lui était arrivé se révélant beaucoup plus difficile à affronter avec le recul, à présent qu'elle était en lieu sûr.

«C'est fini», lui disait sa mère.

«Personne ne pourra jamais plus te faire du mal», lui assurait Samuel.

Mais ce n'était pas cela qui la préoccupait. Ballenger était mort, et son père l'avait tué. Elle le savait parce qu'elle avait vu le cadavre recroquevillé dans la cour quand Samuel l'avait sortie de l'Endroit noir et portée le plus doucement possible jusqu'à la voiture. N'empêche, ce qu'on lui avait fait ne pouvait pas être défait, et c'est cela qui la hantait.

428

Ses frères ne savaient pas quoi lui dire, sinon qu'ils espéraient qu'elle allait bien. Question à laquelle elle donnait toujours la même réponse :

— Non.

Avant de partir rendre visite à Toy, grand-maman Calla s'arrêta dans la chambre de Swan et s'assit sur le lit à côté d'elle. La fillette la regarda avec les yeux du malheur.

— N'oublie pas que tu as été sauvée par un miracle, lui dit sa grand-mère, qui aurait bien voulu la voir retrouver ses capacités d'émerveillement.

Swan fondit en larmes.

— Il est arrivé trop tard. J'ai seulement été sauvée en partie.

— Ce n'est pas vrai, lui dit grand-maman Calla. Qu'est-ce que tu racontes, voyons ? Ton papa t'a ramenée tout d'une pièce. Nous avons récupéré notre petite fille entière.

— Je me sens pas entière.

— Ça te passera. Tu verras.

Après son départ, Swan demanda à sa mère de sonner la cloche de vache. Willadee s'empressa de soulever la cloche posée sur la table de chevet et l'agita fort et longtemps. Swan s'adossa à ses oreillers et ferma les yeux. Le carillon avait sur elle un effet apaisant.

— Pourquoi tu crois que Dieu a attendu si longtemps pour me venir en aide ? interrogea-t-elle.

Willadee se posait justement la question. Tout ce qu'elle trouva à lui répondre fut :

— Tu es ici. Avec nous. C'est la seule chose qui compte.

Swan laissa échapper un soupir qui était comme un frisson et repoussa de toutes ses forces le souvenir de ces lieux, la terre sous les saules, l'Endroit noir chez Ballenger, qui l'attirait comme dans un cercle maléfique. Là-bas, dans les bois, il restait encore deux cloches et deux appeaux, et elle espérait contre tout espoir que personne d'autre n'aurait besoin d'un miracle. Car avoir besoin d'un miracle, c'était la pire des choses.

Samuel emmena Calla en voiture, et pendant qu'elle était avec Toy dans la prison, il s'en fut trouver Early Meeks. À qui il répéta ses aveux. Early l'écouta, mais pas avec la même patience que la première fois.

— Décrivez-moi la pièce où Ballenger avait enfermé Swan, lui lança-t-il.

— Il faisait noir, je n'ai rien vu. Un sol en terre battue. C'est tout ce que je me rappelle.

— Toy se rappelle de beaucoup plus de détails !

Samuel était sur le point de protester quand Early, appuyant ses paroles d'un hochement de tête entendu, lui affirma que tout le monde dans le comté de Columbia savait qui était le tueur dans la famille Moses.

— Il y a des années de cela, Toy n'a pas été inquiété après avoir tué un homme, parce qu'il était un héros de retour de la guerre, et Yam Ferguson un sale petit gosse de riche qui était resté planqué et en avait profité pour trousser toutes les petites amies et les femmes de nos braves garçons. Mais même si Yam Ferguson et Ras Ballenger méritaient ce qui leur est arrivé, votre beau-frère ne peut continuer à tordre des cous comme ça. Il donne le mauvais exemple.

— Mais ce n'est pas lui, insista Samuel. Demandez à ma fille si c'est Toy qui est venu la chercher dans ce trou !

— Ce que votre fille a traversé aurait de quoi rendre fou n'importe qui. Elle a dit au docteur que des souris avaient grignoté ses liens. Des centaines de souris. Mais vous savez quoi, Samuel ? On a bien trouvé des cordes et un sac de jute en loques, tout comme elle l'a dit. Mais on n'a pas vu une seule crotte de souris ! Ces bestioles ne peuvent pas courir partout sans lâcher quelques petites billes, bon sang ! Votre fille s'est libérée elle-même. Je ne sais pas comment elle s'y est prise, mais c'est un fait. Maintenant, rentrez chez vous et réjouissez-vous d'avoir encore une fille à élever. Ne cherchez plus à tirer la couverture à vous.

Tirer la couverture à lui ? Autrement dit, Early estimait, d'une part, que le meurtre de Ras Ballenger était une bonne chose et, d'autre part, qu'il tenait son coupable. Ou celui à qui il allait permettre de jouer les coupables. Soudain, Samuel ne savait que penser. Sauf qu'il n'avait aucune chance de faire changer d'avis Early Meeks.

Aussi se rendit-il chez le procureur, Lavern Little, un homme corpulent qui ressemblait à un vieux bouledogue. Cette fois, Samuel prit soin dans son récit de taire l'épisode où il volait dans les airs. Lavern l'interrompit avant qu'il ait terminé :

— Ça ne plaît pas trop dans le pays, lui dit-il. Non que quiconque regrette Ras Ballenger. Mais que Toy Moses tienne entre ses mains la vie et la mort des gens, ça ne va pas du tout. Et cessez donc d'essayer de mettre des bâtons dans les rouages de la justice, sinon j'inculperai Toy pour deux meurtres, et pas seulement un ! Il n'y a aucun délai de prescription pour un assassinat.

Il n'aurait pu être plus clair. Tout ce que Samuel pourrait dire ou faire désormais était susceptible de se retourner contre Toy.

Ce qui n'empêcha pas, au cours des deux semaines qui suivirent, chaque membre de la famille de tenter de faire entendre raison à Toy. Il leur rétorqua que c'était ce qu'il avait fait de plus raisonnable de toute sa vie.

— Si c'est moi qui me trouve dans le box des accusés, allégua un jour Samuel, on pourra peut-être invoquer l'homicide justifiable. Mais toi, tu vas être jugé pour meurtre !

(Comme Bobby Spikes n'était pas de service, ils n'avaient pas à surveiller chacune de leurs paroles.)

— Oui, c'est ce dont je suis accusé, lui confirma Toy. Et si j'étais encore dehors avec vous autres, il y en aurait sans doute encore un !

Il n'avait pas prononcé le nom de Bernice. Comme Samuel tardait à répliquer, Toy lui jeta un deuxième os à ronger :

— Tu sais pourquoi j'ai tué Yam Ferguson, Samuel ?

Samuel était choqué. Personne chez les Moses n'avait jamais évoqué cet événement de manière aussi directe.

— Je l'ai tué pour défendre l'honneur de Bernice, prononça Toy d'un ton amer. (Il rit. Un rire sans joie. D'une tristesse à pleurer.) J'ai tué un homme pour défendre quelque chose qui n'existait pas. Voilà peut-être pourquoi je paie pour mon crime aujourd'hui, et que toi tu bénéficies de ce à quoi j'ai eu droit autrefois. On appelle ça un sursis. Il regarda Samuel droit dans les yeux et énonça le plus important de tout: Dans l'état où je suis, je serais plus un poids pour vous tous qu'autre chose, mais toi tu peux encore leur faire du bien. Tu crois que ce serait juste pour tes enfants, si c'était toi qui étais ici? Si tu ne connais pas la réponse, je peux te la donner.

Mais ce n'était pas nécessaire. Au-dedans, Samuel savait.

Calla déclara à Toy que, bien que comprenant ses raisons, ce qui se passait lui était insupportable. Il ne méritait pas la moitié des malheurs que la vie lui avait infligés, et avec lui elle n'y était pas allée de main morte. Et maintenant, ça!

— C'est pas bien de t'accuser de quelque chose que tu n'as pas commis, avança-t-elle. Tu essaies d'être réglo avec tout le monde, mais tu oublies de l'être avec toi-même.

Toy rétorqua que si, il l'était, et pas qu'un peu.

Willadee vint à son tour discuter avec Toy. Les larmes aux yeux. Même si elle n'avait pas envie de voir son mari derrière les barreaux, elle ne voulait pas non plus perdre son frère. S'ils disaient la vérité – la bonne vieille vérité toute simple et honnête! –, aucun jury au monde ne condamnerait Samuel.

— Ne te fais pas d'illusions, lui dit Toy. Les gens changent facilement d'opinion. Ils se demandent déjà entre eux ce que Samuel a bien pu faire pour être exclu de sa congrégation. Ajoute à cela le petit numéro de Bernice lors de sa réunion pour le renouveau de la foi, et le fait qu'elle raconte à qui veut bien l'entendre que Samuel lui a couru tellement après qu'elle a dû lui céder, et qu'il était tout le temps en train de l'attirer dans ta chambre, pendant que tu travaillais au bar...

Willadee laissa échapper un petit cri. Elle était sidérée.

— Ils resteront bouche cousue devant toi, ajouta Toy. Ils ne disent rien non plus devant moi, mais quand ils sont seuls... Tu sais, comme je suis plutôt un taiseux, les gens oublient parfois que j'ai des oreilles pour entendre.

Les enfants vinrent le voir. Swan, Noble et Bienville. Aucun d'eux ne lui fit la moindre remarque, mais ils se montrèrent débordants d'amour. Ils étaient muets de chagrin. Toy se contenta de les serrer tous les trois dans ses bras à travers les barreaux, du mieux qu'il le pouvait, et de les laisser se cramponner à lui aussi longtemps qu'ils le souhaitaient.

— Tu es sage ? demanda Toy à Bienville.

— Je suis toujours sage, répondit Bienville avec un soupir de vieux monsieur. Je suis sage depuis si longtemps que cela en devient lassant.

Le visage de Toy s'éclaira d'un large sourire. Les enfants ne s'en aperçurent même pas, le nez presque collé contre sa poitrine, maudissant les barreaux, tandis qu'il les pressait contre lui.

— Et toi, Swan, ça va ? s'enquit Toy.

— Grand-maman Calla dit que ça va aller de mieux en mieux, l'informa-t-elle.

— Ta grand-maman a raison, approuva Toy. Accroche-toi à ses paroles.

Puis il s'adressa à Noble :

— Et toi, mon petit gars ? Tu t'en sors ?

Noble se recula un peu, se dégagea de l'étreinte de Toy et regarda son oncle droit dans les yeux.

— Je m'en sors très bien… Et je suis drôlement content de porter le même nom que toi.

Toy battit des paupières, perplexe.

— Tu n'as pas le même nom que moi. Personne ne porte mon nom.

— Ben moi je pense que si, répliqua le garçon. Je m'appelle Noble.

41

Personne ne croyait Swan à propos des souris. Pas plus qu'on ne croyait que Sam Lake pouvait voler. Cela dit, on ne s'expliquait pas ce qui s'était passé dans l'espace secret de l'écurie de Ballenger. Ni les petits bouts de corde et ces tissus mâchouillés, ni la toile de jute réduite en confettis.

Un soir, au crépuscule, Samuel, installé dans la balancelle de la véranda, tenait Swan sur ses genoux. Elle était trop grande pour ce genre de chose, mais peu importait.

— Je te crois pour les souris, lui confia-t-il. Je ne sais plus si je te l'ai dit ou non.

— C'est pas la peine. Je le savais, comme je sais que c'est vrai que t'as volé dans les airs.

Elle ajouta qu'elle se demandait s'ils devaient continuer à en parler. Après tout, ils avaient dit la vérité simple et honnête, mais ça ne suffisait peut-être pas.

— Comment leur faire comprendre autrement que les miracles, ça se produit toujours ? lui demanda Samuel.

— Il faut parfois comprendre les choses par soi-même. En entendre parler n'amène pas les gens à y croire. Ils pensent juste qu'on est complètement zinzin !

Toy, selon son souhait, fut gratifié du procès le plus expéditif de l'histoire du pays depuis l'époque des pendaisons. Une heure et onze minutes. La salle d'audience était pleine à craquer. Il tenait absolument à assurer lui-même sa défense. Il renonça à ses droits devant le jury puis plaida : « Coupable plutôt dix fois qu'une ! » Prié d'énoncer le déroulement des faits, il raconta plus de mensonges en dix minutes qu'au cours de toute sa vie. Toutes les bribes qu'il avait saisies de la conversation de Samuel et Willadee le soir des événements, il les arrangea à sa sauce pour constituer un récit bref mais complet qu'il agrémenta en outre de détails glanés dans la cache secrète de Ras Ballenger. Il se déclara fier d'avoir tordu le cou à ce salaud : il ne s'exprima pas autrement. Il ajouta que certains hommes méritaient la mort, et qu'il se félicitait d'avoir aidé celui-là à trépasser.

Samuel Lake souhaita témoigner en faveur de la défense. La défense (Toy Moses) déclina son offre.

Le juge condamna Toy à vingt ans de prison. Sans doute dix pour Yam Ferguson, et dix de plus pour Ras Ballenger, quoiqu'il n'eût rien évoqué de tel.

Toy le remercia du fond du cœur.

Bernice n'avait pas montré le bout de son nez durant le procès.

Après le verdict, Early Meeks conduisit Toy chez les Moses, afin que les adieux avec sa famille ne restent pas gravés dans leur mémoire comme une épreuve déchirante. Cette initiative n'était pas vraiment conforme à la loi, ce que ne manqua pas de faire remarquer Bobby Spikes alors qu'ils aidaient Toy à sortir de la voiture d'Early. Ce dernier rétorqua à Bobby qu'il n'était sans doute pas non plus vraiment conforme à la loi d'empoisonner l'existence d'un adjoint, mais qu'il l'avait déjà fait, et qu'il était prêt à le refaire, s'il continuait à l'énerver comme ça.

Chez Calla, les grandes personnes demeurèrent assises à bavarder, plus ou moins comme pendant n'importe quelle réunion de famille. Les sœurs et belles-sœurs de Toy avaient apporté tellement à manger qu'il était impossible de goûter à tous les plats. Mais ceux qui l'avaient été furent, de l'avis général, jugés succulents. Lorsque Toy déclara à Lovey que son gâteau était un plaisir pour les papilles, le visage de la petite fille s'illumina comme un rayon de soleil.

Au début, Swan et ses frères se sentirent inquiets et tristes à mourir, mais, peu à peu, ils se calmèrent. Il ne s'en allait pas pour toujours, leur dit Toy. Vingt ans ne dureraient pas forcément vingt ans. Tout dépendait du tour que prendraient les choses.

— En attendant, dit Toy à Noble, tu vas demander à ton père de t'aider à réparer ce moteur auquel on ne s'est finalement jamais attaqués. Et après, tu veilleras à bien entretenir ce camion, comme ça tu pourras t'en servir une fois que tu auras ton permis.

Noble promit de s'en occuper, et que la première fois qu'il aurait le droit de conduire tout seul, il se ferait prendre en photo et lui enverrait le cliché.

Toy passa un bon moment avec chacun, comme un père de famille disant au revoir à ses enfants avant de partir en voyage. Ils n'étaient certes pas ses enfants, mais il les aimait de tout son cœur. Il pria Bienville de lui envoyer des livres, et Bienville s'enquit de ses préférences. Toy répondit qu'il était intéressé par tout ce qui touchait les bois et les rivières, mais qu'il était disposé à élargir son horizon. À cette perspective, les yeux de Bienville brillèrent. Après quoi, Toy taquina Swan tout comme aux premiers moments de leur amitié, le jour de l'enterrement de papa John, et elle ne se priva pas de le taquiner à son tour. Ils étaient bel et bien liés désormais. D'une amitié profonde, comme elle en avait rêvé en ce jour lointain – sauf qu'à l'époque elle ne saisissait pas le sens de cette expression. À présent, elle savait.

Un enfant manquait : Blade. Toy demanda aux autres de lui dire, la prochaine fois qu'ils le verraient, qu'il l'aimait comme un fils. Et Blade pourrait-il lui poster un dessin ou deux de temps en temps ?

Pour finir, Toy embrassa toutes les personnes présentes, même les hommes. Quand vint le tour de Samuel les épaules de celui-ci tressaillirent, tant il débordait d'émotions qu'il s'interdisait d'exprimer en public. Toy eut pour lui un large sourire et lui donna une tape sur l'épaule.

— Prends soin de toi, pasteur.

— Je prierai pour toi, dit Samuel.

Early n'eut pas à rappeler à son prisonnier que l'heure du départ avait sonné. Toy Moses n'avait pas besoin d'être rappelé à l'ordre. Une fois tout le monde embrassé, un dernier baiser pour chaque enfant et encore un câlin à sa maman, un énorme câlin.

— Tu reviendras, lui ordonna Calla.

— Et tu seras là, opina Toy.

— Je ferai de mon mieux, dit Calla, sachant que son mieux ne serait peut-être pas suffisant. (Vingt ans, c'était beaucoup lui demander.)

Elle toucha les lèvres de son fils du bout de ses doigts, puis retira sa main et le laissa partir.

Toy resta un moment debout à envelopper le cercle de famille dans un seul regard. Puis il se tourna vers Early Meeks, et lui demanda lequel des deux, de lui ou de son adjoint, prenait le volant.

Vers le milieu du mois de mai, Samuel reçut une lettre de son supérieur, Bruce Hendricks. Il lui annonçait qu'il avait peut-être une église pour lui, et conseillait à Samuel de descendre en Louisiane lors de la conférence annuelle : quelque chose pouvait sûrement s'arranger.

Au lieu de lui répondre par une lettre d'acceptation, Samuel envoya un dossier de coupures de presse sur le procès – où était mentionnée quelque part la tentative du dénommé Samuel Lake, beau-frère de l'inculpé, de s'accuser du meurtre de Ras Ballenger.

Une missive lui parvint par retour du courrier. L'offre avait été retirée. Samuel tendit la lettre à Willadee et sortit planter sa rangée de melons.

— Tu as de la peine ? s'enquit-elle un peu plus tard.

Ce devait être au crépuscule. Ils arpentaient un champ où la moisson semblait prometteuse.

— De la peine, non.

— Alors quoi ?

Samuel désigna du doigt des plants de maïs dont la hauteur semblait tenir du prodige, puis il lui indiqua des courges magnifiques, et, enfin, il se tourna vers la grange, où leurs enfants bichonnaient Lady. Les derniers rayons du soleil les peignaient tous les trois d'une myriade de couleurs merveilleuses.

— Heureux, dit Samuel. Simplement heureux.

Blade ne tarda pas à revenir leur rendre de petites visites. Il était silencieux, et très sérieux. Ce qui était compréhensible, n'est-ce pas ? Son père, de son vivant, avait choqué certaines personnes, mais en mourant, il avait laissé comme une souillure – et ce genre de chose met beaucoup plus de temps à s'effacer.

Mais au moins Blade était là. Et il venait souvent. En partie pour jouer, en partie pour voir s'ils avaient reçu une nouvelle lettre de Toy (il y en avait toujours une) ou pour leur apporter celle qui venait de glisser dans sa propre boîte aux lettres.

Il arrivait parfois, par temps de canicule, que Samuel les accompagne tous les quatre au Trou des nageurs. Cela faisait des années qu'il voulait leur apprendre à nager, mais il avait toujours été retenu par les affaires de Dieu. À présent, en les regardant rire, crier de joie et grandir, il commençait à soupçonner que ce à quoi il se consacrait à présent était plus proche de ce que Dieu attendait de lui. Au bout du compte, Dieu avait tout bien combiné.

L'agriculture n'empêchait pas Sam Lake de conduire les malades chez le docteur, ni de répandre la parole de

Dieu, tout comme autrefois. Sa prédication se passait souvent de mots. Ses sermons prenaient plutôt deux fois qu'une la forme d'un cageot de légumes ou d'une bassine de haricots violets, qu'il déposait en douce sur le seuil d'une famille qui avait faim. Parfois, il se contentait de regarder quelqu'un droit dans les yeux sans ciller : à tous les coups, la personne visée détournait le regard.

Willadee avait rouvert le Never Closes, et s'était mise à proposer des plats cuisinés aux habitués. Assez vite, elle cessa de servir de l'alcool et avança l'heure de la fermeture. Les habitués vinrent dès lors accompagnés de leurs femmes et de leurs enfants. Willadee déclara à Samuel qu'il leur fallait une nouvelle enseigne.

Samuel décrocha la pancarte *Never Closes*, prêt à peindre autre chose par-dessus, mais Willadee n'arrivait pas à se décider. Samuel, lui, savait exactement ce qu'il voulait. Il commença par effacer le N de *Never*, et la totalité de *Closes* qu'il remplaça par un autre mot. Puis il cloua la nouvelle enseigne au-dessus de la porte. On y lisait : *Ever After*.

Willadee suggéra qu'ils devraient peut-être écrire : *Happy Ever After*[1], mais Samuel rétorqua que pas du tout, le bonheur étant comme tous les miracles. Plus on en parle, plus les gens doutent de sa réalité. Comme disait Swan, il y avait des choses que l'on ne pouvait découvrir que par soi-même.

----

1. La petite phrase que l'on trouve à la fin de tous les contes de fées, « heureux pour toujours », l'équivalent de notre : « Et ils vécurent heureux et eurent beaucoup d'enfants. »

Non qu'ils aient eu besoin d'une enseigne. La bonne cuisine se humait à une lieue à la ronde, et sa réputation dépassait cette frontière. L'Ever After était ouvert tous les soirs pour le dîner sauf le dimanche (Samuel n'admettait quand même pas qu'on s'en mette plein les poches le jour du Seigneur). Avec le temps, l'affluence grandissant, la clientèle ne tint plus à l'intérieur. Samuel fabriqua des tables à pique-nique et des bancs, qu'il disposa sur la pelouse sous les chênes. Et même avec tout ça, ils affichaient complet.

À la fin du jour, la cour des Moses se remplissait de voitures. Les clients circulaient et se parlaient d'une table à l'autre. Les enfants jouaient à chat et chassaient les lucioles. L'air pétillait de rire, au point que, si vous regardiez bien, parfois, vous pouviez voir tourbillonner des bulles de rire. Les assiettes débordaient de toutes sortes de mets, viandes en barbecue, salade de pommes de terre, haricots à la mode du pays, épis de maïs grillés et, le grand favori : le chutney aux pêches de Calla. Les clients arrosaient ce copieux repas de thé glacé servi dans des pichets en verre, et, s'ils avaient encore une petite place, se régalaient du pudding à la banane de Willadee, ou de son gâteau à la mousse au chocolat, et, s'ils n'avaient plus de place, ils en faisaient une.

Souvent, le soir, en rentrant des champs, Samuel, une fois douché, tirait une chaise au milieu des clients et jouait de la mandoline, de la guitare ou bien du violon. Tous étaient invités à participer et à chanter avec lui.

Swan ne laissait jamais passer l'aubaine. Debout derrière son papa, un bras passé autour de ses épaules (elle portait en général un jean), elle se sentait saisie depuis les orteils. Alors la musique s'épanchait d'elle en un flot si clair, frais, fluide, que les auditeurs n'avaient plus qu'à se suspendre aux notes et à surfer sur la vague. C'était comme descendre les rapides de la Cossatot River.

Bientôt se joignirent à ces soirées les cueilleurs saisonniers venus chez Calla des quatre coins de la région, les anciens initiant les petits nouveaux (comme Noble, Bienville et Blade) et leur apprenant des solos de guitare. Rien que d'être là, on avait le cœur gros comme ça.

Personne ne faisait mine de bouger avant que Calla se lève de sa chaise en prononçant une petite phrase du style : « Si je n'étais pas chez moi, je dirais qu'il est temps de rentrer. »

Alors les gens rassemblaient leur progéniture et se dirigeaient vers leurs véhicules. Tous ces habitués et habitués potentiels, sans oublier la clientèle de passage qui, ayant entendu parler de la vieille ferme Moses, contribuerait à en étendre la renommée.

« Sam Lake a la voix aussi douce que le vent dans les trèfles. »

« Il fait causer les cordes. »

« Il peut les faire parler en langues. »

Remerciements

En 1994, avec pour tout bagage l'étude de quelques pièces de théâtre, je décidais d'en écrire une. Je plantais un décor, je campais des personnages et je jetais le tout sur une feuille de papier. Mais voilà, mon histoire refusait de se cantonner là. Elle souhaitait se transformer en roman. Elle aspirait à courir et à vagabonder au-delà des limites de mon décor et à précipiter mes personnages dans toutes sortes d'imbroglios.

Aussi lui ai-je lâché la bride, et bien m'en a pris, car je me suis beaucoup amusée. L'espace d'une centaine de feuillets. Ensuite j'ai été obligée de m'arrêter pour trouver un gagne-pain. Je l'ai donc mise de côté. Elle a dormi pendant des années dans un tiroir. De temps à autre, je la ressortais et je m'en émerveillais. Je téléphonais à mes amis pour leur lire des passages, afin de m'assurer qu'eux aussi l'aimaient toujours — avant de la ranger dans son tiroir. Puis, un beau jour, finalement, il y a deux étés de cela, Charlie Anderson et Leon Joosen (des amis comme tout le monde devrait en avoir) me rappelèrent qu'une bonne histoire possède non seulement un début, mais encore un milieu et une fin.

Cela suffit à me donner des ailes. Je leur soumettais chaque soir quelques feuillets. Ils ne manquaient jamais de me faire part de leur réaction, et je me suis tellement nourrie à leur enthousiasme, que ce récit est presque autant le leur que le mien. Ne trouvant pas de mots assez forts pour leur exprimer ma gratitude, j'ai l'intention de payer ma dette en les régalant de ma cuisine.

Je remercie aussi tous ceux, nombreux, qui ont contribué à la mise au monde de ce roman.

Helen Barlett, personne ne saurait se montrer aussi chaleureuse et accessible ; je la remercie d'avoir été mon charmant mentor.

Lynn Hendee, dont la générosité et l'amour de la vérité m'ont rendu ses opinions d'autant plus précieuses.

Barri Evins, qui m'a appris la signification du mot *mensch* parce qu'il en est un : un homme bien ; je le remercie de sa foi en moi et de son amitié.

Beth Grossbard, une combattante toujours prête à monter sur le ring ; merci d'avoir été de mon côté ; et de m'avoir présentée à…

L'irrésistible Dorothea Benton Frank qui a pris le temps de me montrer les ficelles du métier, et grâce à qui j'ai rencontré Larry Kirshbaum et toute la merveilleuse équipe de LJK Literary Management.

Je serai éternellement reconnaissante à Susanna Einstein, mon irremplaçable agent, pour m'avoir choisie et permis à mon livre de se faire connaître. Vous êtes un miracle, Susanna. Je suis bénie.

En France, je dois un grand merci à Anna Jarota, Zuzanna Brzezinska, Françoise Triffaux et Valérie Maréchal.

Et comme toujours je voue une gratitude infinie à mes chérubins, Taylor, Amy et Lori – les meilleurs amis dont on puisse rêver. Grâce à vous, j'ai une vie riche et pleine de sens.

Composition : Soft Office (38)

Achevé d'imprimer
en avril 2010
par Printer Industria Gráfica
pour le compte de France Loisirs, Paris

Numéro d'éditeur : 59240
Dépôt légal : mai 2010
Imprimé en Espagne

pequenauds?